JN085895

まえがき

　MPESA というケニア発の決済サービスをご存じだろうか？　サファリコム (Safaricom) という
ケニア最大の通信キャリアが提供するプリペイド携帯に付随のサービスだ。このサービス、チャージ
した金額を他人に送金できるという特徴がある。そのため、クレジットカードはおろか銀行口座を
持っていない人々も使いだし、重要な社会インフラとなっている。年間の取引額は日本円で約 5 兆
円（2018 年）。これはケニアの GDP の 50％、1 年分のケニアの全銀行トランザクション約 2 倍
に相当する。何もないところからのリープフロッギングは中国やインド以上の飛躍といえよう。一方
で、石油や鉱物資源頼みの産業構造、食糧自給問題、ガバナンスの向上と、課題が多いのも事実。
2022 年のブルキナファソ、2023 年のニジェールでのクーデター、スーダン危機と、依然政情が
不安定なのも気がかりである。

　そのようなアフリカの Hip Hop をガイドするのが本書である。アフリカといってもアラブ世界の
北アフリカを除く、かつてブラックアフリカといわれたサハラ砂漠以南（サブサハラ）の地域 49 か
国が対象。東部、中部、南部、西部と国連や外務省に準拠した 4 つのエリアに分けた章立てとなっ
ている。それぞれの章では、国ごとにアーティストを年代順に紹介、ページを追うごとにその国の
シーンがどのように変化していったかの概略が分かるようにしてみた。そのアーティスト紹介ページ
では、代表的なディスクをレビュー、ぜひ参考にしていただきたい。また、49 か国対象ということ
で、限られたページ数で掲載しきれないほどのアーティストを発掘。そのためディスクレビューのみ
のページも用意、こちらも国順、年代順、さらに 1 アーティスト 1 ディスクとした。調べれば次か
ら次へと見つかるアーティストに困惑しつつも、重要なキーマンは本文中にて触れているので、気に
なる方は検索してみてほしい。本来ならばこれらキーマンの詳細も掲載したいところであるが、書籍
という物理的制約もあるため、その点はご容赦いただきたい。超マニアックなコレクションというよ
りは、セレクションとして使ってもらえればと思う。

　アフリカの Hip Hop はローカライズが進み、独自のテイストを持っている。周辺ジャンルと一体
化したものもあり、一部にはカテゴライズが難しい部分もある。Dancehall にしか聴こえないが、
現地では Hip Hop 扱いという例が典型だ。そのため、各章のはじめに、サブジャンル及び周辺ジャ
ンルの解説ページを用意した。また、若手からレジェンドクラスのアーティストへのインタビューを
各章に掲載。亡命中のアーティストにも取材した。

　箸休めとして各章の合間に、アフリカの Hip Hop シーンを取り巻くさまざまな事象をコラムとし
て挟み込んでみた。単純に読み切りのコラムとしても興味深いと思われるので、話のネタに活用して
いただきたい。

　表記に関して、地名、政治家や歴史上の人物に関してはカナ表記。アーティスト、レーベル、ジャ
ンル名などの用語に関しては、現地の公用語のアルファベット表記とした。エチオピアとエリトリア
のゲエズ文字は分かりにくいので、便宜的にアルファベット表記としている。

　21 世紀は「アフリカの世紀」ともいわれる。進化するアフリカン Hip Hop の世界を覗く旅を始
めてみよう。

アイコンの意味

🌍 サブジャンル・周辺ジャンル発生地　　🏛 サブジャンル・周辺ジャンル発生年
🌐 出身国　◉ 出身地　⑧ 拠点　🎂 生年　〰 活動期間　📛 本名　😎 別名義　✊ グループ中心人物
▶ YouTube　Ⓢ Spotify　✦ Last.fm リスナー数　Ⓐ アルバム　Ⓢ シングル

※ Last.fm のリスナー数は同名アーティストが複数いる場合は割愛した。

3

Chapter 1
Eastern Africa

エチオピア／ジブチ／エリトリア／ソマリア／スーダン／南スーダン
ケニア／タンザニア／ウガンダ／ルワンダ／ブルンジ
モザンビーク／マラウイ／ザンビア／ジンバブエ
マダガスカル／モーリシャス／セーシェル／コモロ

独自のゲエズ文字を持ち、ヨナ抜き音階が伝統のエチオピア、エリトリア。またアフリカ東海岸全域
は、古来よりアラブ、インドとの交易のあった地域である。その影響は地域の Hip Hop のサブジャ
ンルにまで及ぶ。本章では、ケニアのレジェンド Kleptomaniax の Collo、そしてモンバサの盟主
Kaa La Moto にインタビューを敢行。またコモロなど、日本ではなじみの薄いインド洋に浮かぶ小
さな島国ももれなく掲載。これらの島にも Hip Hop シーンは存在している。辺境に思いを馳せてみ
てはいかがだろうか。章の合間には、意外な 1 位となった YouTube 再生数、アフリカに影響を及
ぼしたラッパー、dig るのにオススメに現地メディアに関してのコラムを用意。息抜きにご覧いただ
きたいと思う。

Gurage Tone

🎙 東アフリカ　▨ エチオピア　📅 2000

エチオピア南部に起源を持つグラゲ族の音楽文化とHip Hopが融合したサブジャンル。グラゲ族の伝統的なドラムビートやペンタトニック音階を取り入れながら、現代のアムハラ語Rapのスタイルで表現される。2000年代初頭から活動するTeddy Yoはデビュー以来、Hip Hopに伝統音楽のスタイルを引用する研究を試行。そのヒットシングル「Gurage Tone」(2007)でカタチとなり、多くのフォロワーが出現。Ethio Rapの一角を担うポジションを得た。2020年代のAmharic Trap / Ethio Drillのビートにもこのフォーマットの影響が見て取れる。

Genge

🎙 東アフリカ　▨ ケニア　📅 2000

Hip HopというよりはDancehallに近い。ナイロビのCalif RecordsのオーナーClemoによって提唱されたスタイル。Gengeとはシェン語で「集団、大衆」の意味である。Calif Records所属のアーティストにより、ミレニアムから2000年代前半に成長したサブジャンル。特にJua Caliの「Ngeli ya Genge」、Noniniの「Manzi wa Nairobi」が有名だ。KapukaがOgopa Deejays系を表すのと同様、Calif Records系の音楽はGengeと呼ばれる。後にケニアのHip Hop / Dancehall系音楽の通称となり、Gengetoneへの系譜と繋がる。

Gengetone

🎙 東アフリカ　▨ ケニア　📅 2010

2018年、SailorsとEthic Entertainmentの成功により一気に花開いたジャンル。基本的にはGengeを踏襲している。最大の特徴はインターネットとの親和性。テレビやラジオではオンエアしにくいセンシティブなテキストが、YouTubeなどのサービスにより身近になった。2016年、Colloのヒット曲「Bazokizo」による踊ってみたネットミームが大量発生した点も、Gengetone誕生の背景として注目しておきたい。ケニアの音楽学者Dan 'chizi' AcedaはGengetone、Dabonge、DebeといったアーバンミュージックをまとめてOdi Popと定義づけた。

Kapuka

🎙 東アフリカ　▨ ケニア　📅 1990

1990年代後半、レーベルOgopa Deejaysによる音作りがルーツ。別名Boombaとも呼ばれる。Hip Hop、Reggaeそしてケニアの伝統音楽をミックスし、テキストはスワヒリ語及びストリートスラングのシェン語がメインとなる。2000年代前半にはケニアとウガンダで一大ジャンルとなり人気を博した。初期の代表的アーティストはRedsan、Bebe Cool、Chameleoneら。ただ、あまりにも売れ線狙いで大衆路線のため、K-Southをはじめとするアーティストから批判され論争を呼んだ。この論争によりGenge、Kapuka Rapなどのサブジャンルが派生していくきっかけとなった。

Kapuka Rap

🎙 東アフリカ　▨ ケニア　📅 2000

ビートパターンが少々異なるため、Kapukaとは別モノとして扱われている。もちろんKapukaから2000年代前半に派生したジャンルである。KapukaがReggae、Dancehallに寄せているのに対し、Kapuka RapのビートパターンはSynth-PopやDance-Popといった踊れる電子音楽がベースとなる。いうなればAvexのケニア版とイメージすればわかりやすい。クラブバンガーではあるが、Hip Hop要素は維持している。代表的なアーティストはCamp Mulla、P-Unit。そして本書でインタビューしたColloも「Chini ya Maji」でKapuka Rapを採用した。

Vegatone

🎙 東アフリカ　▨ ケニア　📅 2010

あるいはRiftsyde Flava、Naxvegas Muzikとも呼ばれるサブジャンル。ケニア第3の都市ナクルにて2010年代前半に登場した。従来のKapukaとDancehallのビートを基礎とする。最大の特徴は、そのテキストだ。「女をコマした」「ヤリまくった」といったドスケベ且つイキリ散らしたテキストが多く、そのためナクル方言の隠語を用いる傾向がある。Teferahはこのジャンルのイノベーターだ。代表的アーティストにRhonda Bwoy、Skymer、Hush BKらといったナクルローカルの面々が挙げられる。地元ラジオ局の人気パーソナリティCaleb Koyoの尽力によりシーンが拡大した。

Bongo Flava

🌍 東アフリカ　📛 タンザニア　📅 1990

1990 年代半ばに首都ダルエスサラームにて発祥。Bongo とはスワヒリ語で脳を意味する Ubongo の複数形のほか、ダルエスサラームあるいはタンザニアそのものを示す表現でもある。そのルーツは Hip Hop であるが、R & B、Afrobeats、Dancehall など、そして Taarab や Muziki wa Dansi などローカルの音楽スタイルからも影響を受けている。この異質な影響の組み合わせにより、Bongo Flava はタンザニアのアーバンミュージックの代名詞となっている。近年は Afrobeats、Kwaito といった他地域の音楽の影響も受けており、より垢抜けて近隣のケニアやウガンダでも人気ジャンルとなった。

Singeli

🌍 東アフリカ　📛 タンザニア　📅 2000

Bongo Flava のサブジャンル。起源は 2000 年代中盤、ダルエスサラームのザラモ人コミュニティの説が有力だ。2010 年代後半からタンザニア全土に広がり、2020 年以降は五大湖周辺にも広がった。その実態は、BMP180 ～ 240 という超高速ダンスミュージックである。この珍妙なサウンドは、日本でも一部のテクノ界隈から注目を集めた。初期はローカルのパーティーで Taarab などのテープを早回ししていたが、いつしか MC を招待するようになったという。男性 MC がビートに負けない超高速 Rap を畳みかけるのが特徴的である。女性 MC の場合はスワヒリ語で合唱を意味する Kwaya を超高速リズムに乗せる。

Zenji Flava

🌍 東アフリカ　📛 タンザニア　📅 1990

Zenji とは、ザンジバル島の愛称である。大陸側の Bongo Flava に対し、ザンジバル島の Hip Hop 系音楽を示す。1964 年のタンザニア連合共和国誕生までは別の国であったため、大陸側とはカルチャーが異なる。発生年代は Bongo Flava と同時期。最大の違いは、より一層 Taarab の影響を受けており、アラブ音楽、インド音楽のエッセンスが反映されている点である。初期の代表的アーティストには Ali Haji、Offside Trick ら。2 Berry、K Jam と世代が進み、多くの Zenji アーティストが活躍するように

なると、Bongo Flava のサブジャンルとして認識されるという皮肉な結果となった。

Luga Flow

🌍 東アフリカ　📛 ウガンダ　📅 2000

Luga とは、ウガンダで最も広く話されているルガンダ語のこと。ルガンダ語による Rap は 1989 年代より Philly Bongole Lutaaya ら、一部のアーティストが実践していた。2000 年代初頭 Bataka Squad 創設メンバーでもある Babaluku、Saba Saba により Luga Flow のスタイルが確立された。2007 年の Babaluku『Lugaflow Revolution』で決定的となった。ルガンダ語採用の結果、ローカルの民族文化やアイデンティティの表現がヘッズに届きやすくなり、定番の人気ジャンルに成長した。Navio、Gravity Omutujju、Fefe Bussi、G.N.L Zamba などが代表的アーティストである。

Runya Flow / Kiga Flow / 他

🌍 東アフリカ　📛 ウガンダ　📅 2000

「母語による Hip Hop」と Babaluku が定義した Luga Flow。ウガンダも他のアフリカ諸国の例に漏れず、多民族多言語。このルガンダ語を指した「母語」に対し、「俺達は違う」と様々な地域のアーティストから反論があり議論を呼んだ。ルンヤキタラ語圏であるウガンダ西部からは Runya Flow、南西部のキガ語圏からは Kiga Flow、東南部のルソガ語圏からは Luso Flow が出現。英語を使用するラッパーは少数派であるが、Klear Kut は英語での Hip Hop を Uga Flow と定義した。そのため 2000 年代後半のウガンダ Hip Hop シーンは、Flow の乱立状態となった。

Kinya Trap

🌍 東アフリカ　📛 ルワンダ　📅 2010

キガリ発、注目のアーバンミュージック。Trap/Drill、Grime そして時折 Afro Pop 風のリズムになる不思議な Trap Music。Wavy な Trap というよりは、キャッチーなメロディーに 808 系キックが炸裂する味付けだ。2018 年、Bushali によるシングル「Kinyatrap」リリースがシーン爆発のきっかけとなった。時系列的にアフリカ諸国で Trap/Drill の流行り始めとシンクロする。代表的アーティストは、Og2tone、B-Threy、Kenny K-Shot らの若手。似たような音楽性

ながら、中堅ラッパー Ish Kevin は Trappish Music と自ら再定義、Kinya Trap 勢に対抗している。

Bounce

🌍 東アフリカ　🇲🇿 モザンビーク　📅 2000

モザンビークにて Hip Hop シーンの狼煙が上がった 2000 年代初頭。この時期の 3 大グループとして Gpro、Trio Fam、360 Graus が挙げられる。政府の検閲を受けるほどシリアスな Gpro や Trio Fam に対し、360 Graus は能天気な lyrics にキャッチーなダンスミュージック寄りと売れ線狙いに徹した。この 360 Graus が切り開いた大衆路線の Hip Hop がサブジャンル化したのが Bounce である。商業的にはマジメ路線を大きく引き離したものの、数年でブームも終焉。

Kopala Swag

🌍 東アフリカ　🇿🇲 ザンビア　📅 2000

ザンビアでは、隣国コンゴ民主共和国にまで伸びる世界有数の銅鉱床地帯を有する。そのカッパーベルト州の州都キトウェを中心に巻き起こったムーブメント。人口は首都のあるルサカ州に次いで 2 番目に多い。そのためカッパーベルト州では、大阪 vs. 東京のような対抗意識があり、しばしばルサカ勢と beef が発生しヘッズの話題となる。大阪弁同様、キトウェのローカルスラングも特徴だ。代表的アーティストは Macky 2、Chef 187 のレーベル Kopala Swag 軍団所属のラッパー。このレーベルに所属していた北部州出身の Muzo は、袂を分かち Kasama Swag なるサブジャンルを提唱した。

Jiti Rap

🌍 東アフリカ　🇿🇼 ジンバブエ　📅 2010

Jiti（Jit、Jit-Jive、Harare Beat とも呼ばれる）は、1980 年代に Sungura から進化したダンスミュージック。当時、Chazezesa Challengers、The Four Brothers らの人気によって普及した。Chimurenga、Soukous、Rock n' Roll、Disco など、様々なジャンルを呑み込んでいった。Sungura 同様クリーントーンギターがメイン、そこにムビラやホショーといった伝統楽器が加わる。縦ノリの四つ打ちが多く、Sungura よりも都会的なリズムとなっている。このスタイルを Hip Hop と大胆にも融合させた中心人物が Taylor Wayne である。

Shebeen Rap

🌍 東アフリカ　🇿🇼 ジンバブエ　📅 2010

Kwaito、Future Bass、Afrobeats そして 1980 年代 Funk の影響を受けたクラブバンガーなサブジャンルである。その融合ぶりから、ブンブン唸るベースラインとキックが心地よい。トラックによっては Dancehall 風にも聴こえる。このジャンルの代表的アーティストは Dough Major、Dingo Duke、Ndonzi Beatx ら。また、DJ Zedaz、Case Btz といったプロデューサーが挙げられる。

Trap Su

🌍 東アフリカ　🇿🇼 ジンバブエ　📅 2020

1950 年代に登場したジンバブエのローカルジャンル Sungura。クリーントーンで速めのリード＆リズムギターが特徴だ。全盛期は The Sungura Boys、The Khiama Boys が登場した 1980 年代である。もちろん今でも一定の人気を保ち、ジンバブエ国民に親しまれているジャンルだ。この国民的ジャンルに目を付けたのが Tanto Wavie。人気の Trap Music に Sungura を合体させ Trap Su なるサウンドを誕生させた。その集大成として、アルバム『Sungura Museve』『Sungura Museve 2』をリリースし注目を集めた。現在フォロワーが出現の動きがある。

Dombe

🌍 東アフリカ　🇲🇬 マダガスカル　📅 2000

マダガスカル 1990 年代のシーンは Dirty South を中心としたモノマネであったが、2000 年頃から伝統音楽との融合を試みるアーティストが増加し、シーンに変化が見られた。その中でもベツィレウ族の伝統音楽 Horija との融合を試みたのが MC、ボーカル 5 人を有するグループ Oladad だ。元々 Oladad はフランスの IAM の影響を受けたごくごく普通の Hip Hop グループであった。彼らが産み出したリズムはマラガシ語で「重い衝撃」を意味する Dombe と称された。この名前だけだと TR-808 系のドーンとくるようなキックを思い浮かべてしまうが、実際は Hip Hop 要素を採用したキャッチーな民謡である。

c：MV「Almetam」

🏳 ● 🅸 国：エチオピア ◆ 出身地：アディスアベバ 🅰 拠点：アディスアベバ ◆ 活動期間：2009-
▶ ● ○ ⊙ 398

アムハラ語採用 Gurage Tone を 確立したエチオピアのレジェンド！

「すべての Hip Hop はローカルです」

Teddy Yo がインタビューで何度か口にしたフレーズである。人口 1 億人以上を有する東アフリカの大国であるエチオピア。にもかかわらず、Hip Hop の歴史は意外と浅い。1991 年まで続いた社会主義政権、その後のエリトリアとの紛争など、国内と周辺は混乱が絶えなかった。ようやく、Hip Hop シーンが登場したのは 21 世紀に入ったあたりだ。初期には MCs such as Algorash、Mad Boys、Abyssinia Boys といったラッパーが登場。しかし、アメリカのモノマネに終わり、少しのミックステープが制作されただけであった。アフリカ諸国の Hip Hop 黎明期によくあるパターンである。

そのような環境のなか、Teddy Yo は Gamo Boys というグループに加入する。ところがグループでの活動が合わなかったのか、早々に脱退、ソロへ転向する。2007 年、エチオピア南部に住むグラゲ族の伝統的なリズムとアムハラ語を採用したシングル「Gurageton（Gurage Tone）」をリリース。Hip Hop と伝統文化を融合したスタイルを、エチオピアで初めて確立した。このあと、アムハラ語をはじめとするローカル言語の Hip Hop が一般化

Demts Albaw Mesarya　　Ⓐ 2010

生活のためレーベルに権利を売ったが、そのレーベルが直後倒産したという、幻の 1 枚になりかけたアルバム。2013 年以降は Habesha Poetics が版権を有するようだ。エチオピア Hip Hop のコペルニクス的作品「Gurageton」が収録されている。そのほかのトラックもエスニック風味満載である。Hip Hop にしては、わりと速い BPM のトラックがほとんど。エチオピアの民族舞踊が思い浮かぶ。

していく。2010 年、1st アルバム『Demts Albaw Mesarya』をリリース。2018 年、2nd アルバム『Arada, Vol. 2』と寡作ではあるが、功績から「Hip Hop の神様」とも称されている。また、シングルはいくつか MV が制作されているので、Teddy Yo の世界観を手っ取り早く理解できるため、一度チェックしてみてはいかがだろうか。リズム、メロディはエスニック風ながら、首都アディスアベバのアーバンな風景をバックにしたパリピ風な MV もあり。

© : MV・「Naneye」

🏳 国：エチオピア　⊕出身地：アディスアベバ　⑧拠点：アディスアベバ　📅生年：1986
🔄 活動期間：2007-　本名：Micheal Taye　🔗別名義：Faf ▶ 🔴 ∞ 484

伝統ヨナ抜き音階とヒップホップを融合した
King of Ethio Rap!

　エチオピアの音楽は演歌のメロディに似ている。それもそのはず、エチオピア音階は、日本と同じくヨナ抜きの５音階が多い。そのため我が国の好事家はアフロ演歌とも呼ぶ。Hip Hop と伝統音楽を融合した Ethio Rap も例外ではない。キックやベースラインが Hip Hop でもメロディがアフロ演歌となり、何とも味わい深い。

　Teddy Yo とともに Ethio Rap のパイオニアとされる Lij Michael。アフロ演歌ラップの二大巨頭である。1989 年生まれ、ソングライター兼プロデューサーも務める。2007 年にシングル「Arada L'arada」でデビュー。エチオピアのアーティスト全般にいえることだが、バイオやディスコグラフィには不明な点が多い。本人のサイトや Facebook も非常に不親切である。また、お国柄なのか下世話な芸能ニュースも少ないため、Dig るのも苦労する。Lij Michael も 2000 年代から 2010 年代前半、どのような活動をしていたのか謎である。いくつかの MV から、他のアーティストとのコラボは行っていたようだ。ようやく 2015

Zaray Yehun Nege

Ⓐ 2015

エチオピアで５万枚売れたという 1st アルバム。デビュー シングル「Arada L'arada」も収録している。全体的にキャッチーで能天気。終盤の「Addis Lets Rock On」〜「Wey Addis Ababa」はその名の通りウェーイなパリピナンバーがピークを迎える。パリピといえどエチオピア音階で民謡風だ。全 15 トラック。

年に 1st アルバム『Zaray Yehun Nege』をリリースし、ヨーロッパツアーを敢行した。2016 年にはケニアの音楽リアリティ番組『Coke Studio Africa Season 4』にも出演、タンザニアの Yamoto Band とチームを組んだ。2021 年、2nd アルバム『Atgebam Alugn』をリリースした。せっかくサイト lijmichaelmusic.com もあるので、経歴やディスコグラフィ、ライブレポートを充実してほしいところだ。

ET - The Experience

Ⓐ 2013

アムハラ語トラックも収録。初期には英語で留学時代アメリカでやっていたことをそのまま持ち込んでいたが、このアルバムでは「Esheruru」「Frenzy」のように民族楽器をフィーチャーしたりと、見事に Ethio Rap となっている。とはいえ帰国子女らしく英語を上手く使う辺りは、Jukebox The Illustrious & Woah! ならではといえる。

Jukebox The Illustrious and Woah!

c：ドキュメンタリー「The Illustrious and The Impressive」

🏴 国：エチオピア ⚐ 出身地：アディスアベバ ⚲ 拠点：アディスアベバ 🗓 生年：1975
▶ グループ中心人物：Jukebox、Woah! ▶

テキサス仕込みの帰国子女デュオが
放つ Ethio Rap!

Woah!「売れないと、本当にやりたいことができない」

Jukebox The Illustrious「Ethio Rap は、80 年代初頭のアメリカのシーンのよう」

いずれも、Ethio Rap を取り巻く問題に関する Al Jazeera のインタビュー（2015 年）からだ。このインタビュー記事では、テレビやラジオでオンエアされてもアーティストに還元されない著作権管理の不備。さらにメディアが保守的なうえ人材不足のため、新しいジャンルが発展しない、といった欠陥を指摘している。Teddy Yo の項で触れた通り、長期にわたる国内の混乱で、エチオピアのショービジネス界は「まだ初期段階にある」と Jukebox The Illustrious は言う。

さて、このデュオ、両人ともエチオピアでは数少ない帰国子女である。中学まで学年

トップ 10 常連だったという Jukebox The Illustrious は、1991 年アメリカはテキサスに高校留学。母国との違いに戸惑うも、多くのことを学び取った。そしてテキサス大学へ進学。いつしか思いついたフレーズをメモするようになり、オープンマイクや演劇など学内のイベントに参加し、そこで知り合ったのが同郷の Woah! である。2003 年、Jukebox The Illustrious はエチオピアに帰国。2 年ほど実家で働き、家業を継ぐかと両親に期待されたが、Hip Hop をあきらめきれず Woah! とユニットを結成した。アディスアベバを拠点に、エチオピア各地でのライブ活動が中心。2013 年、最大のヒットとなるサッカーエチオピア代表チーム応援歌「Walya」とアルバム『ET - The Experience』をリリースした。それぞれソロ活動もしている。

c : Facebook

Majete

Ⓐ 2022

いきなりの Dancehall ナンバー「Awaj」、甘い R&B バラード「Seme Tir」、タイトルチューン 「Majete」 は Reggae チューンと幅広い音楽性のアルバム。作詞作曲は全て Nina Girma 本人ということで才能を感じさせる。ただし Hip Hop は封印気味、Pop アルバムとしてはなかなかの仕上がりだ。有名歌手 Aster Aweke、Teddy Afro らの仕事で実績のある Kamuzu Kasa プロデュースの全 14 トラック。

Nina Girma

🌐 国：エチオピア　◉ 出身地：アディスアベバ　⚲ 拠点：アディスアベバ　〜 活動期間：2011-
👤 グループ中心人物：　▶️ 🎧 🔗 66

ようやく登場、エチオピアでは
超希少種のラップ女子！

　エチオピア初の女性ラッパーは、著名なファッションデザイナー Mahlet Afework。女性ラッパーどころか男性ラッパーもほとんどいなかった 2005 年、シングル「Shalom Africa」をリリースし大ヒット。他のミュージシャンの衣装を仕立てたりするうち、2011年本格的にファッションビジネスを起業し、Hip Hop からは引退した。

　Mahlet Afework 以降は女性ラッパー空白時代がしばらく続いた。ようやく、2018 年メジャーシーンを賑わす女性ラッパー Nina Girma が登場した。とにかくエチオピアの女性ラッパーは希少なのだ。活動は 2011 年ごろから。2018 年には民放テレビ局 EBS の人気バラエティーショー『Seifu on EBS』に出演。この頃からメディアへの露出が急激に増

える。2019 年には人気男性シンガー Yared Negu の「Yetale Alega」にゲスト出演、こちらは一瞬で 200 万回以上の YouTube 再生回数を記録した。同年、ソロとしてシングル「Lagerachen」リリース。翌年には「Akberat」をリリースし、数少ない女性ラッパーとして存在感を示した。2022 年、待望の 1st アルバム『Majete』をドロップ。このアルバムでは売れ線の R&B、Reggae 基調とした Afrobeats に寄せ、Hip Hop 色がかなり薄くなった。まぁ、Teddy Yo、Lij Michael といった大御所も売れ線狙いの Dancehall、Afrobeats トラックが多いのでエチオピア標準なのだろう。彼女の Facebook にはフリースタイルの動画もあるので、ぜひチェックしてほしい。

© : EBS TV 「On Sunday Live」

Sidist VI
Ⓐ 2022

「Wogahta」 の Hip Hop ビートからソウルフルでメランコリックな「Tawkialesh Yihon」まで、あらゆるジャンルを実験。前作『Reflection』は Techno 寄りだったが、本作は Hip Hop トラック優勢。また、Reggae ナンバー「Merkeb」は Julian Marley がゲストだ。

Rophnan

🏳 Ⓝ 国：エチオピア ◆ 出身地：アディスアベバ ⊗ 拠点：アディスアベバ ⬤ 生年：1990
〰 活動期間：2006- ⬤ 本名：Rophnan Nuri Muzeyin ▶ ∞ 1287

テクノビートでアムハラ語アンセム、
アジスアベバのクラブシーンで大活躍！

2010 年代後半に現れた Jemberu Demeke、Kassmasse、Flashkiiddo。その作品群はそれまでの Ethio Rap 文脈とは違う雰囲気を醸す。そこかしこにエチオピア伝統の Tizita メロディが聴こえるものの、Jazz や Techno に寄せた Hip Hop だ。Kassmasse のみ自らのスタイルを Antsar と定義づけているが、この一連の New School のジャンル名は、まだ定まっていない。Flying Lotus がジャンルから外れたアーティストを集め、L.A.Beats というムーブメントが生まれたことを彷彿とさせる。

1990 年生まれの Rophnan も Hip Hop と Techno をベースとした、まったく新しいスタイルの音楽の先駆者である。16 歳の頃よりクラブに入り浸り、ミックステープを配ったり

していた。このミックステープが評判となり、エチオピアのクラブシーンでの活躍が始まる。2015 年には、アディスアベバのトップクラブでレジデント DJ を掛け持ちするまでとなる。Gurage ビートの「Get to Work」など、Rophnan の DJ セットでしか聴けないのにヘッズの間では有名となった。

2018 年デビューアルバムにしてエチオピア初の Techno アルバム『Reflection』をリリース。Leza Awards にて Best Album を含む 3 賞を受賞した。また、あの Major Lazer のコンピレーション『Afrobeats Mix』にて「Get to Work」リミックスが収録された。2022 年には Universal Music Africa と契約、2nd アルバム『Sidist (VI)』をリリースした。

Unité

Ⓢ 2019

ジブチ独立42周年記念作品。Choukri Djibril のオリジナルアイデアをRsProd とのコラボでカタチにした。100%ジブチ人の エキストラ253人を起用した大作MV。スポンサークレジットに ジブチシティ、East Africa 銀行とある大型案件だ。ジブチ国民の団結がテーマのため、国旗を振る小学生や手を取り合う人々が登場。中国の政策キャンペーンソングを彷彿とさせる。

Djiboutiano

c：MV「Africa」

Ⓟ 国：ジブチ　🌐 拠点：ジブチ　🔄 活動期間：2007-　Ⓑ 本名：Bravo Abdallah Dallet　▶

ヒップホップ不毛地帯ジブチにて
体制賛美愛国ラップ！

　アフリカのHip Hop を調べていると、まれに空白地帯と言える地域に遭遇する。エリトリア、エチオピア、ソマリアに囲まれたジブチもそうだ。2019年、ジブチ国営放送のバンド Groupe RTD が、辺境専門レーベル Ostinato Records からジブチ初の海外向けアルバムをリリースしたことぐらいしか話題はない。94%がイスラム教徒の国ながら、首都ジブチシティには、クラブやバーがいくつかあり、ブレイクダンスも割と人気である。にもかかわらず、なぜかラッパーの情報が少ない。2010年前後には Delta Force、Mu$doc などのアーティストがいたようだが、Google 検索はもとより、SoundCloud、Bandcamp、Reverb Nation といったサイトでも発見するのは困難だ。奥ゆかしい国民性なのか、新しい

音楽への投資や興味が周辺国に比べ薄い印象である。

　そんな Hip Hop 空白地帯ジブチのアーティストで、最も YouTube 再生数を稼いでいるのが Djiboutiano である。といっても、ソマリアの Sharma Boy がジブチシティでライブした映像1本が1千万再生なのに対し、Djiboutiano チャンネル全体で18万再生となかなか厳しい。活動を始めたのは2008年頃。当初は単なる静止画貼り付け、良くてパワーポイントみたいな MV であったが、2017年ごろから本格的なクリップを制作するようになった。2016年の大統領選挙では現職ゲレ陣営を応援する「Ha Nolaado IOG」をドロップ。「Gbeauty」「Unité」と愛国ラップを続々リリースした。

© : Facebook

Aweylale Kebel Delye Eritrean Music  Ⓐ 2012

エリトリアの文化伝統を意識するあまり、「Kumbraza」をはじめ、もう民謡にしか聴こえないトラックばかり。それでもラップしてるところがミソ。隔絶された世界で発展したため、北朝鮮のポチョンボ電子楽団に通じるものがある。Hip Hop のみならず辺境音楽好きにもオススメの 1 枚だ。この音はエリトリアでしか生まれない。

Temesgen Ghide

🇪🇷 🏳️国：エリトリア　◆出身地：ハルツーム　📍拠点：アディスアベバ　🎂生年：1981
🎤別名義：Temesgen Hip Hop　▶️※一部　💿1

民間メディア禁止、アフリカの
北朝鮮エリトリアのレジェンド！

「アフリカの北朝鮮」とも揶揄されるエリトリア。国境なき記者団（RSF）発表の「報道の自由度」ランキングでも、直近で 180 位の最下位。常に北朝鮮、トルクメニスタンと最下位争いをしている。独裁政権により 2001 年には全てのメディアを国有化、当時逮捕された記者らはいまだ釈放されていない。そんな闇深いエリトリアであるが、西アフリカのグリオ同様、マッセ（ማ ስ）、メルケス（መ ል ቀ ስ）、マセナタット（ማ ሰ ና ታ ት）という口頭伝承＆バトルの伝統があり、少ないながらもラッパーはいる。

エリトリアの Hip Hop の父ともいえる Temesghen Ghide は、1981 年スーダンのハルツームで生まれ、エリトリア独立（1993）後、家族で首都アスマラに戻ってきた。高校生の頃から 2Pac などのコピーをしていたが、ある日ティグリニャ語ラップを思

いつく。1997 年、青年学生連合（NUEYS）の作詞コースを受講、デモテープを手に営業開始。2002 年、文化庁より、サワでの Aba Hanni Festival にて公の場でのライブが許可された。サワは高校生全員が 2 年間軍事教練キャンプに送り込まれるので有名な地。2017 年 8 月 26 日付『Eritrea Profile』のインタビュー記事では「2004 年の独立記念日の祝賀会で、エリトリアの自由をテーマにラップし、アフリカ諸国のゲストミュージシャンよりも聴衆を熱狂させた」と語っている。もっともエリトリアでは民間メディア禁止なので、情報省の新聞『Eritrea Profile』による大本営発表だ。

Temesghen Ghide の最近のプロフィールをみると、拠点がエチオピアのアディスアベバになっている。彼も逃げ出したのであろうか。

Sawa ⓢ 2014

没後、Remix されたバージョンが公開されている。タイトルはエリトリアの高校生全員が 2 年間送り込まれる軍事教練キャンプ。MV では実際に現地でロケ、サワ国防訓練センターの様子がうかがえる。「Adeye」「Khirar」といったシングルも異国風味溢れる仕上がりとなっている。

Sandman Negus

©Facebook

◉ 国：エリトリア ◉ 出身地：ブルガリア ◉ 拠点：ロサンゼルス ◉ 生没年：1986-2012
〜 活動期間：-2012 ◉ 本名：Sador Fasehaye ✎ 22

自由の国アメリカから祖国凱旋ライブ、
会場はサワ高校生強制軍事キャンプ！

1960 年から 30 年にわたるエチオピアとの独立戦争、そして独立後の独裁政権の圧政により多くの人々が海外へ散っていった。こうして各地に成立したディアスポラから、新しい世代のミュージシャンが登場。彼らが避難先の国外でレーベルを設立、YouTube などで曲を発表し、エリトリア人をつなぐアイコンとなっている。戦争や独裁政権が嫌なだけで、祖国への思いはまた別物なのだ。2019 年、銃撃を受け死亡したグラミー賞ラッパー Nipsey Hussle もエリトリア系だ。亡くなる前年にエリトリアを訪問し、情報省の新聞『Eritrea Profile』のインタビューを受けている。もちろん事件も大々的に報道された。

そしてもう一人、Nipsey Hussle 以上に祖国エリトリアにコミットした Sandman Negus を忘れてはならない。彼もまた、銃の犠牲となっている。1986 年、両親の疎開先ブルガリアで生まれるも、すぐにスーダンの首都ハルツームに移住を余儀なくされる。7 歳の時、家族でカリフォルニア州に移住した。反抗期もあり、中学生の頃よりストリートギャングに。逮捕、収監をきっかけにハタチでギャングは卒業し、音楽に集中する。2008 年、銃撃を受け生死の境を彷徨った後、エリトリアの伝統的リズム、メロディーをフィーチャーしたシングルを次々に発表。

2011 年には、1 か月にわたりエリトリアを訪問、独立 20 周年の祝賀会ステージに上がった。2012 年、アルバムの制作に取り組んでいるなか、またも銃撃され永眠。エリトリア及び世界各地のエリトリア人コミュニティは悲しみに包まれた。

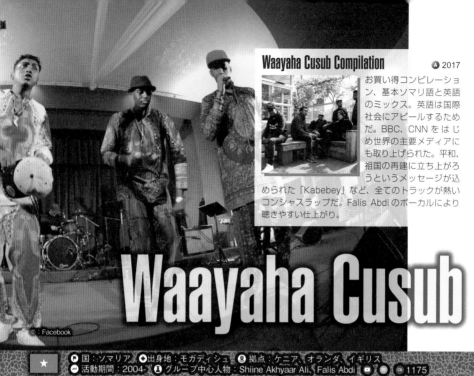

© : Facebook

Waayaha Cusub Compilation 🅐 2017

お買い得コンピレーション、基本ソマリ語と英語のミックス。英語は国際社会にアピールするためだ。BBC、CNN をはじめ世界の主要メディアにも取り上げられた。平和、祖国の再建に立ち上がろうというメッセージが込められた「Kabebey」など、全てのトラックが熱いコンシャスラップだ。Falis Abdi のボーカルにより聴きやすい仕上がり。

Waayaha Cusub

★ 　📍国：ソマリア　📍出身地：モガディシュ　📍拠点：ケニア、オランダ、イギリス
　　📍活動期間：2004-　📍グループ中心人物：Shiine Akhyaar Ali、Falis Abdi　▶️ 📷 1175

イスラム過激派に狙われケニアに亡命、
銃撃、難民資格停止、流浪のラップ集団！

　1990 年代初頭より内戦状態に突入し、長らく国土が荒廃したソマリア。リドリー・スコット監督の映画『ブラックホーク・ダウン』（2001）でも、その混乱ぶりがうかがえる。2012 年より正式な新政府が発足したとはいえ、いまだにイスラム過激派によるテロ事件が発生するなど、予断を許さない状況に置かれている。ソマリア連邦共和国として再スタートを切った 2013 年には、首都モガディシュにて、25 年以上ぶりの本格的な音楽フェスが開催された。このフェスのヘッドライナーを務めたのが、Shiine Akhyaar Ali と Falis Abdi を中心とするグループ Waayaha Cusub である。

　ソマリ語で「新しい時代」を意味する Waayaha Cusub は、戦乱からケニアに逃れた 11 人のソマリア難民により 2004 年結成。2006 年、イスラム法廷会議がモガディシュを占領すると、およそ人権とは程遠い厳格

な法令を敷き、一切の娯楽が禁止された。このようなイスラム原理主義に対し、Waayaha Cusub は dis トラックを発表。これを受けて、Shiine Akhyaar Ali は 2007 年、イスラム法廷会議から分離した過激派アルシャバブの刺客から 5 発の銃弾を受け、生死の境をさまよった。一部のメンバーはテロを恐れ、脱退。前述の 2013 年モガディシュ音楽フェスでは、過激派からのテロを想定し、厳重な警戒態勢が敷かれた。

　2014 年、オランダツアー中の Waayaha Cusub のメンバーに対し、ケニア政府は難民資格の停止を通告した。イスラム過激派の残党がいるソマリアに戻るわけにはいかず、オランダ政府に亡命申請。現在はイギリスを拠点とし、Hip Hop を通して祖国の若者にメッセージを届けている。Desiigner、K'naan といった著名アーティストとのコラボもある。

My Life Is a Movie

Ⓐ 2004

あえて荒削りの自主制作版を紹介。リリース時、既に次作『The Dusty Foot Philosopher』の制作に入っていた。「Voices at the Crossroads」では女 Bob Dylan と評された Tracy Chapman、「Blues for the Horn」では元 Wailers の Peter Tosh、「My Mothers Pearls」では Sade と、自主制作版ながら大物ゲスト起用。Lyrics の内容はシリアスだ。すでにこの盤でジャンルを超えた音楽性の片鱗を覗かせている。見過ごすには惜しい盤。

© : MV「Somalia Somali Baa Leh」

K'Naan

★ ⓝ 国：ソマリア ◎ 出身地：モガディシュ ⓟ 拠点：トロント ⓑ 生年：1978
⊙ 活動期間：2004- ⓝ 本名：Keinan Abdi Warsame ▶ ⊚ 698796

ソマリア戦乱逃れカナダへ Nas、Bono、Keith Richards とコラボする大物！

1990 年代初頭からの戦乱で、多くのソマリア人が難民となって世界各地に渡った。その中でも、ドバイ、ロンドン、トロント、ナイロビ、ミネアポリスといった都市は大きなソマリア人ディアスポラがあることで知られている。特にロンドンのソマリア人ラッパーらは、UK Drill から派生した Trap Wave、Mali Wave という新しいサブジャンルを生み出している。代表的なアーティストは 38 & Alz（Young Mali Nation）だ。

1978 年生まれの K'Naan も同じく戦乱を逃れ、移民となった。1992 年、先にアメリカはニューヨーク市に出稼ぎに出ていた父を頼りに、一家で移住、カナダのトロントに居を構える。1999 年に国連難民高等弁務官事務所で講演し、Youssou N'Dour と知遇を得る。2004 年自主制作版 1st アルバム『My Life Is a Movie』をリリース。翌 2005 年、BMG よりアルバム『The Dusty Foot Philosopher』でメジャーデビューした。そして 2009 年、ゲストに Metallica の Kirk Hammett、Maroon 5 の Adam Levine といった大物ゲストを揃えたアルバム『Troubadour』をリリースした。ボーナストラックとして収録された「Wavin' Flag」は、2010 FIFA ワールドカップ南アフリカ大会のコカ・コーラのプロモーションソングとして採用され、世界的なヒットとなった。

続く 2012 年のアルバム『Country, God or the Girl』は、Rolling Stones の Keith Richards、Nas、U2 の Bono と前作以上の大物をゲストに迎えた。ソマリア内戦で亡くなった幼なじみについてのシングル「Fatima」が示すように、K'Naan は自身のルーツであるソマリアにこだわり続けている。2011 年には、U2 の Bono と干ばつと食糧不足に関する支援キャンペーンを展開した。

ヒップホップアフリカ YouTube 再生数ランキング

全世界で 20 億人以上のユーザーがいるとされる YouTube。その再生数はある意味正確なベンチマークともいえる。本書で掲載したアーティストを中心に、力技で再生数を記録しランキングにしてみた。ナイジェリア勢、南アフリカ勢が多く予想通りの結果となった。1 位の K'naan は、2010 FIFA ワールドカップ南アフリカ大会のテーマソングということで、ハッキリいって反則である。

一部本書に掲載されていないアーティストも見受けられる。その理由として、特にナイジェリアのシーンでは近年若手が大量に登場し、再生数ランキング上位に食い込むこともある。そういったアーティストは、今後の有望株となるか一発屋で終わるか、要チェックだ。

位	年	国	名前	タイトル	再生数
1	2009	ソマリア	K'naan	Wavin' Flag	469,435,282
2	2019	ナイジェリア	Burna Boy	On The Low	335,556,033
3	2012	南アフリカ	Die Antwoord	Baby's on Fire	268,218,019
4	2019	ナイジェリア	Wizkid	Joro	241,545,851
5	2020	コンゴ民主共和国	Innoss'B	Yope Remix (ft.Diamond Platnumz)	210,210,204
6	2021	ナイジェリア	Fireboy DML	Peru	169,999,823
7	2019	ナイジェリア	Davido	If	166,528,293
8	2018	ナイジェリア	Runtown	Mad Over You	151,902,687
9	2020	タンザニア	Diamond Platnumz	Waah!	137,433,012
10	2014	ナイジェリア	P-Square	Personally	125,071,761
11	2017	ナイジェリア	YCee	Juice (ft.Maleek Berry)	92,908,410
12	2016	ガーナ	Sarkodie	Adonai (ft.Castro)	92,527,671
13	2017	ナイジェリア	Tiwa Savage	All Over	69,515,697
14	2020	ナイジェリア	Olamide	Infinity (ft.Omah Lay)	64,877,995
15	2022	南アフリカ	Costa Titch	Big Flexa (ft. C'buda etc...)	61,886,006
16	2019	南アフリカ	Nasty C	SMA (Vol. 1) (ft.Rowlene)	34,840,953
17	2022	南アフリカ	K.O	ETE (ft.Young Stunna, Blxckie)	33,563,001
18	2016	ナイジェリア	Phyno	Fada Fada (ft.Olamide)	32,716,521
19	2020	ナイジェリア	LadiPoe	Know You	25,272,499
20	2022	コートジボワール	Didi B	En Haut	24,458,266
21	2018	ガーナ	Kuami Eugene	Angela	21,172,919
22	2018	ナイジェリア	Falz	This Is Nigeria	21,026,533
23	2018	コートジボワール	DJ Arafat	Ventripotent	20,469,896
24	2021	南アフリカ	Cassper Nyovest	Siyathandana (ft.Abidoza, Boohle)	20,394,652
25	2022	ガーナ	Black Sherif	Kwaku the Traveller	19,696,994
26	2022	ナイジェリア	Lil Kesh	Don't Call Me (ft.Zinoleesky)	18,317,170
27	2017	ケニア	Nyashinski	Malaika	17,344,168
28	2018	セネガル	Iss 814	Xool Ma ci Bët (ft. Jeeba)	15,516,201
29	2021	南アフリカ	Big Zulu	Imali eningi	14,838,673
30	2015	南アフリカ	Emtee	Roll Up (ReUp) (ft.Wizkid, AKA)	13,566,258
31	2021	コートジボワール	Fior 2 Bior	Godo godo	13,399,020
32	2018	南アフリカ	AKA	Fela In Versace (ft.Kiddominant)	13,093,889
33	2016	南アフリカ	Kwesta	Ngud' (ft.Cassper Nyovest)	12,514,238
34	2016	コートジボワール	Kiff No Beat	Approchez Regardez	11,997,342
35	1999	コンゴ共和国	Bisso na Bisso	Bisso na Bisso	11,284,995
36	2016	コートジボワール	Shado Chris	C Nous Les Boss	11,279,995
37	2019	セネガル	Samba Peuzzi	Marie & Cheikh	10,359,585
38	2018	ナイジェリア	Dremo	Kpa	9,977,139
39	2021	エチオピア	Lij Michael	Naneye	9,749,133
40	2014	タンザニア	Professor Jay	Kipi Sijasikia (ft.Diamond Platnumz)	9,520,946

Balaq Balaq　　　　　　🅐 2021

全10トラックの初アルバム。シングルカットではソマリア発としては驚異的なYouTube138万再生。ハイブランドに身を包み、しっかりラップ。MVを観れば宗教指導者が怒るのも頷ける。また、Niini Danceがゲスト参加したSharma Boyの「Quraacda Kari」は1107万回再生。ゲストといっても、ずっと歌っているのでどちらが主役か分からないほどだ。

Niini Dance

Ⓒ：MV「Please Ii Noqo Qofkeygi」

★　　🅟 国：ソマリア　➡ 出身地：モガディシュ　🅢 拠点：モガディシュ　🕭 活動期間：2018-
🔲 🔲 🔲 3

宗教指導者も困惑、
新世代ソマリア女子のロールモデル！

　2013年、ソマリア新政府発足直後のWaayaha Cusub コンサートはイスラム過激派の攻撃を想定し、厳戒態勢で行われた。それまでイスラム原理主義に基づき、一切の娯楽が禁止であった。そのため、ミュージシャンは国外へ逃れるか、廃業するほかなかった。そこから10年待たずして、新世代のミュージシャンが続々登場。王道のAfro Popはもとより、Sharma Boy ら Hip Hop 勢も躍進著しい。もっとも国民の平均年齢が35歳以下という事情もあり、ソマリアの有名ラッパーのほとんどは25歳未満のZ世代だ。

　そのZ世代ラッパーの紅一点がNiini Dance。現地では「Balaq Balaq」「Two Cups of Milk」「Breakfast Kari」「5 Somalis」などのヒット曲で知られる。テレビやイベント出演などではヒジャブを着用しているが、MVでは男性ラッパーやビッチキャラのようなファッションで登場。保守的なイスラ

ム教徒の多いソマリアでは、かなり奇抜で先進的といえる。また、どちらかといえば、硬派なラッパーというよりは、アイドルとして認識されている。ファンミーティングでは、思い思いのファッションに身を包み、応援ボードを手にした女性ファンとの交流の様子など、ソマリアの若い女性のロールモデルでもある。Sharma Boyをはじめ、Funny Boy、King Zoolaといったラッパーとのコラボも、人気の要因。また、イベントでは伝統歌謡の歌手とも共演、わりとジャンルを選ばず歌える実力の持ち主だ。

　Al Jazeera 2022年7月の記事では、若者に人気のあるソマリアのHip Hopに関して、宗教指導者がかなり厳しい苦言を呈している。そうは言っても、Z世代からすればようやく手にした自由な文化、お構いなしのようだ。冒頭で述べたWaayaha Cusub時代からすれば、わずか10年で隔世の感がある。

Ima Gaartiin Ⓐ 2021

21 トラック収録の初フルアルバム。いきなりのトラック 1「Waa Sax」は Sharma Boy の代表作ともいえる大ヒットを記録。YouTube で累計再生回数 1250 万回、ケニア Top40 Charts で 2 位まで上昇。20 位以内に 18 週、40 位以内に 25 週居座ったという。ソマリアのアーティスト全般にいえるが、アルバム通してアラブ風味漂う歌モノラップが中心である。

© : MV「Nasta」

Sharma Boy

★ ▶国：ソマリア ●出身地：モガディシュ ⦿拠点：モガディシュ 〜活動期間：2019- ∞ 615

素朴な癒し系ファッションだが、
ソマリア若手№.1 アイドルラッパー！

　2000 年代から 2010 年代にかけて、ソマリアはイスラム過激派の台頭と干ばつにより経済、政治的二正面の混乱に陥っていた。1999 年北東部のプントランド地方生まれの Sharma Boy も、翻弄された一人だ。両親が離婚した後、母親と首都モガディシュに流れ着いたが、経済的困難により高校中退。仕事を転々としているうち、ソマリアの人々の日常生活をテーマとしたトラックを制作するようになった。YouTube で公開された「Shahaadada Micno Maleh」（学位には意味がない）など、Z 世代を直撃するシンプルな言葉とストリートスラングで、国内外のソマリア人にヒットを生んだ。2019 年 10 月に YouTube チャンネル開設以来、95 万人近くのチャンネル登録者と 1 億 6 千万回以上の再生回数を獲得した。2020 年、ミニアルバム『Sharma Boy』『SB』をリリース。翌 2021 年には

フルアルバム『Ima Gaartiin』をリリース、さらにカナダの著名なソマリア系ラッパー K'Naan とコラボした「Waayo Waayo」をドロップ。こちらはすぐに 500 万再生を記録した。2021 年度 African Entertainment Awards USA にて、Best Upcoming Artist と Best Local Artist の二つを受賞の栄誉に輝いた。

　2022 年、Sharma Boy はミネソタ州ミネアポリス市のソマリア人コミュニティの団体より招待された。毎年、多くの市民が集まるサッカーと音楽のイベントのゲストとしての出演要請だ。当地におよそ 1 か月滞在。7 月 1 日（ソマリア独立記念日）には、あの Prince を筆頭に大物ミュージシャンがライブを行った First Avenue のステージに立った。また、ソングライティングのワークショップを行うなど、ローカルのソマリア人コミュニティとの交流を深めた。

©: Nas Jota 公式サイト

▶国：スーダン ◆出身地：ハルツーム ❽拠点：アメリカ・バージニア州
❷活動期間：2000年代初頭 ❶グループ中心人物：E-hab Abasaeed、Al-Sadiq ▶ ∞ 9

世界各地に離散したメンバーがスーダンの 「アラブの春」をバックアップ！

　二度のスーダン内戦（第1次 1955-1972、第2次 1983-2005）は「アフリカ最長の内戦」と呼ばれる。第2次スーダン内戦が停戦に向かっていた頃、ダルフール地方では同じイスラム教徒同士の対立が激化しダルフール紛争（2003-2010）が勃発。この紛争は当時のバシル政権により、死者約30万人、難民約200万人の「世界最悪の人道危機」を引き起こした。いっぽうで、1983年の厳しいイスラム法施行でエンターテインメント関連はすでに全滅。そのような困難の中でもHip Hopシーンは芽生え、アンダーグラウンドに根を張り巡らせた。2007年あたりから首都ハルツームでは毎週オープンマイクが開催されるようになり、2011年の南スーダン独立住民投票ごろになるとシーンが活発となった。

　このような国に現れるのが、社会問題に切り込むコンシャスラッパーというのが定理である。アラビア語で「混沌とした人々」を意味するNas JotaはE-hab Abasaeedが中心となって結成されたグループ。2004年、バシル政権の攻撃によりほとんどのメンバーが、中東やアメリカへ国外逃亡を余儀なくされた。2010年、南スーダン独立住民投票キャンペーンを目的としたHip Hopコンピレーションアルバム『Sudan Votes Music Hopes』に参

Sudan Votes Music Hopes　🅐 2010

スーダン全土のアーティストが参加した選挙キャンペーンアルバム。テーマは「政治参加にイエス！公正で平和的な選挙にイエス！」だ。このアルバムには、Nas Jotaのほ か、Emmanuel Jal、Tariq Aminといったアーティストが参加している。スーダン全土でカセットテープのほかラジオ、デジタル配信された。ドイツ外務省が資金提供し、ドイツのNPO法人が制作。一連のMVとドキュメンタリーも撮影されたとのこと。

加。続いてシングル「La Dictator Ship」をリリースし、政権を激しくdis。これが仇となり、スーダンに残っていたメンバー Al-Sadiqらは、官憲による暴行と拘束を受けたという。2018年、ディアスポラに散ったNas Jota関係者たちは、「アラブの春」の教訓を生かし、バシル政権打倒を後押ししデモ参加者たちを勇気づけた。2019年、クーデターにより独裁者バシル大統領が失脚、Nas Jotaメンバーはようやく帰国可能となった。そしてハルツームにて2004年以来のコンサート開催が実現した。

Gua
🅐 2004

アラビア語、英語、スワヒリ語、そしてスーダンの現地語ディンカ語、ヌエル語のラップを組み合わせた 1st アルバム。「Gua」とはヌエル語で「平和」、スーダンアラビア語で「力」を意味する。前述の通りケニアで大ヒット。Coldplay、Radiohead らも参加したイギリスの慈善団体 War Child のチャリティコンピレーション『Help!: A Day in the Life』にも収録された。

© : Facebook

Emmanuel Jal

🅟 国：南スーダン 　◉ 出身地：ワラップ州トンジ 　⚲ 拠点：トロント 　▦ 生年：1980
∿ 活動期間：2004- 　👤 本名：Jal Jok 　▶ 　∞ 40008

スーダン人民解放軍元少年兵という
波乱万丈を経験した社会派！

　2023 年現在、国連が独立承認した中で最も新しい国、南スーダン共和国。第一次スーダン内戦（1955 - 1973）、第二次スーダン内戦（1983 - 2005）と、アフリカ最長ともいわれる内戦であった。2011 年、ようやく独立し新政府がスタートした矢先、スーダンとの国境紛争、さらには国内の部族間抗争と難題が次々と南スーダンに降りかかる。2020 年より新たな暫定政府発足により、平和を維持できるか周辺国や国際社会に注目されている。

　1980 年生まれの Emmanuel Jal は、過酷なスーダン内戦を少年兵として生き延びた。父親がスーダン人民解放軍（SPLA）であったことから、7 歳の頃、スーダン政府軍に母親を殺害されてしまう。その後、疎開先のエチオピアへの移動中、他の子供たちとともに SPLA に誘拐され、軍事キャンプに放り込まれ少年兵となる。運よく脱走に成功し、イギリスの活動家に助けられ、ケニアで Hip Hop と出会う。

ナイロビのストリートチルドレンや難民のための募金をするなど、コミュニティで信頼を集め、シングル「All We Need Is Jesus」をリリース。ケニアでヒットし、イギリスでもオンエアされた。2004 年、1st アルバム『Gua』をリリース。タイトルチューン「Gua」はケニアでチャート 1 位を記録した。以降アルバムをコンスタントに発表。2005 年には American Gospel Music Award の最優秀国際アーティスト賞、2019 年には Juno Award のワールドミュージックアルバム賞を受賞した。

　また、長年にわたる社会活動も注目だ。紛争地帯の人々を支援する慈善団体 We Want Peace および Gua Africa の設立、ファンド企業 The Key is E の設立と忙しい。そのような活動が認められ、ドレスデン平和賞、ハント・ヒューマニタリアン賞、コモン・グラウンド賞を受賞。世界経済フォーラムのヤング・グローバル・リーダーにも選出された。

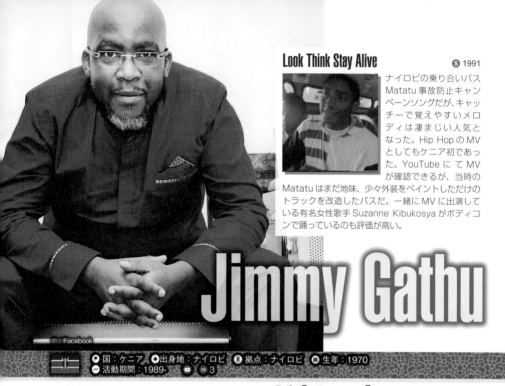

© Facebook

Look Think Stay Alive Ⓢ 1991

ナイロビの乗り合いバスMatatu 事故防止キャンペーンソングだが、キャッチーで覚えやすいメロディは凄まじい人気となった。Hip Hop の MV としてもケニア初であった。YouTube にて MV が確認できるが、当時の Matatu はまだ地味、少々外装をペイントしただけのトラックを改造したバスだ。一緒に MV に出演している有名女性歌手 Suzanne Kibukosya がボディコンで踊っているのも評価が高い。

Jimmy Gathu

🇰 国：ケニア 📍出身地：ナイロビ 🏠拠点：ナイロビ 🎂生年：1970
🎵活動期間：1989- ▶ 3

交通安全キャンペーンが大ヒット、ケニア初期シーンの重鎮！

　ケニアの首都ナイロビなどを走る Matatu。小型バスやトラックを改造した簡易乗り合いバスだ。1980 年代から気軽な都市交通として発達、通勤など市民の 70％以上が利用する庶民の足である。ところが、ギャングの跋扈、度重なる交通事故などを受けて、ナイロビでは 2010 年ごろから新規登録がなくなり、通常の大型バスへの移行が進められている。この Matatu、ミュージシャンや映画のモチーフ、様々なスローガンといったペイントがド派手で有名。さらに五月蠅い客引きと大音量 BGM も名物である。中にはベース車両よりも高価なサウンドシステムを搭載し、Club のようなインテリアの Matatu もあり、いかに目立つか競い合っている。

　1990 年、まだ 10 代の Ricky Oyaro が「Renaissance」リリース。Hip Hop 初の大ヒットとなる。この人気に目を付けたのがテレビ局とナイロビ当局だ。1991 年、Impulse

というグループにいた Jimmy Gathu を交通安全キャンペーン大使に任命した。このとき大ヒットとなったのが「Look、Think、Stay Alive」である。テーマは長年の懸案、前述の Matatu 交通事故問題である。その問題に対し、ナイロビ当局が張ったキャンペーンが「Matatu Menace（マタツの脅威）」。ヒットのおかげで、テレビ局 KTN の『Rap Em'』という人気 Hip Hop 番組のホストに採用。この Hip Hop 人気に伴い、国営放送も『Mizizi Music Show』という番組を放映開始。ケニアの若者が熱狂した。Ricky Oyaro とともにケニア最初期のラッパーとして記憶されている。

　Jimmy Gathu はその後、テレビ、ラジオのホストとして大活躍。俳優として映画にも出演。ケニアでは誰にでも知られているお茶の間の顔となった。

マウマウ団を模した clan を結成、
シーンの変化に遅れ、オワコン化！

Kalamashaka

©：Facebook

⏺ 国：ケニア　⏺ 出身地：ナイロビ　⏺ 拠点：ナイロビ　⏺ 活動期間：1995-
⏺ 別名義：K-Shaka　⏺ グループ中心人物：Oteraw、Kama、Johny　▶ 🅾 👁 633

アフリカで最大規模のゴミ捨て場がナイロビ市内にあり、そこは世界最大との説もある。毎日850トンのゴミが運び込まれ、住人の一部はゴミ拾いで生計を立てている。ゴミの利権を巡りギャング団の殺人事件も多い。そのダンドラ地区から登場したのが、Kalamashaka である。Oteraw、Kama、Johny の 3 人により、1995 年結成された。1997 年に「Tafsiri Hii」の大ヒットで人気を博し、アフリカ諸国やヨーロッパツアーもするほどとなった。Kalamashaka の社会や政治を切り刻む lyrics は Hardcore なファンを喜ばせた。2001 年の1stアルバム『Ni Wakati』は大成功を収め、シングルカットされた「Fanya Mambo」は、南アフリカの音楽専門放送 Channel O で 1 位となった。

シーンで地位を獲得すると、30 人近いケニアとタンザニアのメンバーからなるコレクティブ Ukoo Flani Mau Mau を結成。その名の通り、1950 年代のケニア独立運動で暴れまわった急進派マウマウ団を意識している。Ukoo Flani Mau Mau は 800 以上のトラックと 42 の MV をリリースした、物量

The Millennium Chapter　　Ⓐ 2015

Kalamashaka の過去作品のコンピレーション。1st『Ni Wakati』、2nd『Mwisho wa Mwanzo』よりも音源入手が容易なこちらを紹介。なぜか Hardstone らが 全 14 トラックにクレジットされている。1997 年の大ヒット「Tafsiri Hii」の別バージョン収録。全てにおいてオールドスクール。それでも解散しない Kalamashaka はある意味覚悟があるといえよう。

作戦である。ところが、2000 年代中盤ともなると、Kapuka や Genge といったお気楽な Hip Hop が台頭。意識高い系で暑苦しい Kalamashaka の人気は衰え、表舞台からは消えていった。2015 年、10 年ぶりにメンバーが集まり、2nd アルバム『Mwisho wa Mwanzo』をリリースするもセールスは苦戦した。後に活躍する Mashifta、Gidi Gidi Maji Maji、K-South、Necessary Noize らに多大な影響を与えた重要グループだ。ケニア Hip Hop 史の重要なプレイヤーであった。

`□`：Ghetto Radio 89.5 FM

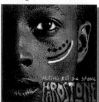

Nuting but de Stone

Ⓐ 1997

ケニア建国50周年にて「もっとも影響力のある曲」に選ばれた大ヒット「Uhiki」収録。しかもバージョン違いのオリジナルと Pinye Remix の2曲収録。Pinye Remix は、Marvin Gaye の「Sexual Healing」のサンプリングでこちらの方が有名。さらに Putumayo World Music からリリースされたコンピレーションアルバム『African Groove』(2003) にも収録されている。他のトラックも要チェックだ。

Hardstone

Ⓝ 国：ケニア　Ⓞ 出身地：ナイロビ　Ⓢ 拠点：クリーブランド　Ⓑ 生年：1977
Ⓐ 活動期間：1997-　Ⓜ 本名：Mbaruku Harrison Ngunjiri Maina　Ⓨ 一部　♾ 5717

1990年代、放送自由化の波に乗り
ケニアのシーンを席巻！

　2018年1月、ケニア政府は、野党指導者の「国民の大統領就任」式典を生中継しようとした3つの主要民放テレビ3社に対し、無期限の放送停止とした。ケニアでは、1998年にようやく民間ラジオ局 Radio Citizen が初めて認可と、民放の歴史が浅い。それまでは国営放送のみで、Hip Hop は当局に目の敵にされていた。その放送自由化の時代に登場したのが、1977年生まれの Hardstone である。

　それまでラジオで流れるのは Gospel や歌謡曲といった当たり障りのない歌がほとんどであったが、Hardstone により Dancehall や Hip Hop といったアーバンスタイルの音楽が一気に広がった。その Hardstone が放った大ヒット曲が「Uhiki」である。さらにドイツを拠点とするレーベル Kelele Records から1st アルバム『Nuting but de Stone』をリリース。結果、1997年の Kisima Music Awards で、Best New Artist of the Year 部門を受賞した。

　ところが、2nd アルバム『Ziwe Nkulu』の録音を終え、翌年1998年にアメリカに移住してしまう。以降オハイオ州クリーブランド市を活動の拠点としながら、時折ケニアでも仕事をしている。2008年、3rd アルバム『Stone Republic』をリリース。そして2010年、自らのレーベル Stone Island Entertainment を設立、アルバム『Welcome to Stone Island』をリリースした。さらに2015年、東アフリカ人としては初の契約を Atlantic Records と結ぶ。また、クリーブランド市にある博物館 Rock'n Roll の殿堂（Rock and Roll Hall of Fame）で演奏した初のケニア人である。

ライバルジャンルを Dis り大炎上、
解散に追い込まれたデュオ！
K South

©：MV「Kumbaff」

🏴 国：ケニア　⬆ 出身地：ナイロビ　📍 拠点：ナイロビ　⏱ 活動期間：1995-
👥 グループ中心人物：Bamboo、Doobeez　🔲 ※一部　⊙ 65

　1990 年代後半以降、ケニア Hip Hop シーンを席巻したジャンル、Boomba（Kapuka）。例にもれずケニアでも、1990 年代前半まではアメリカの単なるモノマネであった。しかし、次第にスワヒリ語、スラングのシェン語を駆使し、Dancehall や伝統音楽のリズムを取り入れ、ケニアオリジナルの Hip Hop へとブラッシュアップされていく。

　ナイロビ発のデュオ K South は、そんな 2000 年代初頭のケニア Hip Hop シーンを代表するユニットである。Bamboo と Doobeez により、1995 年に結成。K South とは彼らのローカル、ナイロビの Kariobangi South の略。ジンバブエのラッパー Mizchif とウガンダの Dancehall アーティスト Bebe Cool をゲストに迎えた 1st アルバム『Nairobbery』が、2002 年リリースされる。2004 年には、2nd アルバム『Nairobizm』をリリース。なかでもシングルカットされた「Kapuka」が大ヒット。しかし、これが裏目に出てしまう。すでに飽和状態となっていた Boomba（Kapuka）界隈を dis ったため、多くを敵に回し批判にさらされ、今でいう炎上状態となる。単なるジャンル名だった「Kapuka」を、あざとい売れ線狙いをバカにする言葉として定着させるという功績を残した。ネットミーム的に表現すれば「Kapuka（笑）」ということだ。

　この論争に疲れた K South は、所属レーベル Samawati Studios を離れ、2005 年にユニット解散となる。敬虔なクリスチャンであった Bamboo は神様の声を聞いたのか、Gospel ラッパーの道を選んだ。Doobiez は Abbas Kubbaff とステージ名を改め、4 枚のアルバムをリリースするなど、それぞれソロとして活動している。

Nairobizm　　🅰 2004

2nd アルバムにして K South 最後のアルバム。メジャーでの活動期間は短かったものの、良くも悪くも 2000 年代初頭のケニア Hip Hop シーンに大きな足跡を残した。やはり炎上を呼んだ「Kapuka」は要チェック。パーティーとかガンジャなんてキーワードが出てきたり、売れ線狙いの Kapuka を意識しているだけあって、心地よいフローとメロディに包まれる。スワヒリ語が分からなくても、アルバム全体を通して純粋に楽しめる作品。

Kleptomaniax

Kapuka Dis に敢然とアンサーが大ヒット、炎上に燃料を追加！

© : The Sauce

● 国：ケニア　● 出身地：ナイロビ　● 拠点：ナイロビ　● 活動期間：1999-2010
● グループ中心人物：Roba、Collo、Nyashinski　● 750

　火事と喧嘩は江戸の華、dis と beef は Hip
Hop の華。K South の項で紹介した Kapuka
騒動、これに対し敢然と Answer で返し、
それが大ヒットとなったのが Kleptomaniax
である。1999 年、高校生だった Roba、
Collo、Nyashinski の 3 人が首都ナイロビに
て結成。所属レーベルは Ogopa Deejays。
Boomba（Kapuka）の総本山である。日本
で例えれば 1990 年代に売れ線連発した小室
系やビーイング系を思い浮かべて頂ければ、アン
チが騒動を起こすのも想像がつくのではない
だろうか。
　2002 年に 1st シングル「Freak It」をリ
リース、続いて「Maniax Anthem」「Haree」
をリリース。そして 2004 年、Kapuka 騒動
への Answer であるシングル「Tuendelee」
をリリースし、ユニット史上最大のヒット
となった。さっそく翌年、「Tuendelee」
も収録した 1st アルバム『M4E（Maniax
Forever）』をリリース。セールスも好調で、
Kisima Music Awards（現在は Kisima
Music and Film Awards）の Best Group
獲得。さらに MTV Europe Music Awards
Nomination の Best African Act にノミネー

M4E Maniax Forever

Ⓐ 2005

このアルバム、隣国タン
ザニアの Tanzania
Music Awards で　も
Best African Album を
受賞。当時の Boomba
（Kapuka）旋風が東ア
フリカに及んでいたこと
が分かる。売れ線狙いと
dis られるだけあって、
全体を通してキャッチーで聴きやすい。最終トラック
に収録されているのが本文中で紹介の「Tuendelee」
だ。さすが Ogopa Deejays、こういったところは
抜け目ないというか、商売上手である（笑）

トされた。
　2007 年、全米ツアーの後、メンバーは
ソロ活動を開始。ユニットは一時休止状態と
なり、古巣の Ogopa Deejays を離れる。
2009 年に 2nd アルバム『NITT（Now Is
the Time）』をリリースしたが、以降主だった
活動はなく解散したと考えられていた。ソロに
なった Nyashinski は 2016 年に「Malaika」
ヒットでカムバック。Collo はその後 Gospel
に転向した。

Collo（元 Kleptomaniax）インタビュー

1990 年代末から 2000 年代にかけて、ケニアの Hip Hop シーンを大いに盛り上げたグループ Kleptomaniax。そのオリジナルメンバーである Collo に当時の様子と、日本では馴染みの薄い Gospel ラップを中心にいろいろ話を聞いてみた。

——まずはご自身のプロフィールに関してお聞きします。Kleptomaniax 以前はどんな少年時代でした？

少年時代から自己表現への欲求が強かったね。今思えば、真似事だけど小学校では友達の The Brand U.B. と、高校では Wally とデュオを組んでた。音楽というアートの表現方法、技術の向上をいつも考えていた。

——よくある質問ですが、影響を受けたミュージシャンは？

そうだね。ケニアでは、Redsan、Nazizi、Kalamshaka、K-South、The Brand U.B. とか。外国のアーティストでは Jay Z,、Busta Rhymes、Method Man なんかかな。

——ソロデビューアルバムは 2012 年『Since 85』ですが、こちらはいかがでしたか？

セールスは結構好調だったんだよ。初週で約 5 万部売れた。ケニヤッタ国際コンベンションセンターのヘリポートでパフォーマンスを行ったのは、最高の瞬間だったね。

——Kleptomaniax 活動休止後、アルコール依存などスランプに陥ったそうですね。そして、信仰に目覚め、Gospel ラップに進みました。神様に出会ったきっかけはどういったものでしょうか？

アーティストの承認欲求が高いのは言うまでもないよね。全く生活環境が変わった当時、意識の変革を手伝ってくれるメンターはいなかった。それがスランプへの深みに陥った。元々俺は両親とも熱心なキリスト教徒の家庭で育った。なので信仰は身近にあったといえる。コピーライターとして働いていた時に、聖

本人 Instagram より

書の言葉に惹かれ改めて信仰に戻ってきた。

——2016 年、キャッチーな Gospel ラップ「Bazo Kizo」でシーンに復帰しました。この時のヒットはいかがでしたか。

この曲が新しい世代に受け入れられたことに感謝している。これで俺は救済された。いわば勝利のダンスだね。

——現在のご自身のサウンドスタイルはどういったものでしょうか？

現在、俺のチームではクラシックと Sheng Rap の融合に取り組んでいる。

——ご自身のブログに日曜礼拝のことを書いていますが、Evangelist Musician としての活動内容はどういったものがありますか？

俺はまだ牧師ではないが、日曜礼拝の説教を共有している。エンターテインメント以外にも、俺たち Gospel ラッパーは影響力を持つ自覚が必要なんだよね。

——Kleptomaniax 時代はいかがでしたか？毎日が忙しく刺激的だったと思います。USA ツアーでは、何日間、何ヶ所ライブしましたか？

USA ツアーは凄かった。4 か月間で約 20 州をツアーした。ロサンゼルスのユニバーサルスタジオにある B.B Kings Blues Bar でメインアクトを務めたのが思い出深い

ケニアの Hip Hop は、今も進化を続けているよ

復活を遂げた大ヒット「Bazo Kizo」MV より

ね。Kleptomaniax 時代には山あり谷ありだったけど、キャリアをスタートさせてくれたことには非常に感謝している。

——Kleptomaniax が所属していたレーベル Ogopa DJs についてお聞きします。このレーベルが 2000 年代初頭ケニアの Hip Hop シーンに及ぼした影響力はいかがでしょうか？

当時、Ogopa DJs は大物アーティストや Kiss 100 FM (Radio Africa) とのコラボレーションにより、ケニアの音楽シーンを再定義するサウンドを作り上げた。Hip Hop はすでに文化に大きな影響を及ぼしており、ちょうどラップスタイルがクラブに湧き上がってきた時代だったね。何しろ DJ がアーティストと組んで音楽を作るというのは、初めての経験だった。ユニークなレーベルでありながら、その背景にある優秀な人々の姿が見えないのが惜しいともいえる。

——Ogopa DJs は Kapuka (Boomba) をジャンルとして作り上げました。一方で、K-South の dis トラックのように、商業的すぎるとの議論も発生しました。そして Answer

トラック「Tuendelee」が大ヒットしました。今、当時を振り返るといかがですか？

この事件はレモンからレモネードを作る（禍を転じて福と為す）という典型的なケースだ。俺たちの場合、当初は Boomba をジャンルとして押し出すつもりだったが、結果的に Kapuka（笑）という dis を受け入れた。ギョーカイの先輩や後輩の、俺たちの努力に対して盛大な dis りの後、このような大ヒット記念作をリリースできたことには感謝している。

——一般的に Hip Hop のゴールデンエイジは、LL Cool J や N.W.A が登場した 1980 年代後半から 1990 年代前半といわれます。ケニアでのゴールデンエイジは、Kleptomaniax が人気だった 2000 年代後半だと思われますか？ 2000 年代後半はいかがですか？

2000 年代後半、俺は Camp Mulla のようなグループとコラボレーションし、サハラ砂漠以南のアフリカに新しいトーンとサウンドを打ち立てた。彼らと一緒に仕事をするために、Wizkid ような大物アーティストがナイロビま

で飛んでくるのを見たときは驚いた。

とはいえ、当時のラップミュージックの芸術性と多様性から、90年代後半から2000年代前半が、ゴールデンエイジと言えるかもしれない。Dandora Hiphop City、Calif Records、Blue Zebra など、さまざまなテイストを選ぶことができた。

——2022年11月、Kleptomaniax 元メンバーが一緒に演奏しました。オーディエンスの反応はいかがでしたか？ ご自身の感想はいかがですか？

俺たちが同じステージに立つのは15年以上ぶりだったため、その反応は計り知れないものがあった。特にZ世代とミレニアル世代にとっては、ケニアのポップカルチャーにおいて非常に重要な瞬間をシェアできたと思う。Shin City Concert での Kleptomaniax のライブを通して、ケニアの音楽産業における20年間のサファリを体験することができたんだ。

——世俗的なラップと比較して、Gospel ラップの人気はいかがですか？

ケニアの Gospel ラップは、90年代前半に Rap Community のようなグループが人気を博した。残念ながらレコーディングには至らなかったが、実際のパフォーマンスの映像が残っている（CTA の Steve Ominde のインタビューを検索してみて）。1千人以上の死者を出した2008年のケニア危機の直後から、**Gospel の需要**は高まった。この時、世俗的なシーンから多くのアーティストが Gospel に移行した。

——サブサハラ地域では Gospel ラップのシーンが盛んのようです。信仰熱心な人が多いのでしょうか？

宗教は影響力のある分野だけど、精神的な目覚めは個人によって異なる。またそれぞれの国情もある。誰にでもそれぞれ神様やヒーローがいるのだから、音楽的にも話は変わって当然だと思う。我々のキリスト教に関して言えば、**ケニアは神の安息の地**と言われ、「リバイバル」の足がかりの地域となっている。

——最近のケニア Hip Hop シーンはいかがですか？

ケニアの Hip Hop は、今も進化を続けているよ。1990年代半ばから後半にかけて市民教育のツールとして使われた後、2000年代前半には異なる方向に進み、アフリカのポップカルチャーのトレンドセッターとなった。あのような新鮮なサウンドを作り出したのだから、ケニアのオリジナリティーだと思う。

——Big Yasa、Buruklyn Boyz といった Drill / Trap Music がケニアでもトレンドです。こういった New School に関しては？

New School が根を張り、想像以上に成長するためには、メンターが必要だ。いっぽう、古い世代が若手世代から学ぶべきこともたくさんある。こういう心掛けが結果、Hip Hop のレガシーを守ることにもつながる。

——最後に日本の Hip Hop ファンにホットなメッセージをお願いします。

ぜひ私の音楽で、文化やジャンルを超えて東アフリカの物語を体験してみてくれ。

そして、キリスト教の言葉「命の冠を受くるぞうれしき」を捧げたい。

シングル「Conqueror」（2019）

©：MV「Malkia」

Swagga Flani　　　　　Ⓐ 2011

当時ケニア全土の FM ラジオ局から流れていたという「Nayo Nayo」「Mr. President」「Nikubalie」も収録されている。ケニアのみならず東アフリカ諸国、特に隣国タンザニアの FM ラジオでもヘビーローテーションとなった。『Last Episode』と合わせてダブルアルバムなので、こちらも聴いておきたい。どちらのアルバムも Boomba から Genge の流れを汲みキャッチーな仕上がりだ。

Influx Swagga

🏳 国：ケニア　📍出身地：キツイ郡ムウィンギ　🎧 拠点：ナイロビ　🎂 生年：1987　🗓 活動期間：2000-　📛 本名：Augustine Kavindu　🆔 別名義：Influx Swagga　▶ 🔘 06 18

都市計画会議議長、上院議員選挙への
立候補と意識高い系ラッパー！

　ケニアに元荒らしのラッパーがいる。荒らしといっても SNS やネット掲示板を荒らす方ではなく、大会荒らしといわれる方だ。Influx Swagga（表記 Swagga もあり）は、9 歳（12 歳との現地記事もあり）のときにコカ・コーラやグループ・アフリカ主催などの名だたるローカルラップコンテストで次々優勝した。父と祖父がどちらもクラシックの音楽家という環境に育った Influx Swagga は、よりよい音楽環境を求め、田舎町キツイ郡ムウィンギから首都ナイロビに出る。

　最初に門を叩いたのは Genge の総本山 Calif Records。ここで 2 曲録音するも芽が出ず、レーベルを移籍し、2008 年ようやく 1st アルバム『Ndani Yangu』をリリース。このアルバムが大ヒット、2011 年 12 月までに 10 万枚以上のセールスを記録する。当時のケニアの基準ではプラチナセールスであった。続いて 2011 年、アルバム『Swagga

Flani』『Last Episode』を同時にリリース。現地記事では、ダブルアルバムは Influx Swagga がケニア初とのことだ。また、ケニアの国歌「Wakenya」が収録されるなど話題もあり、FM ラジオ局の音楽チャートを席巻した。以降、ほぼ 1 年ごとコンスタントにアルバムをリリース。

　その一方で裏方ともいえる仕事に取り掛かる。まずはコンテンツ産業の振興と著作権法規の整備を目的としたケニア全国ミュージシャン連合（KENUM）の結成。慈善事業を目的とした財団 The Influx Foundation の設立と運営。また、ビジネス・イノベーションと技術管理の博士号、コンピューター・システムの修士号を取得。ジョモ・ケニヤッタ農工大学（JKUAT）の講師、故郷ムウィンギの都市計画会議の議長も務めた。そして、若者の失業問題を解決するため、上院議員選挙への立候補と挑戦は続いている。

Kesi
Ⓐ 2019

テキストはスワヒリ語。ボーナストラックを含む全 13 トラック。モンバサ、ナイロビはもとより、同じスワヒリ語圏の隣国タンザニアからもプロデューサーやゲストミュージシャンを起用している。民族と文化をテーマとする「Kenda」では本文中でも触れた Kalamashaka の Kama がゲスト。また、タンザニアの Songa をフィーチャーした「Kumbukumbu」も要チェックだ。

Kaa La Moto

©：Facebook

Ⓟ 国：ケニア　◉出身地：モンバサ　◎拠点：モンバサ　〜活動期間：2009-
Ⓙ 本名：Kesi Juma Mohamed　▶　◎18

ケニアのヒップホップ発祥の地、
沿岸都市モンバサの盟主！

　ケニア第 2 の都市、モンバサ。史跡が多数残るモンバサ島を中心とした人口 100 万都市圏だ。1990 年代末から 2000 年代初頭にかけてケニアの Hip Hop 史を彩る Ukoo Flani を輩出した地としても知られる。この Ukoo Flani、沿岸部の伝統文化を色濃く反映した Kaya Hip Hop のパイオニアである。Kalamashaka を中心とした、ナイロビの Mau Mau Camp と合流し、Ukoo Flani Mau Mau という Clan に参加した。Ukoo Flani Mau Mau ではアルバム『Dandora Burning』プロジェクトを残したものの、大所帯に埋もれ、商業的な成功には繋がらなかった。

　さて、2009 年にキャリアをスタートし Kiumbe（怪物）の異名を持つ Kaa La

Moto。2014 年 の Coast Music Awards にて HipHop Artist of the Year、更に翌年 Pwani Celebrity Awards を受賞と実力を発揮した。一旦姿を見かけなくなったと思いきや、2019 年、アルバム『Kesi』で復帰。東アフリカ地域では好調なセールスを記録した。2022 年には、年間 2 枚のアルバム『Leso Ya Mekatilili』『Mkanda Mweusi』をリリースという Kiumbe らしい暴挙にでる。もちろん「暴挙」は誉め言葉だ。

　スタイルはオーセンティックなコンシャスラップ中心。ドラッグ、公衆衛生、公務員の腐敗など、社会問題をネタにするのが得意である。また、Hip Hop を通じスワヒリ文化のアンバサダーを自任、割と何でもありの作風だ。

Kaa La Moto インタビュー

風光明媚なビーチ、白と青に塗り分けられた建物。ケニア随一のリゾート地モンバサは、ナイロビに次ぐ第2の都市でもある。この地の Hip Hop シーンを代表する Kaa La Moto に地方都市のシーンなど聞いてみた。

——お忙しいのに、対応していただきありがとうございます。さっそく色々伺いたいと思います。

何でも聞いて（笑）。

——何度も聞かれたと思いますが（笑）、少年時代のお話から。

ああ、ごく普通の子供だった。勉強して、遊んで。空手は子供のころから習ってた。

——そういえば、ご自身の Facebook に空手が趣味とありました。カンフーではなく沖縄発祥の空手とは親しみを感じますね。黒帯は獲得しましたか？

開祖は沖縄の船越義珍だね。もちろん黒帯は持っているよ。松濤館三段です、押忍！

——同じく Facebook に Sensei とありますが？

じつは師範の資格も持っていて、空手教室で生徒を指導している。また、ケニア代表チームとして遠征試合の経験があるんだよ。今も空手の

アルバム『Mkanda Mweusi』(2022)

稽古を欠かさず、生徒を指導することは、集中力の鍛錬に役立つね。もう生徒はファミリー同然。子供時代から始めた空手により、俺自身が育ったようなものだ。

——また、Historian そして Activist ともプロフィールにあります。この点に関して、どのような活動をしていますか？

文化遺産保護の研究者でもあったため、大学での講師もしていた。いわば東アフリカの歴史アンバサダー！

——Hip Hop との出会いはどのようなものだったのでしょう？

子供の頃はしばらく Ukoo Flani の出身地区マゴンゴに住んでた、湾奥の方。その後、イケてるキサウニ地区に引っ越しストリートライフを満喫していたんだよ。Hip Hop が鳴り響くビーチや桟橋で遊ぶのが大好きだったな。仲間も Hip Hop が好きだったので楽しい時間だった。

——定番質問ですが、影響を受けたミュージシャンは？

俺は Taarab も大好きだった。ただし古いフォークソングなんだよね。同年代の若者にテキストを書きたかったので、Hip Hop 方面に進んだことになる。はじめに聴き始めたのはタンザニアの Hip Hop。そう、Fid Q や Professor Jay なんか。彼らの影響は大きいと思う。その後、ケニアの Kalamashaka などに続くかな。

——ご自身のサウンドスタイルは正統派 Hip Hop ともいえるのですが、非常に現代的でもあります。あえて名付けるとしたらどのようなスタイルでしょうか？

うーん、意識したことないな（笑）。スワヒリ Hip Hop、またはアフリカ風の Hip Hop あたりかな。

——アルバム『Mkanda Mweusi』では、G Nako、Jay Moe といったタンザニアの著名ラッパーの名前があります。タンザニアのアーティストから受けるインスピレーションはいか

松濤館三段です、押忍！

MV「Msafiri」より

がですか？

『Mkanda Mweusi』は黒帯（高位）を意味し、アフリカの隠喩でもある。タンザニアの奴らと一緒に仕事をするのは、スワヒリ語という共通語もあるし、民族的に同じということもある。まあ彼らは友人というよりも家族に近いかな。仕事を進めやすいし、いい刺激を貰えるよ。

——また、Wakadinali のアルバム『Haitaki Hasira』のトラック「D na Sigingi」にゲスト参加しています。Wakadinali や Big Yasa といった New School に関してはいかがですか？

いいね。新しい仲間とリンクし、彼らをサポートすることは、いつも素晴らしいこと。

——モンバサといえば 2000 年代の Ukoo Flani が有名ですが、彼らの及ぼした影響はいかがですか？

奴らのストリートライフとスワヒリラップはモノホンだったと思う。ストリートへの愛（UPENDO）に満ち溢れていた。いまでもリスペクトするラッパーは多い。

——モンバサのライブハウスやクラブはいか

がですか？　Covid-19 の影響はいかがでしたか？

ようやくパフォーマンスできるようになってよかった。コロナのせいで大変だったよ。逆に Instagram、YouTube、TikTok などでのオンラインライブという、新しいことへのチャレンジができた。

——ライブ以外でファンへのアプローチは FM ラジオのエアプレイが中心でしょうか？　近年の YouTube や Spotify などのサービスの影響はいかがですか？　アーティストに有利になりましたか？　地域のハンデは無くなりましたか？

レガシーメディアがまだ強力であるため、FM ラジオに依存している人もいる。いっぽうでデジタルプラットフォームを主戦場にするアーティストも。アーティスト、レーベルのマーケティング戦略によるね。

——中西部の都市 Nakuru では Vegatone というスタイルが発展しました。モンバサではオリジナルスタイルは生まれましたか？

その昔、モンバサには Taarab、Bango、

スワヒリ語の Hip Hop スタイルを広めたい

MV「Hoi」より

Chakacha、Mwanzele などのフォークミュージックがあった。Hip Hop では、2010 年代に Ally B が Ziki la Nazi というスタイルを試みたが上手くいかなかった。ローカルサウンドに関してはずっと課題を抱えているね。

——モンバサとナイロビのシーンの違いはいかがでしょうか？　都市ごとの特徴はありますか？

どうしても首都ナイロビに一極集中しているため、モンバサは少し割を食うね。トレンドもナイロビの方が早い。先日コンサートを行った西部の都市キスムも同じ。ナイロビは今の段階では外せない状況だ。

——東海岸の都市ということで、タンザニア（Bongo Flava）の影響はありますか？

沿岸北東部にあるラムから始まったスワヒリ語は、タンザニアのほかウガンダ、ルワンダといった地域まで広がった。俺たちはスワヒリ語で歌い、ラップをするので、よく混同される。俺たちは言語により類似性を共有しているともいえ、お互いに影響しあっているようなもので

ね。

——モンバサでの Drill/Trap ミュージックの人気はいかがですか？　有望なラッパーはいますか？

ソーシャルメディアの影響は大きいね。どこかで起こっていることはここモンバサでも起こっているんだ。とはいえ、Drill/Trap がそれほど流行っているわけでもない。**モンバサはケニアの Hip Hop 発祥の地**ともいえるので、多くのラッパーはオーセンティックなスタイルにこだわり、そこから発展させようとしている。

——最後に日本の Hip Hop ファンにアツいメッセージをお願いします。

愛してるぜ、ジャパンのヘッズ！　俺はスワヒリの文化と歴史、そしてスワヒリ語の Hip Hop スタイルを広めたいと思っている。応援よろしく！

旅をして、ショーをして、そしてそこにいる人たちと盛り上がりたい！

キーワードは平和と団結！

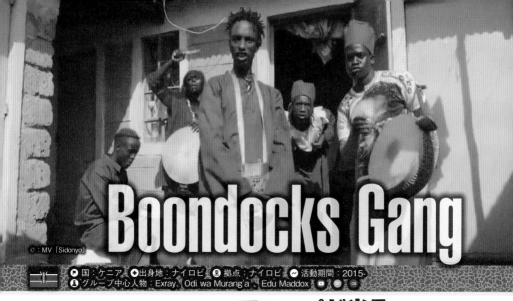

© : MV「Sidonyo」

Boondocks Gang

🏳国：ケニア　📍出身地：ナイロビ　📍拠点：ナイロビ　〰活動期間：2015-
👥グループ中心人物：Exray、Odi wa Murang'a、Edu Maddox　▶ ⏺ 🅾

スワヒリ語＆シェン語ラップが光る、
Gengetone トップグループ！

　インド洋交易の歴史を持つ東アフリカ諸国。沿岸部ではアラブ商人の行き来もあったためイスラム教徒が多い。タンザニアではほぼ互角だが、ここケニアではキリスト教が優勢のようだ。そしてキリスト教徒の多い地域では、必然的に Gospel も人気がある。ここで紹介する Boondocks Gang は、2015 年に教会の演劇クラスで知り合った Exray、Odi wa Murang'a、Edu Maddox の 3 人が始めた Gospel Hip Hop グループがルーツである。ところが、意識の高い Gospel 界とどうも馴染めず、セールスもさんざんであったため、界隈とは早々に手を切ったとのことだ。そして Boondocks Gangの 3 人は、2018年当時、Ethic Entertainment が火をつけたサブジャンル Gengetone に勝機を見出す。

　その名の通り Gengetone は Genge の進化系である。とはいえ、Ethic Entertainment が自ら命名したものなので、同じような傾向の音作りでも、アーティストによっては Dabonge や Debe と別名称であったりもする。基本的には Dancehall に伝統的アフリカのリズムをミックスし、スワヒリ語及びスラングであるシェン語ラップを乗せる。Lyrics の内容はストリートのことが多い。そしてボーイズグループや女性ボーカル採用といったアイドルっぽい特徴がある。2018年 12 月にリリースされたシングル「Rieng'」は大ヒットとなり、Boondocks Gang はケニアで最も人気のある Gengetone アーティストとなった。続いて 2019 年に一連のヒットシングルをリリースし、ジャンルを超え国内のトップ アーティストとしての地位を確立した。その勢いもあり、アメリカのレーベル Black Market Records との契約を勝ち取った。

Modo Man　　　　　　🔺2019

Boondocks Gang の 1st アルバム。これまで取り組んできた作品の中でおそらく最もとんでもない曲を集めた、と現地での評判である。タイトルチューン「Modo man」では、下品な隠語に加え、Shadda/Shash（マリファナ）なんてワードも。スワヒリ語のスラング満載で何言ってるかわからないが、MV を見ればそのヤバさを実感できる。いずれも収録曲はパンチの効いたトラックが多い。

© : Facebook

King of Swahili Rap - Ice Ice Baby   Ⓐ 1992

本人がインタビューで話している
るように、Billboard Top 10
に並ぶような有名ヒット曲を集
めた。C & C Music Factory
「Gonna Make You Sweat」、
Kris Kross「Jump」、Snap
「Power」といった 1980 年代
末〜 1990 年代初頭の売れ線
ラップのスワヒリ語カバーが勢
ぞろいしている。アルバムのサブタイトルともなって
いる「Ice Ice Baby」共々、本家版と聴き比べるの
も面白そうだ。

Saleh J

📍国：タンザニア　👤出身地：ダルエスサラーム　📍拠点：ダルエスサラーム
〜活動期間：1991-　📓本名：Saleh Jaber　▶️

タンザニア初のヒップホップヒット作は
Vanilla Ice カバー！

　タンザニア最初期の Hip Hop シーンは、
1980 年代後半から 1990 年代初頭である。
しかし、その時活躍したアーティストを思い
出せる人は、地元でも少ないようだ。Nigga
One、Eazy B、後に Kuwanza Unit を結成
する Rhymson がローカルのナイトクラブで
ライブといった時代である。大陸側の首都ダル
エスサラームでテレビ放送が始まったのは数年
後の 1994 年。売り方はライブ、カセットを
インド人商店に卸すといった手段が中心。ラジ
オでのオンエアは高嶺の花であった。アフリカ
諸国の例にもれず、当時はカセットテープがメ
ディアの主役であったこともあり、なかなか音
源が残っていない。

　そんな時代に Hip Hop でタンザニア初の大
ヒット「Ice Ice Baby」を生んだのが Saleh
J である。もうお分かりだろうが、Queen &
David Bowie「Under Pressure」のベース
ラインをパクって問題になった Vanilla Ice の

カバーである。小学生時代よりダジャレ少年
だった Saleh J は色々な歌でも rhyme し、周
囲の人々を楽しませていた。1991 年、普段
からラジカセを駆使しスワヒリ語で録音してい
た彼は、巷で流行している「Ice Ice Baby」
に lyrics を載せることを思いつく。知人から
カラオケ音源を入手し、8 時間かけてトラック
を完成させた。Vanilla Ice 版のコンセプトを
失うことなくスワヒリ語の歌詞にコンバートし
たテープは、商店街のあちこちで、そしてラジ
オでオンエアされるようになる。この波に乗り
1992 年、アルバム『King of Swahili Rap
- Ice Ice Baby』が完成。タンザニアの Hip
Hop 史を飾る記念碑となった。

　ところが、人気絶頂の 1993 年、Saleh J
はアラブ首長国連邦に移住。2001 年 10 月
の Africanhiphop.com のインタビューでカ
ムバックを匂わせていたが、2003 年にイギ
リスに移住し、タンザニアのヘッズには「Ice
Ice Baby」の記憶だけが残った。

アフリカに影響を及ぼした世界のラッパー

　アフリカ諸国に Hip Hop が上陸したのは 1980 年代初頭から 1990 年代終盤にかけて。というの
も、戦争や政治的混乱など、各国の事情によりタイムラグがあるためだ。1980 年代の早い時期では
Old School、1990 年代以降では Hip Hop Golden Age の影響が大きい。

　「影響を受けたアーティストは？」はインタビューの定番質問だが、回答に出てくるラッパーは国
が違っても大体同じような人物が挙げられることが多い。Old School では Afrika Bambaataa。
Zulu Nation 南アフリカ支部となった Black Noise のほか、パクリの Kwanzanian Nation を作っ
た Kwanza Unit などへ大きな影響がみられる。Hip Hop Golden Age では、Run D.M.C. に始まり、
LL Cool J、KRS-One、Jay Z、N.W.A といったお馴染みの面々を挙げるアーティストが多い。そ
の中でもやはり別格は 2Pac で、多くのアーティストが名前を口にする。1990 年代中盤以降では、
50 Cent、Drake、Kanye West といった、これまたお馴染みの名前を目にする。

　フランス語圏の国へ目を移すと、上記のアーティストの他、MC Solaar、Suprême NTM、IAM
といった名前を口にするアーティストが多い。特に MC Solaar は、出身地であるセネガル以外にも、
コートジボワールをはじめとするフランコフォン諸国をツアーし、ローカルシーンに多大な影響を及
ぼした。ほかに Youssoupha、Booba、Elow'n もチェックしておきたい。

　ポルトガル語圏の国ではポルトガルでシーンが勃興した Hip Hop Tuga の影響も見逃せない。Hip
Hop Tuga を始めたとされる General D はモザンビーク系でもある。また同じく Hip Hop Tuga の
先駆者として有名な Boss AC はカーボヴェルデ系だ。シーンの始まりからして Hip Hop Tuga は
アフリカ文化のルーツが色濃い。

　このように、旧宗主国あるいは北米のディアスポラを媒介し、ローカル Hip Hop シーンへの影響
がみられる点も、アフリカならではといえる。

お馴染み N.W.A『Straight Outta Compton』(1988)

セネガル出身の MC Solaar『Prose Combat』(1994)

© : Music in Africa

Kwanzanians
Ⓐ 1999

なんと、スワヒリ
Rumba（Muziki wa
dansi）のマエストロと
も呼ばれる King Kikii
をゲストに迎えている。
「Msafiri」では、King
Kikii が 1970 年 代 に
ヒットさせた曲をベー
スにクルーがラップ。
「Runtingz」など過去にカセットシングルでリリース
したものも収録。ラストアルバムということで、アメ
リカンスタイルを参考にしていた初期からの変化を確
認できる。

Kwanza Unit

●国：タンザニア　●出身地：ダルエスサラーム　●拠点：ダルエスサラーム
●活動期間：1993-　●グループ中心人物：Chief Rhymson、KBC、Eazy-B　　○8

タンザニアに Kwanzanian
Nation 建国を目指した集団！

　大所帯 Hip Hop グループといえば、メン
バー 10 人の Wu-Tang Clan が思い浮かぶ。
ところが、タンザニアの Kwanza Unit は 15
人以上のメンバーで構成、Kwanza Family、
KU Foundation には数百人のメンバーが控
えていたという。大所帯になった理由はこう
だ。1993 年、Villain Gangsters、Riders
Posse、Tribe-X の 3 グループが合流したの
が始まり。創設メンバーである Rhymson（ex.
Villain Gangsters）に よ れ ば、Kwanza
Unit の 目 的 は、タ ン ザ ニ ア を「Hip-hop
Nation」として確立すること。何もイカレた
カルト宗教のように神権政府樹立を目指した
わけではなく、あの Afrika Bambaataa の
Universal Zulu Nation のような Hip Hop 集
団「Kwanzanian Nation」を作ることであっ
た。
　Afrika Bambaataa を目指したことからわ

かるように、アメリカの Hip Hop から大きな
影響を受けていたため、当初は英語でのラップ
であった。当時、Hip Hop の情報を入手でき
るアーティストは少なく、国外に友人や家族か
ら情報を得ていた Kwanza Unit は本格的なグ
ループとみなされていた。Swahili Rap が勢
いを増すと、Kwanza Unit もスワヒリ語を採
用していく。アメリカのラッパーの押韻構造を
十分理解していた彼らは、スワヒリ語への対応
も上手く、他のアーティストよりも一歩先を行
くレベルであった。
　1st アルバム『Kwanza Unit』（1994）、
2nd ア ル バ ム『Tropical Techniques』
（1995）3rd ア ル バ ム『Kwanzanians』
（1999）をリリースしたものの、活動を休止
してしまう。メンバーはソロに転向、あるいは
海外移住と、「Kwanzanian Nation」の野望
は道の半ばに終わったようである。

: Facebook

Maasai Hip Hop

Ⓐ 2004

文章だけではなかなか説明しきれない X Plastaz のスタイル、もう MV を観るか聴くしかない。有名なナンバー「Aha!」では伝統的なマサイ族の村での生活がテーマ。MV もあるのでぜひチェックを。甘口の Bongo Flava でお腹一杯になったら、口直しにぜひ X Plastaz。この 1st アルバムにすべてが凝縮されている。

X Plastaz

🏳 国：タンザニア　◉ 出身地：アルーシャ　◉ 拠点：ダルエスサラーム
〜 活動期間：1996-　👤 グループ中心人物：Ruff、G-sann、Ziggy　▶ 🔘 ⓒⓢ 3101

ヒップホップ都市アルーシャ発
民族衣装マサイ語ラップ！

　ケニア国境近く、タランガー国立公園、キリマンジャロ国立公園にも近い観光拠点としても知られる都市アルーシャ。観光都市とは別に、もう一つの顔がある。「The City of Hip Hop」と呼ばれるように、内陸部の地方都市でありながらシーンが熱いのだ。今や大衆路線となった Bongo Flava ではなく、正統派 Hip Hop アーティストが集う街である。その礎を築いたのがこの街出身の X Plastaz だ。

　1995 年、ヘアサロンで働いていた Ruff、G-sann 兄弟とルームメイトの Ziggy により結成。1st シングル「Bamiza」リリースに漕ぎつけたのが 1999 年、これが東アフリカ地域でヒット。2001 年には、Ruff の弟と妹がグループに加わり、遠く離れた村から来たマサイ族の Merege 歌手 Yamat Ole Meipuko も加入。スワヒリ語＆ハヤ語ラップに民族衣装のマサイ語ボーカルという、Maasai Hip Hop

のスタイルが完成した。そこに注目したイギリスの旅行ガイドブック『Rough Guides』が、自社の民族音楽コンピレーション CD に収録。一気に国外で火が付き、ヨーロッパ、南米ツアーのきっかけとなる。さらに、ドイツのレーベル Out Here Records から 1st アルバム『Maasai Hip Hop』がリリースされ、高い評価を得る。ところが 2006 年、最年長でリーダー格の Ruff が突然の死に見舞われてしまう。

　しかし、X Plastaz は解散せず活動を継続。2009 年に 2nd アルバムリリースの噂もあったが、メンバーが国外移住するなど動きが減少した。「アフリカの Hip Hop」を追求し、社会問題にもコミットするという唯一無二のスタイルは、国外のメディアも注目。HBO のドキュメンタリー『This Is My Africa』ではサウンドトラックに採用、また雑誌『National Geographic』にて特集されるなど、評価は高い。

© : Facebook

Machozi Jasho na Damu   Ⓐ 2001

タイトルはスワヒリ語で「Tears Sweat and Blood」。テーマは政治、人生、歴史。その中でも「Tathimini」「Piga Makofi」「Yataka Moyo」では、タンザニアの Hip Hop 史を採りあげ、一緒にシーンを作った仲間に敬意を表し、多くのことを説明している。Taarab や Muziki wa Dansi 風の音作りをしているトラックもあるので注意深く聴いてみよう。

Professor Jay

▶ 国：タンザニア　🧍出身地：ダルエスサラーム　📍拠点：ダルエスサラーム　📅生年：1975
🔁活動期間：1989-　本名：Joseph Haule　▶️ 💿 1072

国会議員にもなった初期
Bongo Flava の立役者！

　1990 年代に発展した Swahili Rap。2000 年ごろになると、スワヒリ語に置き換えただけでは物足りないアーティストも現れ始める。その流れで Taarab、Dancehall や R&B のリズムを取り入れた Bongo Flava に進化していく。もっとも近年の Bongo Flava は Hip Hop 色が薄くなり、キャッチーでクラブレディな踊れる歌モノが激増した。初期のシーンと比較すると別世界のようである。

　初期 Bongo Flava のキーマンを紹介しよう。1989 年、Hard Blasters Crew に加入したのが Professor Jay（当時名 Nigga J）のキャリアスタート。1999 年の 1st アルバム『Funga Kazi』収録の「Chemsha Bongo」がヒットし有名になる。2001 年よりソロ活動を開始し、1st アルバム『Machozi

Jasho na Damu』をリリース。2nd アルバム『Mapinduzi Halisi』では 2004 年度 Tanzania Music Awards（Kilimanjaro Music Awards）の Best Hip Hop Album 賞を獲得した。以降、タンザニアの各種アワードの常連となり、同じころ人気を博した Mr. II、Deepac Braxx らとシーンを盛り上げた。また、Bongo Flava でよくテーマにされる政治的腐敗、貧困、HIV といった社会問題にも取り組み、ついには 2015 年、タンザニア総選挙に立候補。当選し、国会議員となる。残念ながら 2020 年の総選挙では議席を失うも、社会問題に取り組む姿勢は変わらない。

　国会議員在職中もコンスタントにシングルをリリース。次々新人アーティストがデビューするにもかかわらず、現役を続ける Professor Jay はまさに Bongo Flava の生き字引である。

Kitimoto Minitape　Ⓐ 2021

G Nako 本人はもとより、N2N、Weusi ともどもアルバムリリースは意外と少ない。こちらは 9 トラック収録のミックステープ、しかも Mini となる。初っ端の「Unakaaje Chini」からわかる通り、Dancehall 風味たっぷりの正統派 Bongo Flava に仕上がっている。G Nako 所属のグループ Weusi のアルバム『Air Weusi』（2021）は、Hip Hop 色が強い仕上がりなので比較してみよう。

G Nako

© : ikmziki.com

🏁　📍 国：タンザニア　◆ 出身地：アルーシャ　📍 拠点：アルーシャ　⬤ 生年：1983　〰 活動期間：1998-
　　📷 本名：George Sixtus Mdemu　▶ 🅿 🔗 110

サファリツアー会社勤務からアルーシャの
首領へ、スーパーグループ Weusi 結成！

タンザニアといえば、セレンゲティ国立公園などのサファリツアー。長らく社会主義体制であったため存在感が薄かったが、ケニアのマサイマラ国立保護区と陸続きのセレンゲティ国立公園はその 8 倍の面積を有する。そんなサファリツアー会社でアシスタントマネージャーの仕事をしていたという G Nako。X Plastaz の項でも触れた観光 & Hip Hop の街、アルーシャ出身である。

1998 年、専門学校生時代、友人とChronic Mob グループを結成。2000 年にこのユニットを離れ、Lord Eyes 率いる Nako 2 Nako Soldiers（N2N）に加入。「Nako 2 Nako」とは「拳同士」という意味だ。自分たちの音楽を「Street Hip Hop」と称するHardcore な野郎どもにふさわしい。それぞれのメンバーはソロ活動も活発に行い、東アフ

リカ全域のヘッズにその名を轟かすほどになる。G Nako はこのグループでプロデュースを学び、Benpol、Maua Sama、Aslay、Rich Mavoko といったタンザニアのビッグアーティストとの仕事を得た。この流れは新たなグループ、Weusi 結成へと続く。N2N と同じくアルーシャのラッパーが集合した Weusi、結成は 2010 年前後とみられる。G Nako 本人のほか、Lord Eyes、Joh Makini、Nikki wa Pili といったローカルのアルーシャはもとよりタンザニアでもトップクラスのラッパーが揃ったため、最強グループとの評判だ。

もっとも彼らはティーンの頃から学校やパーティーで知り合った友人同士。小さな街だが、Hip Hop 人材、イベントが豊富なアルーシャのポテンシャルは計り知れない。今後も注視していきたいエリアだ。

Off Side Trick

ザンジバル島発独自ジャンル
Zenji Flava 代表！

ⓒ：MV「Samaki」

🏴 国：タンザニア 📍出身地：ザンジバル 📌拠点：ダルエスサラーム 💬 活動期間：2001-
∞ 10

タンザニアの首都ダルエスサラームから船で2時間、古くからインド洋交易で栄えたザンジバル島。その経緯からイスラム教徒が95%を占め、本土側とは文化が全く異なる。独自進化したHip Hopは、本土側がBongo Flavaならば、ザンジバル島はZenji Flavaとなる。このサブジャンルの起源は1990年代初頭とされている。特徴はTaarabの影響を受け、アラブやインドを思わせるテイストがあることだ。1996年以降、Cool Paraらが人気となり、2000年代に突入すると、Ali Haji、2 Berryといったミレニアム世代のZenji Flavaアーティストが多数出現した。

Off Side TrickもZenji Flavaミレニアム世代で最も有望とされたグループだ。Muda Cris、Lil Ghetto、Tani Bにより2001年結成。「Ndani Ya Party」「Uwanjani」などのヒットで認知を得る。2003年のDhow Countries Music Festivalを皮切りに、中東、ヨーロッパ諸国、そして東アフリカと中央アフリカをツアーした。2005年には、Zenji Flavaの発展を狙い、所属レーベルの仲間とAkhenaton Familyというコレクティ

Samaki

Ⓐ 2015

先輩のCool ParaはTaalabと合わせ「Taarab」と定義したが、Off Side Trickもその通りの雰囲気。エスニックなHip Hopナンバー「Wiife」があると思えば、「Babu Jinga」のようなやたらトロピカルな民謡チューンもある。まさに東西文化に彩られたタンザニアの世界遺産、ザンジバル島が生んだZenji Flavaの基本を押さえる1枚。

ブに参加した。2015年には1stアルバム『Samaki』をリリースした。

前述の通り、保守的なイスラム社会のため、ザンジバル島での活動は課題が多い。Zenji Flavaはフーリガンの音楽として見られ、ライブのスポンサー探しも苦労する。そのため、拠点はスタジオ設備も充実しているダルエスサラームをメインとしている。

Goddess

🅰 2022

自身のニックネームをアルバムタイトルとした1st。シングルではアタマで大見得を切るおなじみのフレーズでもある。全17トラックはほぼ書き下ろし。「Young & Happy」「Kali Yao」など Dancehall、Reggae ナンバーが半分ほど。逆に言うと Bongo Flava で Hardcore な Hip Hop が半分収録されているアルバムは珍しい。

© : Facebook

Rosa Ree

🇹🇿 🏳 国：タンザニア ◈ 出身地：モシ 🔍 拠点：ダルエスサラーム ⬛ 生年：1995 ⌚ 活動期間：2015-
👤 本名：Rosary Robert Iwole ▶ ⬤ 📀 341

ワイセツ MV で当局から活動禁止命令、
タンザニア最悪の Rap Goddess!

「タンザニアで最も悪いラッパー」。ケニアのエンターテインメントメディア『Ghafla!』での記事タイトルの通り、かなりキョーレツなキャラクターをウリにしているのが Rosa Ree である。見た目はかなりヤバイというか危険。

1995年、ケニアに近い街モシ生まれ。小学校から高校までケニアのナイロビにて過ごす。活動は2015年から。Instagram などのソーシャルメディアに動画を投稿しているうち、プロに注目される。Navy Kenzo の Nahreel と適当にセッションし、彼のレーベル The Industry Studios との契約を獲得した。Navy Kenzo の「Feel Good」MV でのエキストラが初出演である。2016年にデビューシングル「One Time」をリリース

した。シングルでは、タンザニア、ケニアのアーティストをはじめ、南アフリカの Gigi Lamayne、ウガンダの Spice Diana ともコラボした。

2019年、ワイセツ事件が発生。ケニアの Timmy Tdat とコラボした「Vitamin U」の MV がタンザニアのメディア管理局 BASATA からワイセツすぎると、6か月の音楽活動禁止と罰金刑を言い渡された。国外の仕事まで検閲されるとは中国以上に厳しい。一転して2022年には植民地支配と奴隷制をテーマとした「Blue Print」をリリース。女性の権利を PR しながらもお気楽なそれまでの作品とは真逆な方向に、ファンは驚いた。そして同年、待望の1stアルバム『Goddess』をリリースした。

Ladha
Ⓐ 2018

全 11 トラック。この
アルバムではゲストな
し、すべて Chin Bees
ソロ。Bongo Trap の王
らしく、タイトルトラッ
ク「Ladha」はクラブバ
ンガーなダンスチューン。
「Nitulize」「My Baby」
は超甘口の Trap バラー
ド。基本的に R&B、Dancehall の要素もある歌モノ
が全トラックの半分ほどある。キャッチーな Bongo
Trap を代表する 1 枚。

Chin Bees

© : Instagram

🏳 国：タンザニア　📍 拠点：ダルエスサラーム　📅 生年：1994　⏱ 活動期間：2018-
👤 本名：Mussa Ramadhani　🔢 65

「誰よりも Trap が上手い」と自画自賛する
Bongo Trap の王！

　東アフリカ地域での Bongo Flava はかなり
人気である。隣国ケニアでは、流入してくる
Bongo Flava に対し、一部のミュージシャン
や批評家は危機感を持っている。いっぽうで
タンザニアではケニアに比較するとガチな Hip
Hop が劣勢気味である。ナイロビの新世代と
もいえる Buruklyn Boyz、Wakadinali といっ
た Drill ムーブメントは、タンザニアではまだ
浮上していない。

　しかしながら、新たな音楽を産み出そうと
しているタンザニア若手も少ないながらも存在す
る。その代表がサブジャンル Bongo Trap の
王を自称する Chin Bees である。その名の通
り、Bongo Flava と Trap Music のハイブリッ
ドだ。本来の Trap、Drill からするとかなり甘

口である。Chin Bees のほか、Rayvanny、
S2kizzy、OMG Tanzania らが注目されてお
り、一定数のアーティストもいるため、サブジャ
ンルとしては成立している。2017 年にリリー
スしたキャッチーなシングル「Kababayee」
が、タンザニアでの Trap アンセムとなった。
2018 年 1st アルバム『Ladha』をドロップ。

　ラジオ局 Clouds FM のインタビューでは
「タンザニアで Trap を上手くできるやつはい
ない」「俺はほかの奴よりはるかに上手い」「ビー
トだけではクソ、テクがいる」と王者の貫禄
を覗かせた。また、Vanessa Mdee や Navy
Kenzo などの大物アーティストの作詞も手掛
けている。

PROSPECT PARK, BROOKLYN
© : Facebook

The Bataka Revolution 2005

Luga Flow の記念碑的アルバム。タンザニアの Bongo Flava 同様、近年は Corny Song に溢れてしまった Luga Flow 界隈であるが、Babaluku、Saba Saba は現在も「本物」の Luga Flow にこだわり続けている。原点を確認するという意味でこのアルバムは要チェックだ。ジャジーな「Tukomyewo」女性 Crew 登場の「UG / Revolution」と、さすが 1993 年からの生き残り、飽きない。

Bataka Squad

🇺🇬 国：ウガンダ ◉出身地：カンパラ ⑧拠点：カンパラ ◉活動期間：1993-
👤グループ中心人物：baluku、Saba Saba ▶ ⬤ ☒10

ウガンダ独自の Luga Flow を確立した
第 1 世代 3 人グループ！

　ウガンダで独自進化を遂げた Hip Hop サブジャンル、Luga Flow。最大話者人口をもつルガンダ語でラップするスタイルを Luga Flow と定義し命名したのが、Bataka Squad であり、中心メンバーの Babaluku と Saba Saba である。ウガンダのウガンダのアートメディア『Start Journal』の記事によれば、ルガンダ語で初めてラップしたのは 1989 年の Philly Bongoley Lutaaya ということだ。1989 年以降、ルガンダ語でのラップは普通に行われていた。Bataka Squad はある意味、中興の祖ともいえる。

　ところが、他のアフリカ諸国同様、ウガンダも多民族で多言語。Bataka Squad が「母語のルガンダ語」と表現したことから、Runya Flow、Kiga-flow、Luso-flow と他部族出身のラッパーによりジャンル乱立。英語でのラップは Uga Flow と、かえってややこしい状態を招いた。

　前身の Bataka Underground の設立が 1993 年。Babaluku、Saba Saba、Big Poppa Momo MC の 3 人が中心となった。シーンの最初期から存在したグループだ。「Bataka」とは原住民を意味する。2005 年、Bataka Squad と改名しアルバム『The Bataka Revolution』をリリース。2006 年の Saba Saba『Tujjababya the Hardway』と、2007 年の Babaluku『Lugaflow Revolution』にて Luga Flow が定義づけられ、以降ウガンダの Hip Hop はその名称が定着した。メンバーチェンジを繰り返した Bataka Squad であるが、現在、正式に解散はしていない。

ルガンダ語の Luga Flow に対抗し 英語の Uga Flow を提唱したグループ！

Klear Kut

© : MV「Air UG」

🏴 国：ウガンダ 📍出身地：カンパラ 🏠 拠点：カンパラ 〰 活動期間：2000-
👤 グループ中心人物：Navio、Papito、Abba Lang ▶ 💿 69

Bataka Squad の項で触れた通り、1989年に亡くなった Philly Bongole Lutaaya の「Nakazaana」が、ウガンダ初の Rap トラックであると、当地では認識されている。1990年代初頭に結成された Young Vibes の Dlux Ibraw は早くから Luga Flow というキーワードを使っていた。同じころ Rumba Jazz バンド Afrigo Band の Amigo Wawawa も Luga Flow という造語を提案していた。しかしながら、ウガンダで Hip Hop そのものが認知を得るのは、1990年代も終盤に入ってからであった。

Klear Kut は、Bataka Squad に続きウガンダの Hip Hop をメジャーにした立役者だ。Navio、Papito、Abba Lang、JB、The Mith の 5 人により 2000 年結成。最初はカラオケハウスなどで演奏していたが、地元のプロデューサーの目に留まり、「Nothin' Wrong Wit' A Lil' Doe」をレコーディングした。ルガンダ語の Luga Flow に対し、英語のラップなのでグループのスタイルを Uga Flow と定義した。2001 年、レーベルを移籍し『Mind Body & Soul』をリリース。シングルカット「All I Wanna Know」「Superstar」は、ウ

Mind Body & Soul

🅐 2001

ウガンダの Hip Hop をメジャーシーンに押し上げたアルバム。シングルカットされた女性シンガー Juliana Kanyomozi との「All I Wanna Know」、Dancehall アーティスト Bebe Cool をフィーチャーした「Superstar」。そして「Remember」「Let's Get It On」は首都カンパラをはじめ、ラジオでオンエアされまくった。そのヒットの勢いは周辺国まで波及。

ガンダ、ケニア、タンザニアにて、チャートの 1 位を記録した。この成果により Kora All Africa Music Awards の複数部門にノミネートされた。2003 年『K2』をリリース。また、コカ・コーラといった食品大手企業、銀行などの TV コマーシャル制作にも関わり、政府公益キャンペーンのアンバサダーも務めた。2008年、3 枚目のアルバム『Klear Discussion』は Kisima Music Awards にノミネートされた。メンバーはソロ活動に転じるが、グループの解散はしていない。

Strides

Ⓐ 2016

2012年に契約した Sony Music から、初の リリース。実に4年越し となる。地元芸能メディ アは Keko 復活！と煽っ たが、セールスは伸び 悩んだ。その結果 Sony Music との契約は打ち 切りとなった。「Move Your Body」など彼女らしさが出ていて悪くはない のに残念だ。リリース半年前の何度目かの引退宣言も 影響しているのであろう。Keko のキャリアを象徴す る1枚である。

Keko

🏳 国：ウガンダ　📍出身地：カンパラ　🎯拠点：トロント　📅生年：1987　🔁活動期間：2010-
📄本名：Jocelyne Tracey Keko

メンタル不調とドラッグに沈んだ
ウガンダ初の女性ラッパー！

1987年生まれ。大学時代にラジオ局 X-FM94.8 のナビゲーターとしてキャリアを スタートした。ラジオを離れ、音楽に専念し、 2010年、Don MC、Davis、SP Omugunjule、 Mwamba Children's Choir と出演したシングル 「Fallen Heroes」のヴァースが注目を集め た。2011年のシングル「How We Do It」 が大ヒット、ウガンダ初の女性ラッパー登場は 話題を呼んだ。2012年のシングル「Make You Dance」は、ケニアの MC Madtraxx を ゲ ス ト に 迎 え、翌 年 の HiPipo Music Awards の Best Hip-Hop Song and Video of the Year を受賞した。

ここで、Keko の音楽キャリアはピーク を迎えることとなる。エチオピアの Selam Festival、MTV Africa への出演。ペプシのブ ランドアンバサダー就任、Sony Music との

契約と、急激に忙しくなりメンタル不調になり 燃え尽きた。そしてアルコール、ドラッグに手 を出す。少し落ち着いた2015年、ガーナの R2Bees の「Face Lift」にゲスト参加、アル バム『Strids』をレコーディング。その後、表 舞台からは再び消えた。2017年、カナダに 移住したことを発表、同時に同性愛をカミング アウト。2020年、いっさい新曲をリリース しなかったにもかかわらず、2020 AFRIMA Awards の Best Female Rap Act 部門に ノミネートされ、多くの人々をビックリさせ た。裏で何かあったか憶測を呼び AFRIMA Awards の信頼性に疑義を招く結果となった。

2022年1月には Instagram にボロボロ の姿でジョイントを吸う姿を投稿。しかし9 月に突然「Light Years」をリリース。もう何 が何だか分からない状態となっている。

© : Facebook

Koyi Koyi

Ⓐ 2009

現地では記録破りと評されるアルバム。ブレイクアウトヒットとなった「Soda Jinjale」、そしてタイトルチューンの「Koyi Koyi」と、ハードながらも聴かせるナンバーを揃えている。「Koyi Koyi」は Fefe Bussi、Crazie Wispa、Shasta Pee といった若手が GNL Zamba をフィーチャーしてカバー。また、国外のアーティストもカバーするなど、定番曲のような扱いとなっている。

GNL Zamba

🔲 Ⓝ 国：ウガンダ　◆出身地：ムコノ　Ⓢ 拠点：カンパラ　🏛 生年：1986　〰 活動期間：2007-
Ⓐ 本名：Ernest Tulye Nsimbi Lupiazitta Zamba　▶ 🔵 ∞ 157

ムセベニ大統領の選挙対策に
ラップを教えた男！

　1986 年に就任、1996 年からの選挙でも六選を果たしたウガンダのムセベニ大統領。その 2011 年大統領選挙にて、陣営のキャンペーンソングとして大統領自らラップする「You Want Another Rap」が、選挙カーやセスナ機から流れまくった。首都カンパラ市内のクラブでも、DJ が面白がって使う事態にまでなったという。この選挙キャンペーンにラップを使うことを大統領に勧めたとして知られるのが、GNL Zamba である。

　1986 年生まれ、GNL は「Greatness of No Limits」の略とのことだ。名門マケレレ大学在学中の 2005 年、レーベル Platinum Entertainment のオーディションを受け、契約。ちょうど Luga Flow が盛り上がってきた頃だ。大学卒業後、本格的に音楽キャリアをスタートし、2008 年には自身のレーベル Baboon Forest Entertainment（BFE）を

設立した。さっそく 2010 年には、「Story ya Luka」がウガンダ保健省の HIV 啓蒙キャンペーンソングとして選ばれた。また、青少年育成組織 Young Empowered and Healthy（YEAH）と制作した啓蒙ビデオ「True Manhood」は、2011 年 の International Entertainment Education Conference にてデジタルメディア賞を受賞した。もちろん、Pearl of Africa Awards、Uganda Buzz Music Awards、Kadanke Awards などの音楽賞も受賞している。当然ながらノミネートはその数倍だ。夫人の住むカリフォルニア州ロサンゼルスとカンパラとの 2 拠点生活であったが、2021 年夫婦そろってウガンダに定住を決意。自身の作品を発表しながら、BFE 所属のアーティストのバックアップ、メディアの仕事と忙しく過ごしている。

© : Facebook

Parte After Parte

2019

「Parte」とは「Party」をもじった造語。パリピに関して苦言を呈した牧師の映像を見て思いついたという。Wizkid、Davido、Zlatan Ibile、Olamide などのナイジェリアのアーティストから高評価を得る。また Cardi B が Instagram で Offset と踊るところを投稿するなど、全世界を巻き込むヒットとなった。本人が生み出すのに苦労したというフックはクセになる。

国：ウガンダ　出身地：カンパラ　拠点：カンパラ　生年：1990　活動期間：2011-
本名：Rowland Raymond Kaiza　168

ピコ太郎や Psy のように
ネットミームで成り上がったラッパー

Delta Blues の時代から Big ナントカ、ナントカ Slim と身体的特徴をステージ名にする黒人アーティストは多い。その黒人文化の流れを汲む Hip Hop にしても然り。読者の皆さんも何人か思い浮かぶのではないだろうか。これから紹介する BigTril、ヒールを履いた 170㎝越えのモデルと並んでもこぶし一つ分余裕はあるので、確かに背は高めだ。だが、本人は「Born in Greatness to Rise into a Legend」の頭文字だと称している。

1990 年、首都カンパラ生まれ。高校生の頃より Hip Hop に親しむ。名門マケレレ大学に入学後、学内やクラブでフリースタイルを始め、音楽の道に進むことを決意する。2011 年、GNL Zamba のレーベル Baboon Forest Entertainment（BFE）と契約。BFE からは 2012 年「Push Harder」、2015 年「Pretty Girls」、2017 年「Bad Gyal Ting」などシングルをいくつかリリースしたがマイナーヒットにとどまった。

転機はナイジェリアのレーベル Striker Entertainment への移籍だ。2019 年、移籍第 1 弾シングル「Parte After Parte」をリリース。直後からナイジェリア、南アフリカ、ケニアといった地域で、ピコ太郎のようなインターネットミームとなる。そして、ウガンダが誇るあの Nyege Nyege Festival に出演したことで、ヒットが決定的となった。ウガンダ、ケニア、ザンビア、マラウイの Apple Music トップ 100 チャートで 1 位、Apple Music 総合でも 2 位を記録。YouTube の MV は、リリースから 3 か月で 100 万回再生を記録した。

Ecko Bazz

あの NyegeNyege から 凶暴なインダストリアルビート！

© : MV「Mugulu E'yo」

🎵 国：ウガンダ ▶出身地：ムビギ ⊗拠点：カンバラ 💬活動期間：2018- ▶ ⊚ ∞ 4202

ウガンダの首都カンパラにて、2013 年よりスタートしたインディーレーベル Nyege Nyege Tapes。Arlen Dilsizian と Derek Debru によって設立され、2015 年以来、メインストリームから外れた数々のアーティストを掘り起こしてきた。またナイル川源流の街で、アフリカ最大級のフェス Nyege Nyege Festival を開催している。このフェスには東京を拠点とする DJ クルー TYO GQOM など日本人も出演している。

Nyege Nyege Tapes のサブレーベル Hakuna Kulala から、2018 年に登場した MC が Ecko Bazz である。初期の UK Grime を思わせるデビュー作「Tuli Banyo」は一部界隈でブレイクを果たした。テーマは社会、政治を扱ったコンシャスラップであるが、Hardcore Techno をベースとするビートに乗せた超高速ラップは常識を覆した。2019 年「Kyusa Embela」リリース。

そして 2022 年、ついにアルバム『Mmaso』をドロップ。ベルリン在住の DJ Die Soon、ブライトン拠点の DJ Scotch Rolex という二人の日本人がプロダクション

Mmaso

Ⓐ 2022

11 トラック 33 分と短めだが、凶悪なインダストリアルビート、死にそうな叫び声のラップで疲労感はハンパない。この疲れ方はデスメタルに似ている。「Mmaso」は Electro Acholi を思わせる超高速ビート、トラック 1 からいきなり勝負を仕掛けてくる。スロー系では TR-808 系のキックが冴える「Bikuba」「Omubiri」、いずれも UK Drill がヌルく聴こえるほどの危険系。

に関わっている。こちらのタイトルトラック「Mmaso」は、Electronic Arts の人気シリーズレーシングゲーム『Need for Speed Unbound』のサウンドトラックに採用された。また、MV のビジュアルワークもヤバい。「Nightmare Song」「Mugulu E'yo」などの近未来感に溢れた映像が、Ecko Bazz の世界観に誘う。カテゴライズ不能な Ecko Bazz、当然ライバルは不在である。

Ubuzima　　　Ⓐ 2004

10トラック収録。親から借金し、ケニアで録音したという逸話のある作品。シングルカットされた「Muri Club」「Rumuri Rwanjye」は民放ラジオ局でヘビロテとなった。一部チープなシンセ音も加味され、ヘタクソに聴こえるのはご愛敬。ルワンダにおいて、語り継ぐべき記念碑的作品。

Kigali Boyz

© : kigaliboyz.20m.com

🏳 国：ルワンダ　⊙出身地：キガリ　⊙拠点：キガリ　〜活動期間：2001-
👤 グループ中心人物：Skizzy、H-Wow、MYP　▶※一部　💿 5

親から借金しコーディング、
ルワンダのオールドスクール！

　ルワンダの Hip Hop 史を探ると意外と古い。1980 年代初頭には、ブレイクダンスやラップのまねごとをする若者が現れたとのことだ。キーマンとしては、1980 年代半ば、国営ラジオ局の Hip Hop 番組『Kigali Night and Cosmos』を担当していた DJ Berry がいた。しかし、DJ Berry の番組は、政府当局から目を付けられ放送禁止に。その後、彼はコンゴ民主共和国（当時はザイール）へ逃亡した。ドイツにて録音した「Hey You」がウガンダとルワンダでヒット。1990 年にウガンダへ移住するも、1996 年 HIV で亡くなる。

　そして 1990 年代は、内戦からあの悪名高き「ルワンダ虐殺」で国土が荒廃。人々が音楽を楽しめるようになるのは、2000 年代に突入してからであった。当時、人気を誇ったのが、Kigali Boyz、略して KGB である。ケニア育ちの Skizzy、ブルンジ育ちの H-Wow、

MYP が、首都キガリのカレッジで出会い、Kigali Boyz を結成。当初はルワンダで人気の Dancehall へと迷走するも、原点の Hip Hop に回帰。2004 年リリースの「Abakobwa b'i Kigali (Kigali Girls)」「Ubuzima (Life)」がいきなりヒットする。同年 12 月にはブルンジのプロデューサー Robert 'R-Kay' Kamanzi のサポートにより 1st アルバム『Ubuzima』をリリースし大ヒット、シーンでの地位を確立した。また、2008 年には、ウガンダの The Pearl Africa Music Awards の Best Group にノミネートされた。

　2012 年暮れ、仲間と湖にピクニックに出かけた H-Wow が溺死するという、痛ましい事故が起きた。Skizzy はグループの継続を考えるが、MYP はアメリカ留学へ。ルワンダの新世紀 Hip Hop シーンを興した Kigali Boyz のあっけない幕切れであった。

アフリカンヒップホップの dig り方

　本邦では、Web メディアですら触れることの少ないアフリカの Hip Hop。一方でヨーロッパやアメリカでは、アフリカからの移民コミュニティの存在もあり、故郷とディアスポラを繋ぐ有力メディアが散見される。また、経済発展著しいアフリカ諸国においては、有力なポータルサイトの芸能コーナー、地元シーンを盛り上げるエンタメ専門メディアが成長しているので、注目しておきたいところだ。以下に代表的なメディアをリストアップしておく。下世話なゴシップネタも掲載されているメディアもあるので十分に楽しめる。その中でも、本書執筆の際に使い倒したサイトを紹介しよう。

　まずは、アフリカの音楽総合サイト『Music In Africa』だ。ニュース、レビューはもちろんのこと、各国シーンの概略、アーティスト、プロデューサー一覧などアフリカの音楽産業全体のイエローブックとしても使える充実ぶりだ。

　『PAM – Pan African Music』も記事は充実している。アーティストを掘り下げた長文のインタビュー記事は必読だ。Spotify に独自キュレーションのジャンル別公開プレイリストがあるので聴いてみよう。

　ポータルサイト『GhanaWeb』はアムステルダムの AfricaWeb Publishing の一部門である。1999 年スタートと、老舗ならではの膨大なデータベースは有用。人物名鑑から各人のニュース一覧、動画とシームレスな UI となっている。Eno Barony の項で紹介した beef 騒ぎも時系列で確認できた。

　そのほか、アンゴラの『PlatinaLine』、ナイジェリアの『The Native Magazine』といったローカルに特化したサイトは、Hip Hop シーンのみならず、周辺のユースカルチャーを紹介するコンテンツも豊富。現地の雰囲気を知る手がかりともなる。

名称	拠点	URL
Music In Africa	ヨハネスブルグ	https://www.musicinafrica.net
HipHopWW	デトロイト	https://hiphopwwdotcom.wordpress.com
Africanhiphop		https://africanhiphop.com
PAM – Pan African Music	パリ	https://pan-african-music.com
The Hip Hop African	ワシントン D.C.	https://hiphopafrican.com
AllAfrica	ケープタウン	https://allafrica.com
OkayAfrica	ニューヨークシティ	https://www.okayafrica.com
GhanaWeb	アムステルダム	https://www.ghanaweb.com
CamerounWeb	アムステルダム	https://www.camerounweb.com
TanzaniaWeb	アムステルダム	https://www.tanzaniaweb.com
MyNigeria	アムステルダム	https://www.mynigeria.com
The Native Magazine	ラゴス	https://thenativemag.com
PlatinaLine	ルアンダ	https://platinaline.com
The Standard	ナイロビ	https://www.standardmedia.co.ke
AfroHits Magazine		https://afrohits.net
SA Hip Hop Mag	ヨハネスブルク	https://sahiphopmag.co.za

© : Facebook

Rutenderi

RUTENDERI

🅐 2008

タイトルチューン「Rutenderi」「Turi muri party」はパーティーをテーマとしたクラブバンガーなトラック。そして「Akananasi」はラブソング。Lyrics を参照する限り、かなりお気軽だが、隠喩の可能性もある。

すでにこの 1st アルバムで伝統音楽、Dancehall、Afrobeats を採用。様々な引き出しを持つ実力の片鱗を覗かせている。

Riderman

🅟 国：ルワンダ ●出身地：キガリ 🚩 拠点：キガリ 📅 生年：199X 〜 活動期間：2006-
🎤 本名：Emery Gatsinzi ● 85

影の薄い仮面ライダー 4 号とは違い、
シーンの重鎮となった男！

　混乱を極めたルワンダの 1990 年代は Hip Hop どころではない状況であった。シーンが活性化するのは Kigali Boyz 以降だ。アフリカ諸国の経済発展において、新サービス、テクノロジー導入による「リープフロッグ」が話題となるが、ルワンダの Hip Hop シーンも同様。2010 年代から登場したルワンダ語による Trap Music「Kinya Trap」といった新ジャンルもアツい。

　Kigali Boyz 以降のシーンを築いた Riderman を紹介しよう。影の薄い仮面ライダー 4 号「ライダーマン」と違い、現在もルワンダ Hip Hop 界に君臨する重鎮だ。2006 年に最初のグループである UTP を結成。その後、Soldier を結成したもののソロへ。2008 年 12 月 28 日に 1st アルバム『Rutenderi』をリリース。以降『Impinduramatwara』に続き、コンスタントにフルアルバムをリリース。ルワンダの Salax Awards 受賞のほか、

当地で人気のオーディション番組『Primus Guma Guma Super Star』第 3 季 (2013) では優勝し、約 3 万ドル の賞金を獲得した。また、ルワンダでライブを行った有名ミュージシャンとステージを共にしたことでも有名だ。一例をあげると Dancehall の Sean Paul、Elephant Man、ナイジェリアの Koffi Olomide、そして Lauryn Hill といった具合だ。2Pac や 50 Cent の影響を受けていると本人は語っているが、前述の通り、Dancehall も行ける。リリースしたトラックには多くの Dancehall ナンバーに加え、Afrobeats ナンバーもあり、多芸ぶりがうかがえる。

　2021 年 9 月、拘留中に謎の死を遂げた同年代のラッパー Jay Polly（ex.Tuff Gong）をトリビュートした「R.I.P Jay」は、当局への怒りも込め Drill Music に仕上がっている。

© : Facebook

Jewe 🅐 2009

いきなり Afro Pop 風の歌モノが続き拍子抜けするかもしれない。だが、トラック3「Usitowe Nduki」以降でラップしてるのでご安心を。17 トラック中、Hip Hop 率は3割ほど。Dancehall、R&B の歌モノが中心なので、聴きやすいともいえる。Lyrics は「Ghetto Song」「Tell Me Peace」に代表されるようにシリアスなものが多い。

Big Fizzo

🎌 国：ブルンジ　◆出身地：マカンバ　⊗ 拠点：ブジュンブラ　🏛 生年：1970　〜 活動期間：1996-
♠ 本名：Mugani Désiré　∞ 250

ブルンジの音楽産業 &
　若手ラッパー育成に携わるベテラン！

「そして、まだ先は長い」

ブルンジのニュースメディア『Iwaku』にて、立ち遅れた自国の音楽産業に対する Big Fizzo のコメントである。隣国ルワンダ同様、1990 年代の内戦とジェノサイドにより、国土は荒廃。現在も世界最貧国の1つ、南スーダンに次ぎ世界で2番目に貧しい国といわれている。Big Fizzo は 1978 年、当時首都のブジュンブラ生まれ。ブルンジの Hip Hop 界隈では最も古い世代である。1996 年、グループ Nigga Soul に加入するも、水が合わず脱退。ケニア在住のブルンジ人 Zouk ミュージシャン Kidumu に見いだされ、ソロ活動に専念する。2001 年「Mbarira」がスマッシュヒット。翌 2002 年も「Bajou」「Sitapenda Tena」と続々ヒットを飛ばし、人気者となる。寡作ではあるが、フルアルバムでは 2009 年 1st アルバム『Jewe』、2017 年

2nd アルバム『Fizzology』をリリース。そして 2020 年には、総数 35 トラック収録の『Desideratus』『Legendary』を2枚組アルバムをリリースという大技を放ち、話題となった。また、ナイジェリアの Ice Prince をはじめ、Charly na Nina、Tom Close、DJ Pius といった東アフリカ諸国の著名アーティストともコラボしている。2017 年、レーベル＆スタジオ Bantubwoy Entertainment を設立する。冒頭のコメントに戻るが、狙いは立ち遅れた自国の音楽産業を発展させるためである。最新録音機材を揃えたスタジオは、若手ミュージシャンに解放。同レーベルからは Drama T、Double Jay、Elly's Bwoy といったルーキーがチャートを賑わせている。

2017 年、課題を多数抱えたブルンジの音楽産業への積極的な取り組みが評価され、政府より模範労働者の表彰を受けた。

© : Facebook

King Omega Vol.1

Ⓐ 2018 or 2015

そもそも4トラックなのか14トラックなのか、不明なミックステープ。というのも本人のYouTubeでは4トラック、SoundCloud では14トラックなのだ。カバーから判断するほかないが、緻密な音作りのわりに、こういった部分ではアフリカ時間が流れているようだ。「Gangsta Luv」をはじめとして、十分現代的な仕上がりでカッコイイ。

19th

🎗️ 🄿 国：ブルンジ ⏺出身地：ブジュンブラ 🄺拠点：ブジュンブラ 🄱生年：199*
〰️活動期間：2011〜 本名：Florian 🄸🅜一部 ∞ 31

ブルンジ発、キルンディ語による
オーセンティックな本格ラップ！

アフリカの Hip Hop を調べていて困ることがある。『デスメタルアフリカ』でも本人たちは「デスメタル」だと称しているのに、実際は古のハードロックを奏でているという天然ミスマッチが紹介されていた。同じく、現地では Hip Hop に括られていても、聴いてみると「違うだろ」と言いたくなるようなアーティストにしょっちゅう出くわす。ブルンジで例えれば、Sat-B。元々 Hip Hop グループに所属していたという事実はあるが、音楽は Afro Pop、R&B だ。

そこで、ブルンジ発の本格的なラッパー 19th を紹介してみよう。1990 年代生まれとしか公表されていないので、年齢は不詳だ。14 歳から趣味で始めたラップ。17 歳のとき、寝室を自宅スタジオに改造し、本格的にのめりこんでいく。当初は Eminem、Jay Z らをキルンディ語でカバーすることに熱中

した。いくつかのトラックを制作したうち、Cali Swag District の「Teach Me How to Dougie」カバーが仲間内で人気となった。これに手ごたえを感じた 19th は、自作のトラックを手に、ラジオ局 Bonesha FM の番組『Club de midi』に直接売り込みに行った。ディレクター Davy Carmel は 19th の熱心さに負け出演させたところ、リスナーの反応が爆発。観覧スタジオは騒然とし、ラジオ局には問い合わせが殺到したという。「Nka Rwagasore」「Nzura」「Ndasaraye」といった初期のヒット曲は、ブルンジの人権侵害、未熟な社会を痛烈に批判している。

2012 年度の Top Ten Music Awards では Best Artist を受賞、前述の Davy Carmel より、トロフィーが手渡された。以降、定期的にシングルを発表しており、音作りもさらに磨きがかかっている。

Um Passo Em Frente
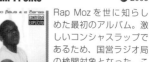 2003

Rap Moz を世に知らしめた最初のアルバム。激しいコンシャスラップであるため、国営ラジオ局の検閲対象となった。この検閲がかえって話題を呼び、収録シングル「Pais da Marrabenta」の大ヒットへつながる。「Marrabenta」とは 1930 年代に誕生したモザンビークとポルトガルの音楽が融合したダンスミュージック。モザンビーク社会を暗喩している。

ⓒ : Facebook

▶国：モザンビーク　◆出身地：マプト　⑤拠点：マプト　✉活動期間：2000-
ⓘグループ中心人物：Duas Caras、Sem Paus、Djo　▶🎧 ⓒ65

2000 年代 Rap Moz という概念を
具現化したグループ！

　1997 年、MC Roger がモザンビーク初の Hip Hop アルバム『Mozambique Minha Paixao』をリリース。ようやくモザンビークでも Hip Hop の狼煙が上がった。そして、2000 年、モザンビークの Hip Hop 史を塗り替えたグループ、Gpro（Giants Produções）の前身 Gpro Fam が結成された。新しい才能を発掘するオーディション、Txova プロジェクトのエントリーメンバーから選りすぐられた若者たちだ。

　こうして 2003 年、Duas Caras、Sem Paus、Djo（DJ 兼マネージャー）によるアルバム『Um Passo em Frente』が誕生した。シングルカットされた「País da Marrabenta」は、あまりにも過激な lyrics により検閲を受けるほどの騒ぎとなった。国内および周辺国でもヒットしたことにより、『TVzine』の 2003 年のベストミュージック部門にも選出された。そして Rap Moz という呼称が定着する。2008 年、スタジオの制

作用 PC のハードディスクがクラッシュという、想定外のアクシデントが Gpro を襲う。過去及び制作中のトラックなど全て失くし、数か月にわたり活動停止となった。このとき、合流した G2 をソロシンガーとしてプロデュース。そして 2009 年、困難の中アルバム『Mixtape Vol.1』が完成した。

　ところが 2010 年、オリジナルメンバーの Duas Caras が脱退を発表。2009 年のハードワークが認められ、Gpro は Mozambique Music Awards（MMA）にて多数の賞を受賞と、絶好調ともいえるときの離脱宣言であった。Gpro そのものは、2013 年アルバム『Foreva』をリリース、大企業のアンバサダーを務めるなど、その後も活動をつづけた。2016 年に Duas Caras が復帰、とはいえ一時復帰といえるようなもので、また脱退。メンバーはソロ活動中心となるも、グループ解散のアナウンスは今のところない。

Ferro e Fogo

Ⓐ 2012

結婚するまでは、ゴシップで週刊誌を騒がせるキャラであった Dama do Bling。タイトルの意味「鉄と火」の通りハードでアツいトラックばかりかと思えば、甘い R&B チューン「Ferro e Fogo」「Borboleta」もあり、緩急自在な仕上がりとなっている。不倫をテーマとした「Ferro e Fogo」は本人も大のお気に入りというトラック。2020 年にアコースティックバージョンを発表した。

Ⓒ Facebook

Dama do Bling

🏳 国：モザンビーク　🎙 出身地：マプト　📍 拠点：マプト　📅 生年：1979　🔁 活動期間：2005-
🎤 本名：Ivânnea Mudanisse　▶ 🎧 👥 465

モザンビークのキラキラ女子
というよりは熟女ラッパー！

　モザンビークのキラキラ女子を紹介しよう。といっても、盛りに盛った SNS 投稿で見栄を張って承認欲求を満たす「キラキラ女子（笑）」ではなく、そういう名前のラッパーだ。ポルトガル語で女性を意味する「Dama」と英語でキラキラを意味する「Bling」を合わせた Dama do Bling は 1979 年首都マプトの生まれ。Lady Gaga のように奇抜なファッションや行動で、保守的な層の怒りを買うなど、かなりヤバいキラキラ女子である。2000 年代初めから活動しているというので、既にベテランの域に到達している。

　2005 年、Marrabenta、Ragga シンガーである友人の Lizha James のレコーディングに参加。その流れでシングル「Haterz」をリリース。これがヒットとなり、2006 年 9 月、10 トラック収録の 1st アルバム『Dama do Bling』をリリース。もちろん Lizha James もゲストだ。2007 年、2nd アルバム『Chamadas Para Bling』をリリース。Channel O Music Video Awards の「Best Female Artist」「Best of South」。ラジオ 99fm の「Best Song of 2007」部門で賞を受賞。2009 年には、マプト市長より、文化功労の特別表彰を受けた。その後、ナイジェリア、ナミビア、南アフリカのアーティストとのコラボ、アフリカ諸国アワード参加で国外での知名度も確実にする。2012 年、長年交際を続けたマネージャーと結婚。以降、二度の産休で表舞台から一旦姿を消すもすぐに復帰。

　また、2008 年に自伝『Diário de Uma Irreverente』、2011 年に児童書『Melissa arco-íris』を出版。作家としての顔も持つ。2020 年度 Mozambique Hip Hop Awards にて Best Artist を受賞した Hernâni は実の弟である。

© : Facebook

Unsigned

Ⓐ 2011

全12トラック。モザンビークはポルトガル語圏だが、こちらのテキストはすべて英語で書き上げた。「Moz we on」また、「Homicide」は、その年テレビの音楽番組を席巻したMVも制作された。長年の友人 Ell Puto がトラックの半分以上をプロデュース。最終的なミックスとマスタリングを全て担当した。Laylow コレクティブ総動員で制作された作品である。

Laylizzy

🏠 国：モザンビーク ● 出身地：マプト ⑨ 拠点：マプト ● 生年：1988 ～ 活動期間：2002-
👤 本名：Edson Abel Jeremias Tchamo ▶ ⬤ ∞ 155

後輩を次々プロデュース、ベスト
Moz Flow と評価されるベテラン！

　盗賊や犯罪者の音楽……。2010年ごろまでHip Hop はモザンビークでそのように見なされていた。ちょっとヒドいなとは思うが、かつてわが国でも、エレキギターを弾くだけで不良扱いされた時期があるので仕方ない。世間様が理解できない不良の音楽はカッコいいのだ。不良に惹かれるのは、古くから物語の鉄板シチュエーション。人類の普遍的価値なので不良音楽家はわき目も降らずトラック制作に邁進してほしい。

　1988年生まれ。2002年、Ell Puto と共に Laylow を結成。このグループ、2009年から2011年の間に、モザンビークで最も多くのラッパーを輩出し、それまで不良の音楽とされた Hip Hop をメジャーにした功績がある。Laylow 一派の活動により、ラジオでも Hip Hop がオンエアされるようになり、若者

のみならず、トレンドに敏感な大人にも浸透した。2010年、Lay Lizzy はソロとして初のミックステープ「Dinheiro Limpo」をリリースし、ヒットを呼んだ。これはモザンビークでのミックステープカルチャーの推進力となり、多くのミュージシャンが倣った。2011年 1st アルバム『Unsigned』をドロップ。それまで英語とポルトガル語のミックスであったが、このアルバムではすべて英語でテキストを書き上げている。

　2015年、Mozambique Music Awards にて、シングル「Chapa」で Best Hip Hop Song を受賞。2016年、南アフリカの AKA と「Hello」をコラボした。また、Nike のブランドアンバサダーを務めたこともある。Gpro の Duas Caras とともに Rap Moz シーンを作り上げたパイオニアである。

This is Hernâni

Ⓐ 2015

困ったときはベスト盤。トラック1「Jump!」から年代順になっているため、Hernâni 入門に最適な1枚である。ソロデビュー以来 2015 年までの作品をシングル、アルバムからチョイス。キャリア中期の集大成ともいえる。「Amor à Ultima Vista」といったラップバラードなど、キャッチーなナンバーを揃えており、モザンビーク最高のラッパー入門編である。

Hernâni

©：Facebook

🏳 ●国：モザンビーク　●出身地：マプト　🔍拠点：マプト　🎂生年：1989　💬活動期間：2002-
👤 ●本名：Hernâni da Silva Mudanisse　▶ ◉ ∞ 57

最高の Moz ラッパーは
キラキラ女子 Dama do Bling の弟！

　ワルそうなヤツはだいたい友達。Hip Hop 育ちなら当然だ。マプト生まれの Hernâni の友達も Hip Hop 育ち。2003 年、14 歳のとき友達の誘いで 360 Graus に加入。その友達 Ell Puto は Laylizzy のグループ Laylow のメンバーであった。やはりワルそうなヤツはだいたい友達なのだ。いまや Ell Puto は、モザンビーク最高レベルのプロデューサーに出世した。その友達以前に、Hernâni はモザンビーク Hip Hop 界の姐御 Dama do Bling の弟でもある。もっとも音楽キャリアは Hernâni のほうが先にスタートしている。

　360 Graus に加入後、ローカルのコンテストで優勝。360 Graus の最年少メンバーを集めたサブグループ Young Sixties で活動。こ

のグループはアイドルっぽい売り出し方で人気となった。当時、モザンビーク唯一の Hip Hop ラジオ番組 Hip-Hop Time でのエアプレイ常連となった。Young Sixties は 2009 年に解散。ソロとしては、2007 年「Jump!」リリース。2013 年、それまではシングルとミックステープの発表のみであったが、初の CD アルバム『Hernâni』を発表。以来、リリースした EP およびアルバムは現在まで 20 枚を超える。また、『Coke Studio Africa S3』への出演をはじめ、Fat Joe、50 Cent といった超大物のマプト公演のオープニングアクトを務めた。

　モザンビークでは Melhor Rapper de Moz（最高の Moz ラッパー）と称されている。

The Real Elements

© : Facebook

Afrikan Star
Ⓐ 2001

Real Elements 最初で最後のアルバム。イギリス在住の Producer Q と留学帰りの Plan B のソングライティング能力により、マラウィの Hip Hop 史で必ず語られる作品となった。踊れるチュワ語と伝統的リズムをフィーチャーした「Nyambo」から、フックに女性ボーカル起用の「Amazing」と盛りだくさんだ。活動期間の短かった彼らのモニュメント。

Real Elements

🏠 Ⓝ 国：マラウィ　◆出身地：リロングウェ　Ⓢ 拠点：リロングウェ　〜 活動期間：1998-2004
　🧑 グループ中心人物：Marvel、Plan B、Stix　🎬※一部　💿117

マラウィ民主化の熱狂とともに
登場したチュワ語4人組グループ！

1964 年から 1994 年までバンダ政権の独裁であったマラウィ。1994 年の民主化により、それまでの厳しいメディア検閲はなくなった。このとき、多くの欧米コンテンツとともに、Hip Hop も流入してきた。1999 年にようやく TV 放送が開始されると、ミュージシャンの MV プラットフォームともなる。Hip Hop では、HIV をテーマとした Wisdom Chitedze の「Tipewe」が毎日公共 CM のごとくオンエアされた。このマラウィ民主化の熱、冷めやらぬ時代に登場したのが Real Elements である。

Marvel、Plan B、Stix、Producer Q の 4 人で結成された Real Elements。2001 年『The I Came E.P』『Afrikan Star』をリリース。基本的にはチュワ語と英語のブレンドだ。南アフリカ発の有力メディア『Channel

O』でも紹介され、マラウィを飛び出し、アフリカ大陸全域での人気につながった。そして 2002 年、UK Hip Hop Awards に出演の機会を得る。また、Blak Twang、Terri Walker の前座を務めるという大役を果たした。これをきっかけにイギリスを活動拠点にする。続いてチュニジア、アイルランド、南アフリカをツアー。2004 年の「These Elements」MV はロンドンで撮影された。それぞれのメンバーはイギリスでソロ活動を開始。

ところが、Tay Grin のいとこでもある Stix が、契約を残したまま脱退。理由は信仰に生きるためという（現在 Gospel ラッパー David として活動）。それぞれの音楽性のこだわりも顕著になり、世界進出目前というところで、ユニットは空中分解を迎えてしまう。現在の 4 人はそれぞれソロ活動で、それなりのポジションを築いている。

© : Facebook

Proudly African

Ⓐ 2020

2007年リリースの12トラック収録の1stアルバムと同タイトルを冠している。歴代の作品と新録音のSkitを8トラック追加した構成になっている。2007年版でも収録の、ケニアのNameless をフィーチャーしたヒットシングル「Nyau Music」「2 by 2」、ザンビアのK Millian をフィーチャーした「Kaliche」「Stand Up」は必聴。2007年版プロデューサーのTapuwa "Tapps" Bandawe は Tay Grin のキャリアを立ち上げたとして知られる。

Tay Grin

🏴 国：マラウイ ●出身地：リロングウェ 🔊拠点：リロングウェ ▶生年：1984
🔗活動期間：2008- ◆本名：Limbani Kalilani ▶ 🔗189

父親は元大臣、総選挙に出馬するも
落選した「マラウィの Jay Z」！

　芸能人プロデュースのジュースで最も印象深いのは、『ダウンタウンのガキの使いやあらへんで！』の「ガキ水」だろうか。いまだにメルカリなどで未開封品が取引されている逸品だ。2018年、マラウィでも著名ラッパープロデュースのジュース Chipapapa が発売されて話題となった。こちらはガキ水と違い、マトモなジュース。リンゴ味とミックスベリー味があるそうだ。このジュースを発売したのが、2002年から音楽の道に進んだ Tay Grin である。

　Tay Grin、1984年生まれ。母親は国連職員、父親の Jean Kalinani 博士は民主進歩党（DPP）の大臣経験者。両親の転勤に伴い、アメリカはジョージア州アトランタを皮切りにジンバブエ、ボツワナ、レソトなどのさまざまな国で過ごした。マラウィに帰国したのは2005年だ。2007年、1stシングル「Stand Up」ドロップ。アフリカ各地で放映されているChannel O、そして、リアリティ番組『Big Brother Africa』（2007/2008年）でのライブにより、人気はアフリカ大陸全域に飛び火した。続いてケニアの Nameless、ザンビアの Kmillian をゲストに迎えた1stアルバム『Proudly African』をリリースした。また、芸能事務所兼プロモーター Black Rhyno Entertainment の経営、携帯電話会社 Phone Yanu と G-Mobile の起業、前述のジュース Chipapapa 発売とビジネスマンとしても幅広く活動。このことから「マラウイの Jay Z」と現地では呼ばれている。

　さらに2019年には、民主進歩党（DPP）より、マラウィ総選挙に出馬。残念ながらこちらは落選となった。

Alinafe

Ⓐ 2020

12 トラック収録。ゲストには Cozizwa、Suffix、Kim of Diamonds、Beracah、Mista Gray、Kelvin Sings、David Kalilani といったマラウィの名だたるクリスチャン・ラッパー、Gospel シンガーがゲストに名を連ねる。Gospel コーラスのフックがある正統派トラックがあると思えば、Trap Music 仕立ての「High School」「Winning」がありビックリする。もちろんワルさは全くない。

Liwu

©：MV「Broken Jenes」

Ⓟ 国：マラウィ　Ⓑ 出身地：リロングウェ　Ⓐ 拠点：リロングウェ　Ⓜ 活動期間：2007-
⌲ 24

NFT、Java、C#、AWS、Azure は
お任せのゴスペルラッパー！

　キリスト教徒のいるところに Gospel ラップあり。マラウィでも 2000 年代後半、Gospel ラップの人気が爆発。2000 年代前半より活動していた Manyanda Nyasulu、DJ Kal、Double Zee、Suffix といった面々がシーンを作り上げた。それらのアーティストと同時期より活動し、現在も現役の Gospel ラッパーが Liwu である。

　Shai Linne、Big L、Evangel、Nas、Jay Z、に影響を受けたという Liwu。2007 年にドロップしたミックステープ『Word is Born』は大きな評価を得た。以降、4 本のミックステープをリリース。2013 年には自身が尊敬する Jay Z の「Open Letter」をカバーし、ファンを驚かせた。基本、Gospel ラップなので、lyrics は信仰に関することだ。Liwu は、テーマとして結婚、政治、公徳心を重視する

ことから、他の Gospel ラッパーとの差異化に成功している。2020 年初のフルアルバム『Alinafe』をリリース。マラウィにて最もストリーミングされたアルバムとなり、ナイジェリアの大物シンガーソングライター、Wizkid の最新アルバム『Made in Lagos』を押さえチャート 1 位となる見事な成果を収めた。2022 年にはマラウィ初の自身の NFT を披露するフリースタイルを発表。新しい挑戦を続けている。

　また、ソフトウェア開発、グラフィックデザイナーの仕事もしており、Java、C#、AWS、Azure ならお任せとのことだ。仕事用のサイト Liwu's Digital Garden では、本人を模したキャラが動き回るデザインとなっており、IT ＆デザイン、どちらもウデは確かなようだ。

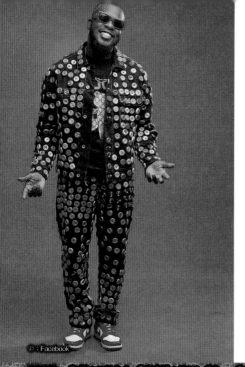

© : Facebook

Jesus Is My Boss

Ⓐ 2016

自身の慈善事業にも冠したこだわりのアルバムタイトル。そして発表セレモニーはクリスマスイブという凝りよう。さすがGospel ラッパーだ。アルバムが発表された直後に約 1,400 万 MWK（1,918,613.53 円）を稼ぎ、CD 販売の前例のない記録を打ち立てた。その理由は「Yehova」「Bwana」といった踊れるチューンが全 10 トラックの半分以上収録されているためだ。

Gwamba

🏳 国：マラウィ　📍 出身地：リロングウェ　📍 拠点：リロングウェ　🎂 生年：1990
〰 活動期間：2005-　👤 本名：Duncan Zgambo　▶ ⬤ 📷 144

神様の慈愛、パッサーダ スタイルの
慈善家ゴスペルラッパー！

　国民の 77.3% がキリスト教徒との調査結果（2018 年国勢調査）があるマラウィ。カトリックよりもプロテスタント各派のほうが多いとされる。教会の一覧を見るとマラウィでも福音派、ペンテコステ派といった比較的新しい宗派の勢いが感じられる。

　Gospel ラッパーの Gwamba は、1990 年リロングウェ生まれ。4 人兄弟の末っ子としてリロングウェのエリア 18 で育った。2007年に友人が結成したグループ Pittie Boys に加入。このグループでは、2008 年に シングル「Work That Thing」をリリース。マラウィで一番人気のアーバンミュージックラジオ番組 FM 101 の『Gowelo Beatz』でオンエアされファンを増やした。さらに 2010 年には、『The Sounds of the City』と呼ばれるデビューアルバムをドロップした。2009 年にソロ活動を開始。「Mmesa」「Tikakumane

Kumadzi」などのシングルをドロップ。いきなりの Gospel 転向でスタートだ。2013、2014 年には、Pittie Boys のメンバー Emm Q をゲストに「Ndi Ofewa」をはじめ、多くのミュージシャンとコラボしたシングルを連発。2013 年 の MUMA Awards を 皮 切 りに、Urban Music Party（UMP）などの Hip Hop 部門、Gospel 部門で多数の賞を受賞している。

　2016 年から Jesus is my Boss トーナメントと称するサッカーとネットボールのチャリティ大会を地元のエリア 18 などで開催。収益は孤児院などにすべて寄付するとのことだ。また、2019 年からは慈善団体シェパード・ブシリ財団の CEO に就任した。地元メディアの報道によれば、ストリートチルドレンへの炊き出しをする姿が目撃されている。神のご加護を。

独自の Kalifunku でのし上がった
Zam Rap 初期の人気デュオ！
Black Muntu

©：2017 年 SUN FM Kwacha Music Awards

国：ザンビア　出身地：ルサカ　拠点：ルサカ　活動期間：1999-
グループ中心人物：Leo Bweupe、Mwembe Chulu　27

　1970 年代、Psyche、Funk と伝統音楽が融合した Zam Rock がザンビアを席巻した。ところが、銅不況によるザンビア経済崩壊とHIV の流行により、1980 年代に Zam Rock は終焉を迎えた。じつは Zam Rock を終わらせた要因がもう一つある。1970 年代後半から、世界的な Disco ブームがザンビアにも到来。あわせて Hip Hop も到来し、Disco にはブレイクダンサーが現れ、Sugarhill Gang の「Rapper's Delight」が流れまくるようになり Zam Rock の息の根を止めた。1980 年代は有名ミュージシャンが歌モノラップを採用する程度で大きなムーブメントは起きなかった。

　しかし、1990 年代半ば、南アフリカ発のKwaito が大ブームとなり、アンダーグラウンドに追いやられてしまったラッパーは反撃を試みる。Danny、Mainza、K'millian がベンバ語やニャンジャ語でのラップを始め、ここにザンビア独自のジャンル Zam Rap（Zam Ragga、Zed Hip Hop、Zed Beat とも）が登場した。この Zam Rap 初期の人気デュオが Leo Bweupe と Mwembe Chulu によるBlack Muntu である。1999 年、1st アルバム『Wisakamana』、続く 2002 年、

Kokoliko

A 2002

Black Muntu の 独自 スタイル「Kings of Kalifunku」全 開。「kalifunku」とある通り、伝統民族音楽と Funkミュージックをベースに、二人のラップでまとめ上げる。「Kabudo」「Kokoliko」は踊れるナンバー。あまりにもザンビア文化を意識しているためか、たまに民族音楽でラップしてるだけのように聞こえるのもご愛敬。テーマは HIV、近親相姦、不倫、愛とヘビーな内容だ。

2nd アルバム『Kokoliko』をリリース。この2 枚がザンビア全土で大ヒット。2000 年度の Ngoma Awards も受賞している。ギターを多用した自称「Kings of Kalifunku」というスタイルが大ウケした。「Mayo Wandi Wachibili」「Chanigwila Kumoyo」「It's Ok」「Chibeibe」「Kabudo」はラジオでヘビーローテーションとなった。

　2003 年、ユニットは解散、お互いソロの道へ進む。2011 年、10 年近くの年を経て一時的に再結成し、コンサートを行った。

© : MV「Chibaba」

Chibaba
Ⓐ 1999

前作『Salaula』と打って変わって、このアルバムでは 8 トラック中 6 トラックに Mainza、Lindi、C.R.I.S.I.S といったゲストを起用。特に Mainza は 5 トラックにボーカルとして参加。「Chibaba」「Juju Lover」に至っては Mainza の甘い声により、1980 年代の Funk バラードのような仕上がりとなっている。

Daddy Zemus

🅿 国：ザンビア ●出身地：ルサカ 🎧拠点：ルサカ ■生没年：1968-2001
🏃活動期間：1988-2000 🎤本名：Anthony Mbinga Kafunya ▶ 📀 12

ミレニアム前後ザンビアで独自進化した
Zam Ragga の王！

アフリカ諸国で大人気の Reggae、Dancehall（Ragga）。それぞれの国で独自進化した Hip Hop サブジャンルにも融合している。ザンビアでも独自進化した Zam Rap は別名 Zam Ragga と呼ばれたりするように、ジャンルの垣根はかなりあいまいだ。これから紹介する Daddy Zemus は、1990 年代後半 Zam Rap 黎明期のキーマンであり、「King of Zam Ragga」の異名を持つ Reggae 畑出身のアーティストである。

裕福な家庭に生まれ、高校時代から演劇や音楽に親しんだ Daddy Zemus。ザンビア大学のラスタコミュニティに参加し、グループ Zion Dub Squad に加入。ボーカリストとして活動を始める。後にグループメンバーの Shakarongo と Shakarongo Combination を結成する。当時ザンビアでは Shabba Ranks や Chaka Demus といった本場ジャマイカのトースターが人気を博し、Daddy

Zemus のステージ名は Chaka Demus からヒントを得たとのことだ。1997 年、1st アルバム『Salaula』がリリースされ、ここからシングルカットされた「Zambian Girls」「Kokoliko」が大ヒット。1999 年、別レーベルに移籍後、2nd アルバム『Chibaba』をリリース。発売開始から 5 か月近くザンビアのチャート上位に居座るという偉業を達成した。もっとも、セールスが絶好調だったにもかかわらず、Daddy Zemus の受け取った印税は微々たるもので、本人がボヤいていたという逸話がある。

2000 年、次のアルバム制作に取り組んでいた Daddy Zemus に病魔が襲う。闘病生活の末、2001 年 1 月 3 日に永眠。Daddy Zemus の遺産は大きく、多くのアーティストに影響を与えた。チュワ語をはじめとする現地語の Zam Rap シーン隆盛へと繋がっていく。

©：Facebook

Heart of a Lion

Ⓐ 2015

Zambia Music Awards にて、このアルバムだけ で、Main Stream Album、Best Hip Hop Album賞のダブル受賞。他にもBest Main Stream Male Artist、Best Collaboration賞 を受賞。飛躍の年となっ た。「Pembala Nkabeule」には兄Macky 2がゲスト参加。もちろんKopala Swagのアーティストがゲストのトラックもある。

Chef 187

📍国：ザンビア　🏠出身地：コッパーベルト州　📍拠点：ルサカ　📅生年：1986　〜活動期間：2010-
本名：Kondwani Alias Kaira　▶️ 📄345

カッパーベルト地帯のローカルスタイル
Kopala Swag のパイオニア！

　コンゴ民主共和国とザンビアの国境をまたぐカッパーベルトは、アフリカで銅産出量をそれぞれ1位2位を誇る。600km x 50kmの大規模な銅鉱床地帯として古くから知られている。2020年、デフォルトに陥ったザンビアでは、2021年からのヒチレマ政権が銅鉱業へのテコ入れで起死回生を図っている。Zam RapのローカルスタイルKopala Swagはこのカッパーベルト州で勃興したムーブメントだ。首都ルサカを政治の中心とすれば、カッパーベルト州は経済の中心として発達してきた。ちなみに北部州ではAlphonsoに代表されるKasama Swagがある。

　Kopala Swagを始めたのは、Macky 2とその界隈のラッパーたち。2000年代初頭、ルサカのXYZ Entertainmentsと壮大なbeef合戦を行い、話題となった。そのMacky

2の弟で、今や兄を乗り越えた感のあるのがChef 187だ。「187」は警察の殺人事件を示すコードナンバーということで、Van Halenの「5150」を思い出させる。兄Macky 2に影響され、2005年に最初の曲を録音。2011年、兄のMacky 2とコラボ、XYZ EntertainmentRecordsのラッパーSlap Deeをターゲットにした「I Am Zambian Hip-Hop」というタイトルのdisトラックを発表した。2015年度のZambia Music Awardsでは多くの賞を受賞した。また、ザンビアの古いダンスミュージックKalindulaを現代的Zam Rapで解釈した「Kumwesu」、近年ではTrap Musicを採用した「No Minyo Minyo」と、その音楽性は幅広い。

　2022年、兄Macky 2が引退を表明したため、今後のZam Rapへの取り組みが期待される。

© : Facebook

Geminice

Ⓐ 2016

タイトルは Cleo Ice Queen の誕生日ふたご座にインスパイアされたもの。「Turn Up」「Ａｄｄｉｃｔｅｄ」「Autobahn」といったパーティーアンセムがグイグイ来る。かと思えば「Goodbye」「Falling」などの R&B チューンで高揚感を持ちながらもしっとりとさせる。ちなみに、こちらは女性ラッパーではザンビア初のアルバムとなる。

Cleo Ice Queen

🏳 国：ザンビア　📍出身地：ルサカ　🎯拠点：ルサカ　🎂生年：1989　⏳活動期間：2011-
🪪 本名：Clementina Mulenga　💬別名義：Cleo　▶ ∞ 176

氷の女王はリアリティ番組出身、ザンビア
ヒップホップ New School の女王！

「＃野菜」や「＃アイス」を含む会員制交流サイト（ＳＮＳ）の投稿に要注意。京都府警は違法薬物を取引する際の隠語として使われている言葉をまとめ、公式 Facebook で公開した。2022 年 1 月の『京都新聞』の記事である。とりあえず「アイス」と聞いたら「覚せい剤」を思い浮かべるのは心が汚れているからだろう。Hip Hop の世界では「高価な宝石（ダイヤモンド）」の意味もある。Cleo Ice Queen のステージ名はもちろん後者だ。決してポン中ではない。

1989 年生まれ、11 歳より活動開始。16 歳のときには「Hands Up」をレコーディングした。2011 年本格的にプロ活動開始。2012 年、JK をフィーチャーした「Big Dreams」をリリース、全国的なヒットとなった。その人気により、サバイバル系リアリティ番組『Big Brother Africa』へザンビ

ア代表として出演。シーズン 8 の準優勝を得た。2016 年にはケニアの音楽リアリティ番組『Coke Studio』にも出演。これにより、ザンビアのテレビ、ラジオ番組の MC にも採用され、仕事の幅を広げた。2015 年、All Africa Music Awards（AFRIMA）にて Best Female in Southern Africa を受賞、2017 年には SunFm Kwacha Music Awards で最優秀女性賞を受賞し、その名は東アフリカ地域に広がった。

また、Jay Rox、Roberto、Chef 187、Slap Dee といったザンビアの有名ラッパーのほか、AKA、Casper Nyovest、Nasty C、Ice Prince といった南アフリカの大物ともコラボしている。アルバムは『Geminice』『Leaders of the New School』の 2 枚、シングルは 20 枚ほどリリースしている。

乱立するアフリカの音楽賞の権威比較

　本書のアーティスト及びディスク紹介に登場した音楽賞を、執筆時調査での個人的な印象であるが、権威のありそうな順に抜粋しまとめてみた。やはり、欧米で開催される音楽賞のアフリカ部門、サブサハラ地域全土を対象とする賞は、メディアの露出も多く、アーティストにとっては稼ぎのチャンスとなる。

　その中でも、2014 年から始まったアフリカ連合（AU）がバックアップする All Africa Music Awards（AFRIMA）は、アフリカで最も権威がある賞といえる。アフリカ大陸 5 地域の専務理事と 54 か国の理事により構成され、開催地はナイジェリアのラゴスに始まり、ガーナのアクラ、セネガルのダカールと持ち回りだ。さながら音楽のアフリカネイションズカップともいえる。

　各地域の有力な放送局、政府の文化振興部門がバックアップする音楽賞、そして 1990 年代の

シーン黎明期から続くものも権威が高い。ガーナの VGMA（Vodafone Ghana Music Awards）、南アフリカの Channel O Africa Music Video Awards 受賞をきっかけに周辺国での認知度を高め、飛躍したアーティストは多い。Hip Hop に限らず様々なエントリー部門が用意されているので、気になるアーティストがいれば受賞歴をチェックしてみてはいかがだろうか。

TV3 Ghana で放映された 2023 VGMA の Black Sherif ステージ

名称	国名	スタート	権威度
African Entertainment Awards, USA	アメリカ	2015-	5
All Africa Music Awards（AFRIMA）	持ち回り	2014-	5
BET Awards	アメリカ	2001-	5
The MTV Africa Music Awards	持ち回り	2008-	5
KORA – All Africa Music Awards	持ち回り	1996-	5
VGMA (Vodafone Ghana Music Awards)	ガーナ	1999-	4
The Headies（Hip Hop World Awards）	ナイジェリア	2006-	4
Nigeria Entertainment Awards	ナイジェリア	2006-	4
Pearl of Africa Music Awards	ウガンダ	2003-	4
Kisima Music Awards	ケニア	1994-	4
Ngoma Awards	ザンビア	1994-	4
Tanzania Music Awards	タンザニア	1999-	4
Channel O Africa Music Video Awards	南アフリカ	2003-	4
South African Music Awards	南アフリカ	2012-	4
Zim Hip Hop Awards	ジンバブエ	2011-	3
Mozambique Music Awards	モザンビーク	2009-	3
Guinée Music Awards	ギニア	2011?-	3
Tarmamun mu Awards	ニジェール	2021-	3
Kunde Awards	ブルキナファソ	2014?-	3
R&R Awards	ベナン	2009-	3
Mali Hip Hop Awards	マリ	2009-	3
Liberian Entertainment Awards	リベリア	2009-	3

伝統楽器ムビラを初めて
ヒップホップに採用したユニット！
A Peace of Ebony

©：MV「H-Town」

🏴 国：ジンバブエ　⏱ 活動期間：1991-　👥 グループ中心人物：Herbert Schwamborn、Tony Chihota

▶️　📺※一部　🎵7054

　　ジンバブエのショナ族が伝統的に弾いている楽器の一つがムビラ。先祖との交霊儀式で演奏するためのスピリチュアルな楽器である。日本の楽器店でもカリンバあるいは親指ピアノという商品名で売られている。A Peace of Ebony はムビラを初めて Hip Hop に採用したといわれているグループだ。

　　1992 年、フリースタイルに明け暮れていた Herbert Schwamborn と Tony Chihota に著名なムビラ奏者 Dumisani Maraire の娘 Chiwoniso Maraire が合流。現在は南アフリカ在住の著名サウンドエンジニア Keith Farquharson のプロデュースにより、1st アルバム『From the Native Tongue』をリリースした。このアルバムは、ジンバブエはもちろん周辺国でもヒットした。テレビ出演、CM 採用とまだティーンだった３人の生活は一変する。南アフリカのレーベルとの契約のため、Herbert Schwamborn と Tony Chihota がヨハネスブルグに赴いた。

　　ところが契約内容は不利なもので、契約前に約束されていたワールドツアーも反故にされた。そして 1994 年、音楽性の違いからグループ解散。Herbert Schwamborn は

テレビ司会者など着実にキャリアを重ねていく。Chiwoniso Maraire は父親同様ムビラのマエストロになり、４枚のソロアルバムをリリース。しかし、2013 年 37 歳という若さで病死してしまう。ギャングスタラップにカブれていた Tony Chihota は、ヨハネスブルグでそのままギャング生活を送るようになり、ドラッグ中毒に苦しむ日々を過ごすこととなった。ジンバブエに戻り、信仰に救われた Tony Chihota は、2021 年、Herbert Schwamborn と A Peace of Ebony を再結成。まずはシングルを録音した。

From the Native Tongue　　🅐 1992

当時、記録破りの８週間連続１位に輝いた「Pretend it Never Happened」ほかにも「Vadzimu」も同様のパフォーマンスを発揮し、３枚目のシングル「Vuka (Don't Slow It Down)」はイギリス BBC Jive Zone Chart で 最高３位 となった。Chiwoniso Maraire のボーカルが心地よい歌モノラップ。

Zimbabwe Legit

2005年再発掘DJ Shadow 初プロダクション、アフリカ初のアメリカ録音！

ⓒ : Facebook

🏴 国：ジンバブエ 🌐 拠点：ニューヨークシティ 💬 活動期間：1990-
👤 グループ中心人物：Akim、Dumi Right ▶ ※一部 ⊚ 16175

「初物七十五日」の俗信のとおり、初物はありがたいものだ。ここで紹介するZimbabwe Legitは、初めてアメリカでHip Hopを録音したアフリカのグループである。初物として歴史に名を残したジンバブエ希望の星であった。

1990年代初頭、ハラレで活動していたAkim と Dumi Rightは、さらなるキャリアを求め、アメリカに渡った。1991年、ウォルトディズニー傘下のレーベルHollywood Basic と契約、EP『Doin' Damage in My Native Language』でデビューした。このEP、「本物のアフリカ人による本物のアフリカの歌詞」と少々大げさなキャッチコピーで販売された。また、DJ Shadow初プロダクションのリミックスが収録されているということで、後にコレクターアイテムと化した。そもそもウォルトディズニーとは真逆のHip Hopは相性がいいはずもなく、社長のDave Funkenkleinの死も重なり、わずか数年で店じまいとなった。このHollywood Basicの業績不振にZimbabwe Legitも翻弄され、レコーディングが完了していた1stアルバムはお蔵入り。結局、希望をもって渡米したのに、ありがたくない初物となってしまった。

2005年、Hollywood Basic の権利を引き継いだGlow-in-the-Darkにより、前述の1stアルバム『Brothers from the Mother』が10数年ぶりに掘り起こされ、リリースされた。2007年、今度は新録音で『House of Stone』をドロップ。現在Akimはさまざまなパフォーミングアートに取り組み、日米友好委員会の助成を受け、来日もした。Dumi RightはHip Hopビジネスに留まり、ライブなどで活動中である。

Brothers from the Mother ⓐ 1991（2005 リイシュー）

レーベルの消滅により、日の目を見ることのなかった幻の1stアルバム。LP盤では全11トラック、エンハンストCDでは「Doin' Damage in My Native Language」のビデオがオマケとなっている。もちろんDJ Shadow' の Legitimate Mix版も収録されている。英語がメインだが、Zimbabwe Legitならではのショナ語ラップが心地よい。

Sungura Museve

Ⓐ 2022

前々作『Wavie』、前作『Wavie 2』よりも Trap Su 色が増したアルバム。タイトルにある「Museve」は Sungura に近い音楽ジャンルとのことだ。John Chibadura、System Tazvida といった往年の Sungura ミュージシャンをサンプリングしているトラックもあり。音作りは Trap Miusic だが、リフレインする Verse や Hook は Sungura のコーラスを彷彿とさせる。

Tanto Wavie

📷 : Facebook

🇿🇼 🗺 国：ジンバブエ 📍 出身地：チトゥンギザ ⦿ 拠点：ハラレ 📅 生年：1997 ⟳ 活動期間：2010-
👤 本名：Shingirai Makaza ▶ 💿 85

Trap Music とジンバブエの歌謡曲
Sungura で Trap Su!

1950 年代に登場し、1980 年代に大人気となったジンバブエのローカルジャンル Sungura。The Sungura Boys、The Khiama Boys といったバンドが当時シーンを拡大した。クリーントーンながらチープなギターリフと、コーラスのリフレインが特徴で口ずさみやすい。演歌のように、現在も一定のファン層を有している。

1997 年、首都ハラレの郊外チトゥンギザで生まれた Tanto Wavie は、Trap Music と Sungura を融合させた「Trap Su」を始めたラッパーとして知られる。元々 Dancehall に熱中していたが、Hip Hop に転向。プロデューサーの仕事をしていた。2018 年、12 トラックの 1st アルバム『Wavie』をリリース。この年の Zimbabwe Hip Hop Awards で新人賞を獲得した。2019 年にはチトゥンギザをローカルとした Sungura の偉人をタイトルとしたシングル「John Chibadura」リリース。

2020 年『Wavie 2』、そして 2021 年、ズバリのタイトル『Sungura Museve』をリリース、Holy Ten の『Risky Life』に次ぐストリーム数を記録した。

ところが、この年の Zimbabwe Hip Hop Awards になぜかノミネートされず、ファンは訝しんだ。じつは 2019 年の「John Chibadura」が受賞できず不満であった Tanto Wavie は、「Zvima Awards Zvenyu」という dis トラックを書き、事務局に対し beef を仕掛けたのだ。このトラックの中で、もうエントリーしないと宣言。Zimbabwe Hip Hop Awards と喧嘩別れしたというエピソードがある。

ジンバブエのカルチャーメディア『Greedy South』のインタビューでは「ジンバブエオリジナルの Sungura を若者にも届けたい」と、Trap Su への意気込みを語った。

© : Facebook

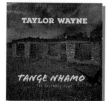

Tange Nhamo

Ⓔ 2022

EPといいつつ7トラック収録。いままでの作品よりも Jit 風味が強化。キックは Trap 風なのだが、Jit のリズムやメロディーがオーバーラップで、不思議な音空間。いちばん Trap っぽいのはラストの「Muripiko」だ。
Afro Tanto Wavie の Trap Su と聴き比べてみよう。

Taylor Wayne

🏴 国：ジンバブエ　◉出身地：ハラレ　🎤拠点：ハラレ　▦生年：1998　～活動期間：2015-
👤本名：Tatenda Muzinde　▶🔵💬 🄯 10

ジンバブエのダンスミュージック
Jit を融合した Jiti Rap!

「Hip Hop とジンバブエのトラディショナルサウンドの融合を 2018 年に始めました」

ジンバブエのニュースメディア『H-Metro』とのインタビューで若きラッパー Taylor Wayne はそう答えている。1980 年代に Chazezesa Challengers、The Four Brothers、Bhundu Boys などのバンドによってジンバブエで人気となったダンスミュージック Jit がある。Jiti あるいは首都の名を冠した Harare Beat とも呼ばれ、Chimurenga、Soukous といったローカル音楽に、欧米の Rock'n Roll、Disco Music が融合したジャンルである。特徴的なのはギターと伝統楽器ムビラの音色に割と速い BPM。バスドラムの入れ方によっては House っぽく聞こえることもある。

1998 年首都ハラレ生まれの Taylor Wayne は、この Jit を Hip Hop に融合させた「Jiti Rap」（本人はこの名称を使用）の実践者だ。Trap Music、Afro Beat といった現代的な音作りに、ムビラ、ホショー、コンガなどの Jit で使われる伝統楽器をフィーチャー。2017 年、ミニアルバム『Diaries of Success』をリリース。基本 Trap 仕立てのアルバムだが、カバーにはこの段階で「Jiti Rapper」の表記が確認できる。

Jiti Rap をさらに本格的に追求し始めたのは、前述の通り 2018 年から。シングル「Handidzoke」をドロップし、界隈で話題となる。2020 年にようやく、「Maivhiveyi」「Kuna Mambo」が、ラジオでヘビーローテーションされるようになり、Zimbabwe Hip Hop Awards のオルタナティブアーティスト賞にノミネートされる。そして 2022 年、満を持して EP『Tange Nhamo』をリリースした。

Da Hopp

マダガスカルオールドスクール、MCM Boyz の系譜！

ⓒ Midi Madagasikara

📍 国：マダガスカル　◉ 出身地：アンタナナリボ　🏢 拠点：アンタナナリボ　〜 活動期間：1994-
👤 グループ中心人物：Ben J、Blaz、Jento、Tax　▶ ◎ 28

　モザンビーク沖に浮かぶ Big Island とも呼ばれるマダガスカル。じつに日本の 1.6 倍もの面積をもつ島国である。また、古代よりアフリカとアジアの交流点でもある。Hip Hop も意外と早い段階で到達した。1985 年頃には、首都アンタナナリボでブレイクダンスを楽しむ若者が現れ、大会も行われたという。遅れてラッパーが浮上しだしたのは 1990 年代に入ってから。当初はアフリカ諸国の例にもれず、輸入 CD を入手できる上流階級の子女によるアメリカのモノマネであった。いつしか Hip Hop を示す言葉として「Haintso Haintso（HH）」が定着した。

　そのようなシーンの勃興期、6 人のブレイクダンサーらが集まり、Da Hopp の前身、MCM Boyz が結成される。MCM とは「Master of Ceremony Moving」の略だ。当初は英語であったが、次第にマダガスカル語でラップするようになる。1995 年、グループ名を Da Hopp に変更。マダガスカル語でラップする 18.3、X-crew らが登場し、この年は Rap Gasy 元年とされている。「Da」は Dance の略、「Hopp」は Hope のもじりとのことだ。1997 年、1st シングル「Tadidiko Tsara」をリリース。そして 2003 年、待望の 1st アルバム『Fanantenana Vaovao』をリリース。

　2009 年、マダガスカル政治危機などの影響で、予定していた 2nd アルバムの計画は流れ、2010 年にシングル「Alasto」をリリースするのみにとどまった。このタイミングで Rap Gasy は一旦ピークを終え、2010 年代以降の新たな世代へ引き継がれる。

　現代のマダガスカルでは Old School とされる Da Hopp。近年のインタビューでも「俺たちは妥協しない、永遠の反逆者だ」と、すっかり売れ線狙いと化した Rap Gasy 界隈に少々不満があるようだ。現在も首都アンタナナリボでのライブ、シングルをリリースするなど、3 人で活動を続けている。

Fanantenana Vaovao

Ⓐ 2003

社会、生活に焦点を当てたコンシャスラップ「Kay le an」「Hozy izy mama」。また、スピリチュアリティをテーマとした「Fanantenana」「Tromba」が象徴するように、マダガスカルの古代から現代にいたるまでの景色が lyrics に登場する。Da Hopp がインタビューで答えているように、作品はマダガスカル文化へのリスペクトで溢れている。

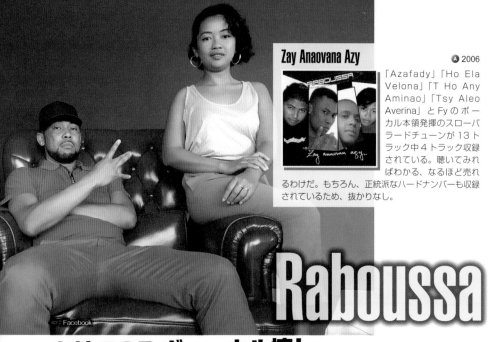

Zay Anaovana Azy

Ⓐ 2006

「Azafady」「Ho Ela Velona」「T Ho Any Aminao」「Tsy Aleo Averina」と Fy のボーカル本領発揮のスローバラードチューンが 13 トラック中 4 トラック収録されている。聴いてみればわかる、なるほど売れるわけだ。もちろん、正統派なハードナンバーも収録されているため、抜かりなし。

Raboussa

女性 R&B ヴォーカル擁し、Rap Gasy 界をしぶとく生き残る！

🌐 国：マダガスカル 　📍 出身地：アンタナナリボ 　🎤 拠点：アンタナナリボ 　〜 活動期間：2000-
👤 グループ中心人物：Raboussa、Fy 　▶️ ⏺ ∞ 38

　Da Hopp の項でも触れたが、2009 年のマダガスカル政治危機あたりで、一旦第 1 世代の Rap Gasy のピークは過ぎた。第 1 世代アーティストが引退や活動を縮小するなか、唯一気を吐いていたのが Raboussa である。2000 年、Gasy Rap 界隈では Clan 現象が発生。Wu-Tang Clan のように、イデオロギーを同じにするラッパーの集団が、アンダーグラウンドシーンで相次ぎ誕生した。Tangala Mainty、Bogota、Xcrew、8 Mena Maso などが有力 Clan であった。そのうちの一つ Bogota のラッパーであったのが、Raboussa。

　2003 年、DJ Deem、Tom、Fy が合流し、ユニットとしての Raboussa が結成された。同年 1st アルバム『Rap Mandrakizay』をリリース。以降、『Zay Anaovana Azy』(2006)『Henoy Zà』(2008)『Revinay』(2011)『Mandrakizay』(2015) とコンスタントにアルバムをリリースした。また、Hip Hop アーティストとしては初めて Palais des sports et de la culture でライブを行った。ここはマダガスカル最大級のアリーナである。なぜ、第 1 世代、現在では Old School とされる Raboussa が 2010 年代を生き延びることができたのか？　カギは女性メンバーの Fy にありそうだ。基本 Fy はあまりラップしない。R&B ボーカルだ。そして上手い。Raboussa のソングライティング能力と相まって、誰の心にも染み渡る歌を聴かせる。ハードなラップとソフトな R&B で、万人受けする音作りが特徴なのだ。本邦でいえば Avex 系を思い浮かべていただければイメージしやすい。

　2019 年より、Raboussa は国立芸術文化局の事務局長に任命された。長年、マダガスカル文化を作品に反映し続けた功績が認められた形である。

02: Oxygen

🅐 2019

ガラリと作風を変えてきた。初っ端の「Time」から Trap Music。といっても、lyrics はそれほどワルではない。節操ないといえばそれまでだが、時流を捉える目は確かなようだ。YouTube にいくつか少年時代の MV を確認できるので、最新の MV とのギャップを楽しむのも手である。

© : Facebook

Name Six

🄫 国：マダガスカル　⬤ 出身地：アンタナナリボ　⬤ 拠点：アンタナナリボ　⬤ 生年：1992
🗨 活動期間：2000-　🄫 本名：Narcisse Randrianarivony　▶ ⬤ 🔗 638

15 歳で国連親善大使となった
Rap Gasy の少年革命家！

　国際連合児童基金（ユニセフ）親善大使。任命されるのは、アメリカの人気コメディ俳優であった初代の Danny Kaye 以来、著名な芸能人、スポーツ選手である。その知名度を生かし、広報や紛争地域の支援といった活動を行う。このユニセフ親善大使、国際、地域、国内とそれぞれ担当地域がある。2007 年、東・南部アフリカ地域大使に任命されたのが、当時弱冠 15 歳であった Name Six である。

　デビューは 2000 年頃、ちょうど第一次 Rap Gasy ブームの時代。もちろん最年少ラッパーだ。中堅 Clan であった Label Toxik の Big Jim Dah のもとで修業し、2004 年、1st アルバム『Ameo Lalah』をリリース。このアルバムから「Ameo Lalah」「Dadabe Noely Mabôto」「Zaza Maditra」がヒット。声変わりもまだの少年ということで話題となり、テレビ、ラジオで全国的な人気を得た。2006 年、エチオピアのアディスアベバで開催されたアフリカ諸国の若者によるスピーチ大会、Speak Africa にて優勝。そして 2007 年、前述のユニセフ親善大使任命。この年、マダガスカルはサイクロンで甚大な被害を受け、多くの人が犠牲となった。Name Six がユニセフの被災者キャンプを訪問した様子は、ロイターなど国際報道機関で配信された。

　この経験により、Name Six はマダガスカルだけではなく、広く世界に目を向けるようになる。ケニア、ルワンダの旅で Reggae、Dancehall の洗礼を受け、ベタな Rap Gasy100 ％から変化。2009 年『Feo Vaovao』2011 年『Tena Fitia』のアルバムでは収録のほとんどが Reggae、Dancehall となった。また、それまでマダガスカル語であったが、Big Island のスポークスマンとして英語でラップするようになる。2019 年の「All for the Best」では Trap Music 採用とトレンドをしっかり押さえている。

Elita Ofisialy

©：MV「Polisy, Zandary, Miaramila」

🄿 国：マダガスカル　🄾 出身地：アンタナナリボ　🅀 拠点：アンタナナリボ　🄰 活動期間：2010-
🄱 グループ中心人物：Alien Xkai、Razor

低迷する Gasy Rap 界を震わせた
Trap Gasy のエリート！

　マダガスカルでも 2010 年代後半から
Trap Music が一部で流行りだした。Rap
Gasy ならぬ Trap Gasy としてサブジャンル
が形成された。そのなかでも 2010 年代前半
から Trap Music に取り組んでいたのが Elita
Ofisialy である。マラガシ語で「公式エリート」
を意味する Alien Xkai、Razor、Elh Jee、
Gigstha の 4 人グループだ。さしずめ Trap
Gasy のエリート集団といったところか。

　2011 年、18 トラック収録のミックス
テープ『Sava-ranon'ando』をリリース。
Rap Gasy には珍しく Dirty South っぽい
音作りは New School の到来を思わせるも
のであった。2014 年、Trap Music の要素
が追加されたミックステープ『Rics Tape』
をリリース。2016 年 の 1st アルバム
『Diamondrako』では完全に Trap サウンド
に変貌した。アルバム発表後、M3Free レー
ベル主催により、「Three Style」と銘打っ
たライブに Boombap スタイルの Etni-K、
Middle School の Codex とともに出演した。
このライブを主催した M3Free の Tongue

Diamondrako

🄰 2016

全 14 トラックの Trap。
活動 6 年目にしてよう
やくの 1st アルバム。
Rap Gasy の転換点を
示す作品である。現在の
政治指導者を非難する
「Rainilaiarivony」 をは
じめ、マダガスカルの社
会問題、生活について切
り込むテキスト満載だ。SoundCloud などネットで
無料ダウンロードで発表した。

Nat は、Da Hopp とともに初期 Rap Gasy
を盛り上げた 18.3 のリーダーである。

　2000 年代からの有名ラッパーは生き残り
のため R&B、Dancehall の売れ線に転進。オー
センティックな Hip Hop の人気が底となっ
たときに現れたムーブメントだ。Kemyrah、
Ngiah Tax Olo Fotsy、Outsize Music
Group、Andavaboay といった Trap ミュー
ジシャンとともに、Elita Ofisialy はマダガス
カルのシーンに変革をもたらした。

N.A.S Possi

🏴 国：モーリシャス　⊙出身地：ポート・ルイス　📍拠点：ポート・ルイス　⏱活動期間：1992-
ⓘ グループ中心人物：Kre、DJ Alka、Mplan　▶ 1　∞ 1

伝統楽器ラバン、マラバン採用
モーリシャスのオールドスクール！

　インド洋に浮かぶ島々からなるモーリシャスでは、2Pac、Dr.Dre らアメリカのラッパーに加え、IAM、Sniper といったフレンチラップの強い影響を受けた。公用語は英語であるが、歴史的経緯からフランス語も多く話されているためだ。1995 年ごろは借り物のトラックでラップしていた若者ばかりであったが、2000 年代に突入すると、DTM 機材やインターネットが普及し一気に広がった。また、Wake up Session に代表される人気ブレイクダンス大会も多数開催されており、文化としてしっかり根付いている。シーン初期の人気アーティストは Union Tribal Clan、そして、これから紹介する N.A.S Possi だ。

　1992 年、Kre、DJ Alka、Mplan、Psyko が中心となり、結成されたグループ。当初はアンダーグラウンドシーンで活動、正統派として玄人ウケした。上記メンバーと Kaoz、Djamal、Freko といったパーマネントメンバーのほか、卒業したクルーも 10 人以上とグループとしては大きい。2002 年、

Hors Limit
🅐 2002

全 12 トラックの 1st アルバム。アルバムは 2nd『13 ans』と併せて 2 枚だけなので貴重だ。モーリシャスのリズム、伝統楽器ラバン、マラバンをフィーチャーしたトラックがいくつか。フックで女性コーラスが入る「L'Ignorance」など、イカしたナンバーもあり。

1st アルバム『Hors Limit』をリリース。同年、コンピレーションアルバム『Moris Masiv』に参加。その後、ラッパーの Tchecky と共同でスタジオ＆レーベル Lauelle Prodwo を開設。2005 年には 2nd アルバム『13 ans』をリリース。2008 年『13ans』からシングルカットされた「Pas de pression」の MV が Bonto チャート 1 位を記録した。

　2009 年以降は目立った活動はなく、事実上の解散状態である。

Fer Li Ankor

Ⓐ 2017

多くのアーティストをゲストに迎え、バラエティに富んだ作品となっている。Trap Musicの「Bang x 3」でいきなりビックリさせられたと思えば、お次は Dancehall の「Inna di Vibes」と来た。R&B かと思えば徐々に高速ラップと化す「Strong」など、売れ線狙いの一言では片づけられないレベルに仕上がっている。ゲスト起用が成功した 1 枚。

Ⓟ 国：セーシェル　Ⓞ 出身地：ヴィクトリア　Ⓢ 拠点：ヴィクトリア　Ⓒ 活動期間：2013-

Dancehall に押され気味の
セーシェル諸島のヒップホップパイオニア！

「憧れのセーシェル諸島」、高中正義の 1st アルバム『Seychelles』(1976) のタイトルチューンともいえる曲だ。昭和の時代より、本邦でも地名だけは知られているセイシェルだが、アフリカ寄りのインド洋ド真ん中に位置する島嶼国である。もちろん、コモロやモーリシャス同様、Hip Hop シーンは存在する。とはいえ、ここセイシェルでも Dancehall のほうが優勢だ。Charly Black ら本場ジャマイカの有名アーティストをゲストに迎えるフェスが、定期的に開催されている。

さて、Dancehall に押され気味の Hip Hop であるが、2000 年代後半のブレイクダンスをきっかけに、2010 年代より Louis Gang らが出てきてからで歴史はまだ浅い。Gunz は

2013 年頃から活動を始めたラッパーだ。現在はプロデューサー業も兼ね、後進を育成中である。これまでフルアルバム 2 枚、ミックステープ、EP をそれぞれ 1 枚ずつリリースしている。また、セイシェルの Dancehall ミュージシャン、ラッパーとのコラボも多い。

ただし、本人はインタビュー嫌いなのか、『Seychelles News Agency』『Nation』といったニュースメディアの記事でも、本人は登場せず、他のアーティストの記事に名前が引き合いにされるのみである。フルアルバム『Fer Li Ankor』『Lock Down EP』のほか、「Black Gold」「Hero」「Jordan」といった人気ミュージシャンをゲストに迎えたシングルも聴いておきたい。

© : Facebook

Upezo
A 2017

Twarab のほか Sambe、Bora といったコモロの伝統音楽をフィーチャー。「Harusi」「Mnyangu」などの伝統音楽のイントロ4トラックを含め、全21トラックの大作。航空機事故が暗喩の「Maudit A310」、進歩のないコモロ社会を嘆いた「Iduru Sha Sambe」と、相変わらずヘビーなテーマ。

Cheikh MC

国：コモロ　**出身地**：モロニ　**拠点**：モロニ　**生年**：1978　**活動期間**：1992-
110

伝統音楽 Twarab を融合させたコモロ諸島のシーラカンスともいえるベテラン！

　生きた化石シーラカンスで有名なコモロ諸島。コモロ連合の首都モロニがあるグランドコモロ島、モヘリ島、アンジュアン島、そして独立を選ばずフランス領にとどまったマヨット島からなる島々だ。1975年コモロ国の独立以来、度重なるクーデターを経験し、傭兵が実権を握るなど、コモロ連合として再出発した近年まで政情不安定であった。こういった政治問題を抱えた地域に登場するのが、意識の高いコンシャスラッパー。デビュー以来、コモロ社会に問題提起している Cheikh MC を紹介しよう。

　1978年、首都モロニ生まれ。活動は1990年代初頭からの超ベテランだ。シーラカンスかといいたくなるが、音作りは時流をしっかり押さえている。1995年、当時所属していたグループ Pirates du Myke 名義で「Ras Le Bol」をリリース。当地では、こ

れがコモロラップの誕生ともいわれている。2005年、自主制作の初のフルアルバム『Tout Haut』をリリース。コモロラップの定番ともいわれる収録曲「Mwambiyé（教えてください）」は当時のアスマニ大統領への問いかけだ。

　2010年『Enfant du Tiers Monde』2014年『Revolution』とアルバムを発表。青少年問題など相変わらずヘビーな問いかけをした。2017年『Upezo』では、Afro Trap Music を採用する一方、ザンジバル島の伝統音楽 Taarab のコモロ版 Twarab と Hip Hop を融合させた Twarap を編み出した。2022年、Iduku（沈黙）と Kio（叫び）の造語をタイトルとした『Idukio』をリリース。

　2017年フランスのメディア『The Pan African Music Magazine』のインタビューでは日本や中国をツアーしたいと語っていた。

Calif Records 共同創設者

Jua Cali
📍ケニア 🎂1979
▶️ 🟢 ∞ 329

Juacalisekta
Ⓐ 2006

2000年に幼馴染でプロデューサーの Clemo とともに、Calif Records を設立。サブジャンル Genge を産み出し、2000年代の東アフリカの盟主ともいえるレーベルにまで成長、その名を轟かせた。こちらのデビューアルバムは全11トラック。半分以上のトラックに Nonini、Pilipili、Bishop といった当時の Calif Records 軍団の面々をゲストに採用。Calif Records の意気込みが感じられる作品となっている。

The Black Eyed Peas のパクリ

Camp Mulla
📍ケニア
▶️ 🟢 ∞ 584

Funky Town
Ⓐ 2012

非常に Avex っぽいオルタナ Hip Hop グループ。ReverbNation、SoundCloud で活動していた 2009年、FM ラジオでオンエアされ注目される。翌年には本アルバムにも収録されたデビューシングル「Party Don't Stop」が大ヒットとなった。The Black Eyed Peas のパクリではと批判されたものの、Naeto C の前座を務めたり、賞をいくつも受賞した。2013年、メンバー進学のため解散。

彼らにより Gengetone は爆発

Ethic Entertainment
📍ケニア
▶️ 🟢 ∞ 561

Lamba Lolo
Ⓢ 2018

Genge 人気が低迷していた 2018年、YouTube で400万回以上の再生回数を記録した「Lamba Lolo」でデビューしたボーイズグループ。Genge から派生した Gengetone のハシリのグループである。その後、Boondocks Gang、Ochungulo Family、Sailors ら、ライバルが乱立するまでの人気ジャンルとなった。宣材写真やアルバムジャケットからして非常にアイドルっぽいが、lyrics はゲットーライフなどマジメ。

Ohangla Music を採用

Khaligraph Jones
📍ケニア 🎂1990
▶️ 🟢 ∞ 1436

Testimony 1990
Ⓐ 2018

ケニアの、いや東アフリカの Rap King の座を確実なものにしつつある Khaligraph Jones の 1st アルバム。全17トラックのうち、10トラックがゲストとのコラボレーションとなっている。「Gwala」ではナイジェリアの YCee、「Don Know」では南アフリカの K.O と豪華ゲストながらなかなか渋い人選である。またタイトルチューン「Testimony」では全編スローなピアノを採用。多才な一面を見せている。

Kenyan Drill の重鎮

Buruklyn Boyz
📍ケニア
▶️ 🟢 ∞ 1561

East Mpaka London
Ⓐ 2022

ケニアでも若者に Drill が大流行。2019年、ナイロビの Buruburu ネイバーフッドで結成された Buruklyn Boyz は Kenyan Drill の最大勢力だ。ライバルの GTA とはことあるごとに衝突、一方で Wakadinali とは良好な関係を維持しているようだ。こちらは 2021年「Billie Jean」「Nairobi」のヒットを生んだ彼らのデビューアルバム。タイトルから UK Drill を意識しているのが分かる。

Bongo Flava の巨人

Diamond Platnumz
📍タンザニア 🎂1989
▶️ 🟢 ∞ 16744

A Boy from Tandale
Ⓐ 2018

Bongo Flava の巨人による 3rd アルバム。タイトルの Tandale は Diamond Platnumz の生まれ故郷。全17トラックのうち 10トラックは、Rick Ross、Ne-Yo といったアメリカの大物、Tiwa Savage、Davido ほかアフリカの著名ミュージシャンがゲストという豪華アルバム。ところがこのアルバムの2トラックがわいせつ指定を受け、タンザニア国立芸術評議会から禁止された。

タンザニア最高ラッパーの称号

Fid Q
📍 タンザニア　🎂 1980
▶️ 🎧　♾ 396

Propaganda
🅰 2009

タンザニアのガチ勢 Hip Hop ファンから最高の Classic Album と評されている作品。甘めの Bongo Flava が席巻するタンザニアでは異例ともいえる高評価だ。Fid Q は 2000 年にメジャーデビュー。2004 年の「Fid Q.com」は、人気が落ち込んでいたタンザニアの Hip Hop を正統派スタイルへ軌道修正し、復興させたといわれている。売れ線狙いの Bongo Flava に食傷気味になったら、ぜひチェックを。

Ugaflow を確立した男

Navio
📍 ウガンダ　🎂 1983
▶️ 🎧　♾ 574

Half A Legend
🅰 2009

2000 年に結成、ウガンダの Hip Hop シーンをけん引したグループ Klear Kut。その中心メンバーであった Navio の初ソロアルバムとなる。2009 年、このアルバムリリースを記念し、初の大規模 Hip Hop コンサートを開催した。Navio によると、動員は 12,000 人以上と当時としてはウガンダ最大のイベントであったとのこと。前年に先行してシングルカットされた「Ngalo」は Rock 調のギターがフィーチャーされている。

Ex.Bataka Underground

Lyrical G
📍 ウガンダ　🎂 1978
▶️ 🎧　♾ 42

Grown Man Talk
🅰 2013

1990 年代末、Saba Saba と Babaluku のバンド Bataka Underground に加入。2001 年ソロ転向とウガンダのシーンでは超古株な Lyrical G。2004 年の 1st アルバム『Live From East Africa』を皮切りに 10 枚以上のアルバムをリリースしている。7 枚目のアルバム『Grown Man Talk』は、彼の 35 歳の誕生日にリリース。キャリアの集大成としての記念碑的作品である。

Kinya Trap に対抗

Ish Kevin
📍 ルワンダ
▶️ 🎧　♾ 170

Trappish Music
🅰 2019

「首都キガリに Drill Sound を導入したのは俺だ」と主張する Ish Kevin。Kinya Trap 勢からハブられたことをバネに Trappish Music なるサブジャンルを考案。2019 年の EP『Trappish Music』は Ish Kevin からの挑戦状である。2022 年のシリーズ 2 作目の EP『Trappish Ⅱ』ではナイジェリアの Ycee をゲストに迎えるなど、大物への階段を上りつつある。

留置所で突然死

Jay Polly
📍 ルワンダ　🎂 1988-2021
▶️ 🎧　♾ 45

Jay Polly Legacy
🅰 2021

2008 年から解散の 2014 年まで人気を博したグループ Tuff Gangs 出身。Riderman とともにルワンダの Hip Hop シーンを盛り上げた功労者だ。2021 年 4 月、新型コロナ規制に違反してパーティーを主催したとして自宅で逮捕された。マリファナ所持の容疑もかけられ拘留中の 9 月、刑務所内で急死。謎の多い死であったためさまざまな憶測を呼んだ。こちらは、彼の死後リリースされたトリビュートアルバムである。

銀行員マラウイの小椋佳

Phyzix
📍 マラウィ　🎂 1986
▶️ 🎧　♾ 881

The Lone Ranger
🅰 2009

タイトルは本人が子供時代から大好きなアメコミから。マラウイ大学在学中の 2006 年に「Cholapitsa」がヒット。そしてこのアルバムの成功により、シーンでの地位を確定した。Captain Bae、King of the Ghetto の異名を持ち、マラウイで最も成功したラッパーの一人と称されている。このアルバムから「Gamba」「Jessie」「Usodzi」「Abwana」がシングルカットされ、大ヒットとなった。

Chef 187 の兄

Macky 2
📍 ザンビア　🎂 1984　▶️ 🟢 ∞ 154

Legendary
🅰 2012

Kopala Swag の盟主、Chef 187 の兄と説明すれば早い。『Legendary』は 2013 Zambia Music Award の Album of the Year を獲得した作品だ。リアリティ番組が好きなようで『Big Brother Africa』 第 9 シーズンに出演、最終回まで生き残った。さらに 2022 年の音楽引退宣言直後『King Bugar』なる自身を主人公としたリアリティ番組を制作するほどとなった。

ザンビア Hip Hop の先駆者

Slapdee
📍 ザンビア　🎂 1987　▶️ 🟢 ∞ 117

The Business
🅰 2013

2006 年にデビューした Slapdee。ザンビアの Hip Hop シーンの先駆者として活躍し、2019 年には、Burna Boy、Diamond Platnumz らと共に CNN の Best African Musicians に名を連ねた。こちらはその Slapdee の 5th アルバム。これまでの努力が実り、Zambia Music Award で 6 賞、他の Awards でも受賞した作品として知られる。シングルカットされた「Remember」「Just like that」「Ratsa」は大ヒットした。

大物グループ Zone Fam メンバー

Jay Rox
📍 ザンビア　🎂 1988　▶️ 🟢 ∞ 738

Outside the Rox
🅰 2015

首都ルサカの Zone Studios に出入りする若者が、2009 年に結成したグループ Zone Fam のオリジナルメンバー。このグループは 2014 年解散するが、アメリカのラジオチャートに登場したり、Channel O Award で賞を獲ったりと売れに売れた。こちらは Jay Rox がソロになってからの作品。好評につき、続編として 4th アルバム『Outside the Rox 2』のリリースへとつながった。

King of Zim Hip Hop 争いで beef

Holy Ten
📍 ジンバブエ　🎂 1998　▶️ 🟢 ∞ 364

Suicide Notes
🅰 2019

友達のグループに加入するため「ビート制作できる」とウソをついたのが、キャリアの始まりという Holy Ten。本格的活動は 2016 年から。努力の甲斐あってリリースした『Suicide Notes』は 1st アルバムである。King of Zim Hip Hop を巡り Voltz JT, Nutty O 他との beef が話題となったが、2023 年の Winky D との beef では政治問題を持ち出し、政府寄りの発言をしたことで、ファン離れを起こした。

アフリカ最優秀女性ラッパー受賞

BombＳhell Grenade
📍 ザンビア　🎂 1987　▶️ 🟢 ∞ 17

Mfumu Kadzi
🅰 2022

アフリカ最優秀女性ラッパー受賞とは、2021 年の AFRIMA でのこと。メジャーデビューは 2016 年「Shame Ol' Me」、翌年には MTV Base で Top 6 Rappers in Africa に選出される実力である。モデル、TV アナウンサー、女優としても活躍するマルチタレント。『Mfumu Kadzi』は待望の 1st アルバムだ。ハードな Hip Hop から甘めの R&B まで幅広い音楽性を有する。

Jecha Trap の雄

Voltz JT
📍 ジンバブエ　🎂 1999　▶️ 🟢 ∞ 162

Life of Muvhimi
🅰 2022

Trap ビートにショナ語、英語を使う Jecha Trap スタイルで現れた新星。そして、工学部の大学生でもある Voltz JT のデビューアルバム。一緒に仕事したことのある先輩の Holy Ten に dis られたため、SNS で議論を巻き起こした。Lyrics ではジンバブエの若者が抱える悩みや社会問題を問いかけている。また、本人オススメのシングル「These Days」「Nyaya dze Mari」もチェックしてほしい。

Chapter 2

Central Africa

コンゴ民主共和国／コンゴ共和国／アンゴラ
カメルーン／ガボン／チャド
中央アフリカ／サントメ・プリンシペ／赤道ギニア

チャド

カメルーン
中央アフリカ
赤道ギニア
サントメ・プリンシペ
ガボン
コンゴ共和国
コンゴ民主共和国

アンゴラ

サブサハラ地域で最大の面積を持つコンゴ民主共和国をはじめ、紛争が絶えないイメージの地域である。しかしながら Hip Hop シーンは 1990 年代から勃興。政治的ツールとしても活用されてきた。近年 GDP が向上したアンゴラやカメルーン、そして大都市キンシャサとブラザヴィルを有するコンゴ民主共和国とコンゴ共和国両国のシーン発展ぶりも読み取っていただければと思う。本章では、亡命を余儀なくされたラッパー Martial Pa'nucci へのインタビューを掲載しているので、現地の空気を感じ取ってみよう。本章の合間には、MV に登場する独裁政権が生んだヘンテコな建造物、アフリカのラッパーに影響与えた政治家に関し紹介したコラムを掲載。

Rumba / Soukous / Rumba Drill

🌐 中部アフリカ　🗺 コンゴ民主共和国　📅 2010

ルーツはキューバの Rumba まで遡る。カリブ海交易により、キューバの Rumba が 1930 年代コンゴ地域に上陸。その 78 回転レコードは、コンゴ川に沿って内陸部のブラザヴィル、そして当時のレオポルドヴィル（キンシャサ）まで浸透していった。当初スペイン語やフランス語で歌われていたが、やがてリンガラ語をはじめとする言葉に置き換わり、1960 年代には Rumba Congolaise としてジャンル化、黄金時代を迎え、派生ジャンルとして Soukous も登場した。1970-80 年代にかけて Papa Wemba、Koffi Olomidé といったビッグネームが輩出、アフリカ全土で人気を博するほどとなった。1990 年代以降は Fally Ipupa、Ferré Gola らが続き、現在も鉄板人気ジャンルである。2010 年代後半、ラッパーの IDPizzle は様々なジャンルのミックスに取り組んでいた。彼のトラックを気に入ったフランス人ラッパーより、「Drill よりも Rumba をやっている」と、本人が思ってもいなかった感想を得た。元々狙っていたわけではないので、瓢箪から駒である。正統派 Rumba / Soukous の大御所 Fally Ipupa をはじめ、これがウケると知ったアーティストはこぞって Rumba Drill を採用し、サブジャンル化した。また素材用の Rumba Drill Type Beat が様々なサイトで公開されている状況となっている。

Nova Escola

🌐 中部アフリカ　🗺 アンゴラ　📅 2010

Filhos da Ala Este、Brigadeiro 10 Pacotes、MCK といったアンゴラの Hip Hop シーンを作った第 1 世代は Hip Hop Nacional と呼ばれる。これに対し、2000 年代半ばより若いアーティストたちが従来のスタイルへのアンチテーゼとして、より現代的な新しいアプローチをし、サブジャンル化したのが Nova Escola となる。いずれも、社会、政治問題にコミットした lyrics が多いが、Nova Escola は日常生活も描写し、より内省的、個人的なテーマに踏み込んでいる。代表的アーティストは Kelson Most Wanted、Deezy、Monsta ら。

Urban Kizomba

🌐 中部アフリカ　🗺 アンゴラ　📅 2010

アンゴラで 1980 年代に生まれたダンスミュージック Kizomba から派生。Ghetto Zouk、RnB、そして Hip Hop の影響を受けた。別名 Urban Kiz とも称されるが、これは数年以上にわたる名称論争の末、2015 年に公表された新名称。ただし、アンゴラではなくフランスはパリでの決着だ。ポルトガル語圏のみならずヨーロッパ各地をはじめ普及が進んでいる。また、踊り方に関しては従来の Kizomba とは動きが異なり、直線的な動きに加え、ストップ、タップなどタメを作る動きが特徴とされる。従来の Kizomba の曲では表現できない動きが実現可能となった。

Makossa / Hip Makossa

🌐 中部アフリカ　🗺 カメルーン　📅 2000

Makossa はカメルーンのローカルダンスミュージック。ドゥアラ語で Makossa は「踊る」というそのままの意味である。1950 年代前半にはスタイルが確立されていたとされ、レコーディングが確認できるのは 1960 年代初頭からとのこと。傾向としてはホーン隊が目立つが、Soukous に似ている。当時、強力な電波を出力していたラジオ・レオポルドヴィルから届く Rumba が Makossa に与えた影響は大きいといえよう。また、ガーナ、ナイジェリアの Highlife、ドミニカ共和国の Merengue など、様々な音楽を内包していった。Funky Makossa、Jazz Makossa など、それぞれ当時流行った音楽を取り入れた Makossa が乱立した。当然のことながら、カメルーンにて Hip Hop の人気が出てくると、Makossa との融合を試みるラッパーが現れた。2006 年ごろの Roggy Stentor、Big B-Zy らが初期 Hip Makossa のキーパーソンである。2010 年代初頭にかけて Hip Makossa は勢いづいていくが、失速の方向へ進む。本来はカメルーンのアイデンティティを体現するための融合のはずが、Makossa の歌詞をラップにしただけの結果に終わった。大したイデオロギーもなく、オーセンティックな Hip Hop からあまりにも離れてしまったためである。

結成は 1995 年、ストリート出自の 「コンゴ民主共和国ラップの父」！

Bawuta Kin

© : MV「Sans sacrifice」

🇨🇩 ▶ 国：コンゴ民主共和国 ⬆ 出身地：キンシャサ 📍 拠点：キンシャサ
⬇ 活動期間：1995- ★ グループ中心人物：Esto Njonjo、Docta Kash 📺 🅂 ⊙ 3

　列強の進出前はコンゴ王国だったため、同じ「コンゴ」という名称の国が隣り合って 2 か国あるのはややこしい。独立から現在に至るまで国名が変わったり、紛争が続いたりと状況はより複雑だ。まずは元ベルギー領、旧ザイール、そして首都がキンシャサのコンゴ民主共和国の Hip Hop シーンから紹介してみよう。コンゴ民主共和国でも、欧米からもたらされたカセットや CD を入手できる良家の子弟により、最初のシーンが形作られていった。1990 年代後半からの戦乱、政変によりコンシャスラッパーが増加してきた経緯がある。2003 年には、マルティールスタジアムで 6 万人規模の Hip Hop ライブが開催された。

　Bawuta Kin は 1995 年、Rocky B、Esto Njonjo、Docta Kash により結成されたグループ。「コンゴ民主共和国ラップの父」とも称される彼らは、キンシャサの Burukin（ブルックリンの意）と呼ばれる下町バルンブ地区が本拠地だ。そのため、現地ではコンプトン出身の N.W.A と比較され、例えられることもある。

　後に Rocky B がヨーロッパへ移住し、残された二人で活動を継続。常に自分たちのス

Bo tia K

🅂 2012

Lexxus Regal のレーベル Alternative Racine よりリリース。このときアルバム『Ba Wu』も制作中とのアナウンスもあったが、結局、世には出なかったようだ。キンシャサの Hip Hop シーンにてデビュー以来、独創的なスタイルにこだわるグループ。このナンバーでも現地のダンスミュージック Soukous、Ndombolo のリズムを採用している。

タイルにこだわり、売れ線狙いと一線を画すも、却ってそれがヘッズに刺さり、現在も多大なリスペクトを受けている。今や古典ともいえる「Difficile à construire」「Bo tia K」「Sacrifice」などのナンバーも、新しい若者世代にも受け入れられている大御所ともいえる存在だ。アルバム発売の計画はあったようだが、残念ながら実現していない。

　またキンシャサのゲットーを取材したフランスのドキュメンタリー映画『Jupiter's Dance』（2006）に出演。人々と音楽の関わりを語った。

© : Facebook

Apéritif　　　　　　　Ⓐ 2021

7トラック収録。
Afrobeats、R&B カラー
たっぷりの作品。Chill
な「Pauline la Rue」の
次 ト ラ ッ ク「Daddy」
は Afro House の プ ロ
デューサー DJ P2N を
ゲストに迎えたクラブ
バンガーなナンバーだ。
Sista Becky がロールモデルとしているのは、本文
で紹介の Diam's と Nicki Minaj。エッセンスを感じ
取れるか聴きこんでみよう。

Sista Becky

🏳 国：コンゴ民主共和国　📍出身地：キンシャサ　📍拠点：キンシャサ
🔄 活動期間：2005-　本名：Rebecca Kalonji　💬別名義：Princesse Bantou　 22

コンゴ民主共和国で女性ラッパーのハシリ、フランス語圏でヘビロテ！

　コンゴ民主共和国の女性ミュージシャンといえば、現地の人々が思い浮かべるのは Tshala Muana、M'Pongo Love と い っ た 往 年 の Rumba 歌手がほとんど。ほかには Gospel シンガーといったところ。わりと新ジャンルである Hip Hop 系は、コンゴ民主共和国でもやはり男性中心の世界である。

　2000 年 代、そ ん な ホ モ ソ ー シ ャ ル 界 に 穴 を 開 け た の が Sista Becky (a.k.a. Princesse Bantou)。女子高生時代はフランスの女性ラッパー Diam's に夢中であったという。学校内やストリートのフリースタイルで腕を磨き、2005 年、キンシャサのフランス研究所（Halle de la Gombe）で初ステージに立つ。コンゴ民主共和国の女性ラッパーとしてはイノベーターである。2016 年、プロとしてのキャリアのスタート。1st シングル「Mr Le Rap」のヒットにより、Rap de Kin Awards にて最優秀女性アーティスト賞を受賞した。「Flip Flop」「Notorious Spirit」とシングルヒットを飛ばす。また Femme de Valeur、Get Loud といった社会派プロジェクトにも参加。2020 年の「Il Fait Semblant」は、アフリカのフランス語圏諸国のクラブでヘビーローテーションとなった。そして 2021 年、待望の 1st アルバム『Apéritif』が完成。

© : Facebook

Mongongo

Ⓐ 2021

Alesh といえば政治にコミットした作風であったが、前作『La mort dans l'âme』とはまったく雰囲気を変えてきた10年ぶりのアルバム。希望の賛美歌「Bunda」に象徴されるように、Alesh も家庭を持ち成熟したのか、悪く言えば日和ったとも。なかでも幼女のボーカルをフィーチャーした「Jeune d'Afrique」は本人お気に入りのトラック。「親子で聴いても OK」とのこと。

Alesh

🔘 国：コンゴ民主共和国　💠 出身地：キサンガニ　👤 拠点：キンシャサ　▣ 生年：1985
💬 活動期間：2003-　本名：Alain Chirwisa　▶️ 🟢 🔵 😊 362

修羅の国 DR コンゴ東部出身、
オバマ大統領に謁見した「神の子」！

　五大湖といえば、カナダとアメリカの国境に連なる湖。スペリオル、ミシガン、ヒューロン、エリー、オンタリオと、地理の授業で暗記させられた奴だ。じつはアフリカにも五大湖地域がある。アフリカ大地溝帯エリアのコンゴ民主共和国、マラウイ、ルワンダ、タンザニアほかに点在する巨大な湖。なかでもアフリカ最大の淡水湖ビクトリア湖は有名である。Alesh はその五大湖地方を背景とした地域の出身。

　Alesh の幼少期から思春期にかけて、コンゴ民主共和国東部は戦乱により荒廃、現在も安定しているとは言い難い状況だ。その経験が作品作りのバックボーンとなっている。15歳、コンゴ国営テレビ（RTNC）にて音楽情報番組のレギュラーに抜擢されたことがキャリアのスタートだ。2002年に地元にてグループ Hot Boyz に加入、2005年に脱退し、ソロへ転向。初の民主選挙が行われた2006年には1stシングル「Éveil」がヒット、選挙期間中、街中で流れた。2010年、拠点をキンシャサに移し、10トラック収録の1st アルバム『La mort dans l'âme』をリリース。このアルバムは2014年、アメリカツアーの際、ホワイトハウスでオバマ元大統領に手渡したことでも知られる。

　また、2018年、2019年連続して『Kivuzik Magazine』主催の「コンゴ民主共和国で最も影響力のある若者 50人」に選出された。2021年には RFI（Radio France Internationale）のアフリカ大陸を対象としたディスカバリー賞を受賞した。

c：MV「Semeki」

Sese Seko

Ⓐ 2021

1stアルバムのタイトルはまんまモブツ大統領の名前。リリース直前の7月8日には、パリ La Cigale でのライブが在欧コンゴ民主共和国人のネットイナゴに脅迫され、中止に追い込まれた。近隣の似た名前のレストランまで誤爆を受けたというので MPR の影響力はさすがである。YouTube で先行発表の収録曲「Makambu」は『Sese Seko』リリース前に 60 万回再生を記録した。

MPR

🏴 国：コンゴ民主共和国　●出身地：キンシャサ　◉拠点：キンシャサ
👤 グループ中心人物：Yuma Dash、Zozo Machine　▶ ⏺ ∞ 5332

独裁者モブツの政党と同名、
　　モブツ政権時代を懐かしむデュオ！

　1965 年から 1997 年まで君臨したモブツ大統領。急進的施策を通じ、国民のナショナリズムを煽る「ザイール」化を推し進めた。1970 年代前半まで計画経済は成功したかに見えたが、その後は失速低迷。第一次コンゴ戦争（1996-1997）で失脚、逃亡先のモロッコで死亡した。コンゴ民主共和国として国は生まれ変わったものの、第二次コンゴ共和国戦争（1998-2003）を皮切りに、その後も問題は山積みとなっている。そこで、ソビエト・ノスタルジアのようにモブツ時代の再評価という動きも登場した。

　Yuma Dash と Zozo Machine によるデュオ MPR も基本ヘビーなコンシャスラップ。ただし、アプローチをモブツ時代を軸としているのが、ほかにない特徴である。グループ名 MPR は「Musique Populaire pour la Révolution」の略だが、モブツの政党「革命人民運動（Mouvement Populaire de la Révolution）」とのダブルミーニングだ。MV ではモブツそっくりさんや、モブツ時代のレトログッズをフィーチャーしている。

　また、彼らの拠点、キンシャサのマテテ地区は、若手ミュージシャンの 60％を輩出する文化的なエリアだが、ギャング Kuluna の抗争も絶えない。シングル「ECM」ではマテテのゲットーを象徴する廃ビルで MV 撮影するなど、こだわりがある。2021 年には歴代大統領の失敗をテーマとした「Nini Tosali Te」が当局により放送禁止に。ファンが大騒ぎしたため取り下げられたが、他のアーティストの曲はいまだ Ban されたまま。モブツ時代と何ら変わりない検閲国家である。

施主は独裁政権、MV に登場する珍妙な建造物

Diesel Gucci「Lisolo」(2022) にモブツの廃墟別荘

モダニズム建築の巨匠ル・コルビュジエの門下生らが手掛けた、熱帯の気候に対応かつ現地人の生活様式に配慮した建築は南方主義建築と呼ばれる。北アフリカおよび西アフリカ、仏領インドシナなど当時のフランス植民地に建造された。

西アフリカでは、コートジボワールのアビジャン市庁舎及び郵便局が代表作である。これら南方主義建築はモダニズム建築の枠内に収まっている。しかし、アフリカ諸国が独立するとこの枠は壊れてしまう。

コンゴ民主共和国のデュオ MPR。ザイール時代のモブツ独裁政権へのノスタルジアをテーマとしている。そのモブツ大統領。独裁をいいことに各地に微妙な建築群を残した。モブツ一族出身の地、首都キンシャサから直線距離で 1150km、中央アフリカとの国境に近い奥地バドリテの建築群が知られている。コンコルドが離着陸できる空港に、コカ・コーラの巨大工場。さらにローマ法王、ベルギー国王、ミッテラン大統領が滞在した 5 つ星ホテル。そして「ジャングルのヴェルサイユ宮殿」と称された迎賓館を兼ねた私邸を建造した。これらの巨大プロジェクトがジャングルの奥で可能となった理由は、豊富な水量を誇るウバンギ川からの水力発電である。バドリテの少し離れた丘には中国式建築の別荘まであった。これはソ連と仲の悪かった中国にすり寄っていた時代の証である。この中国式別荘は、キンシャサから 50km 程離れたンセレにもあり、有志が復元中だ。北京の天壇と頤和園を模したこの場所で MV 撮影されたのが、Diesel Gucci の「Lisolo」である。ベルギーの旅行会社がこれらの地を巡るツアーを用意しており、2 週間約 12999US ドル。もちろんキンシャサまでの交通費、食事代は含まれていない。

コートジボワールの若手ラッパー MC One の MV「Anitché」では、ブルキナファソの首都ワガドゥグーにてロケ、UFO のような展望台を有する英雄記念塔が登場する。そのほかワガドゥグーには映画の塔、マリのバマコにはアフリカタワーといった珍妙な建造物がある。いずれも旧宗主国からの独立後建築された。アフリカ諸国の独立が相次いだ 1960 年ごろといえばミッドセンチュリー様式の時代。Hip Hop 同様アフリカの伝統と融合した建造物はなかなか見どころが多い。

21 世紀となると、経済発展とともに奇抜な高層ビルも登場、ふた昔前の香港や上海のような様相である。そんな中、セネガルのダカールでは 2010 年、高さ 49m の超巨大な「アフリカ・ルネサンスの像」が登場。奈良の大仏の高さが 15 m なので、その 3 倍以上の大きさである。じつはこの「アフリカ・ルネサンスの像」を建造したのは北朝鮮の国営企業。万寿台の金日成像や主体思想塔など、巨大建造物建築で積み上げたノウハウを元に完成させた。こうしたスターリン様式建造物は、ソ連亡き後北朝鮮の独壇場となっている。セネガルのほか、ボツワナ、ナミビア、シリアなどアフリカ、中東諸国で、技術と圧倒的コストパフォーマンスを武器に外貨を稼ぎまくっているとのことだ。

MC One「Anitché」(2017) 英雄記念塔

港町マタディ出身、キコンゴ語初採用、
Bob Marley を信奉！

©：MV「Rainbow」

🏴 国：コンゴ民主共和国　● 出身地：マタディ　🎤 拠点：キンシャサ
🔁 活動期間：2000-

NMB la Panthère

「違うよ。全然違うよ」

　本邦の某パンサーによる懐かしのインター
ネットミームだ。コンゴ民主共和国の NMB la
Panthère は、名前に豹を名乗っている理由を
「豹は穏やかな動物だが、時として凶暴にな
る、そこが俺らしい」と説明する。確かに本名
をもじっただけの某パンサーと全然違う。ちな
みに NMB は本名 Ntoto Mabiala Bienvenu
のイニシャルだ。

　アンゴラに近いコンゴ民主共和国川下流の港
町マタディで生まれ育つ。小学生の頃より、
Vanilla Ice などに夢中となるも、家庭の事情
で中学以降寄宿舎生活となる。1998 年、大
学進学のため首都キンシャサに。本格的に活
動を始めたのは 2000 年前後、コンゴ民主共
和国 Hip Hop の第 1 世代である。「Peace in
Africa」「Débout Congolais」「Identity」に
代表されるように、HIV、政府の腐敗といった
社会問題を意識し、常に若者へのメッセージを
発している。また、故郷マタディで話されるキ
コンゴ語（キヨンベ）を採用した最初のコンゴ
民主共和国人ラッパーでもある。Old School
な Rumba と Hip Hop を結び付けた音楽的ア

Woman No Cry

💲 2008

Bob Marley & The
Wailers の ア ル バ ム
『Natty Dread』(1974)
に 収 録 さ れ た「No
Woman, No Cry」から
イマジネーションを得た
ナンバー。本人が多くの
インタビューで答えてい
る通り、Bob Marley は
彼のアイドルでもある。あまりに信奉するあまり、ラ
スタファリアンではないかと時折指摘されるが、それ
は違うとのことだ。

プローチにより、アイデンティティとシーンで
のポジションを確立した。

　2010 年 に 行 わ れ た「Peace in Africa
Show」コンサートは大成功を収めたものの、
南アフリカで録音した 8 トラック収録のアル
バムは、コンゴ民主共和国音楽業界の人材難お
よび財政難から市場に出ることはなかったよ
うだ。「Identité」では Ziggy Marley の息子
Dazz Flexx をゲストに迎えた。

© : MV「Ma Part」

Best of Lexxus Legal

Ⓐ 2019

一家に一枚ベスト盤、ということで Lexxus Legal 入門に最適の 14 トラック収録作品。気になったらここから掘り下げてみよう。Bawuta Kin、Inoss'B とのコラボ、Papa Wemba トリビュートナンバー「Nkoyi Papa Wemba」。そして、ジャンルをクロスオーバーさせた「Dors Pas Tard」「Zwa Nga Bien」など、とっ散らかっているように見えるが、そこがベスト盤らしい布陣。

Ⓝ 国：コンゴ民主共和国　◆出身地：ロジャ　⊗拠点：キンシャサ
〜 活動期間：1999-　Ⓝ 本名：Alex Dende　▶ 🟰 ⓒ 49

1999 年以来コンゴ民主共和国の
ヒップホップシーンを作ってきた漢！

コンゴ民主共和国東部、ルワンダとの国境を接する街ゴマ。ゴマを州都とする北キブ州は、もともと民族問題が燻っていたうえ、1990 年代のルワンダ紛争以来、各国軍が入り乱れ、さらに過激派による事件が絶えない地域である。このような状況に危機を感じたミュージシャンが、2013 年から大規模フェス The Festival Amani を開催している。Amani とはスワヒリ語で平和を意味する。Lexxus Legal もこの The Festival Amani の立ち上げに尽力した一人だ。

1999 年、コンゴ民主共和国 Hip Hop シーン第 1 世代を代表するグループ Gross Negro Thought（GNP）を結成。大学卒業後、2006 年よりソロ活動。そして、プロデューサーとして他のアーティストの作品を世に送り出してきた。2006 年の 1st アルバム『Artiste Attitude』以降『L'art de la Guerre』『5e Doigt』『Léop'ART』『Best of Lexxus Legal』と、ほぼ 3 年ごとのペースでアルバムを発表している。

また Rumba の王 Papa Wemba、コンゴ民主共和国音楽家協会（AMC）重鎮の Jean Goubald ら、大物ミュージシャンとのコラボもしている。前述の The Festival Amani のほか、Mimi Sud、Cœur d'Afrique といったローカルフェスティバルを開催。Lexxus Legal もまた、コンシャスラッパーである。作品では、子供の権利保護、HIV 問題といった啓蒙のほか、戦争を非難し、国の平和と統一を求めている。長年、戦乱にさらされたコンゴ民主共和国故、その言葉は重い。

故郷ブラザヴィルに凱旋した
在仏コンゴ共和国人軍団！

Bisso na Bisso

© : Facebook

🔘 国：コンゴ共和国 🔘 出身地：ブラザヴィル 🔘 拠点：ブラザヴィル 〰 活動期間：1999-
👤 グループ中心人物：Passi、Ben-J、Mystik ▶ 🔘 ⊙ 6239

　リンガラ語で「Between Us」を意味する Bisso Na Bisso は、1997 年に結成された コンゴ共和国のブラザヴィルやポワントノワール出身のラッパーとシンガー集団。といっても、パリが拠点の在仏コンゴ共和国人たちだ。自らのルーツを再認識し、幼いころ聴いたコンゴ共和国の Ndombolo や Soukous といったローカル音楽と、フレンチラップでの経験を消化して、ディアスポラの音を再構築した。そして、故郷ブラザヴィルに凱旋というカタチとなり、アフリカ諸国でも人気を博した。

　このグループをまとめたのが、Ministère A.M.E.R. の Passi。フランスですでに中堅クラスとなっていた同郷ラッパーに声をかけた。いとこの M'Passi、Ben-J、Mystik、2Bal の双子 Doc（1999 年強盗で投獄）と G Kill、Ärsenik の Lino と Calbo 兄弟ほかを集め、最強コンゴ共和国人軍団を結成した。1999 年、1st アルバム『Racines』は 18 万枚の売り上げを達成し、シングルカットされた「Bisso na Bisso」はチャート４位まで上り詰めた。同年、ライブアルバム『Le 15 mai 99』もリリース。この実績により、南ア

Racines

🅐 1999

ディアスポラな Bisso na Bisso らしく、フランス語で「ルーツ」を意味するタイトルの 15 トラック収録アルバム。ゲストも Papa Wemba、Lokua Kanza、Koffi Olomidé、Ismaël Lô ら、著名なアフリカンミュージシャンと超豪華。いっぽうで「Dans la Peau d'un Chef」に代表されるように、扱うテーマはアフリカの政治腐敗や人道問題などに言及した社会派ラップである。

フリカの Kora Music Awards にて、Best Arrange、Best Group、Best Video Clip の３部門を受賞した。結成 10 周年の 2009 年にはシングル「Show ce Soir」で復帰後、14 トラック収録のフルアルバム『Africa』をリリースした。

　アルバムカバーのポートレートでは 7 人になっているので、2006 年に刑期を終えた Doc はグループに再合流しなかったようだ。

© : Facebook

#2015Chroniques

Ⓐ 2015

独立記念日 8 月 15 日の午後 3 時にリリースした、こだわりの 16 トラック収録アルバム。CD は手売りか SNS で販売というほぼ自主制作の作品だが、過去の奴隷制、現代のディアスポラ、そして政治批判とコンゴ共和国の幅広い社会問題を扱う。「Brazzaville Hardcore」の lyrics を読む限り、政府当局に目を付けられるのも理解できる。Hardcore なのが好きなヘッズは要チェック。

Martial Pa'nucci

🎙 国：コンゴ共和国　📍出身地：ブラザヴィル　🎵活動期間：2000-　▶️　●※一部　9

武闘派サスヌゲソ政権に目を付けられ
ブルキナファソに亡命した社会派詩人！

　チセケディ体制で大幅に言論弾圧が緩和されたとされるコンゴ民主共和国。とはいえ、MPR の例があるように、いまだ雲行きは怪しい。こんなことで勝負する必要はないのだが、対するコンゴ共和国も負けてはいない。2015 年、サスヌゲソ政権を痛烈に批判するトラック「Lettre Ouverte aux Présidents d'Afrique」がヒットした Martial Pa'nucci は、政府に目を付けられ、国外へ逃亡した。ちなみに 1979 年初就任のサスヌゲソ大統領、1992 年の選挙で負けるも揉めてそのまま内戦に発展。力ずくで大統領に返り咲いたという武闘派だ。

　2000 年ごろから活動を始めたという Martial Pa'nucci、2 Mondes をはじめとするいくつかのグループでキャリアを積み、

『#2015Chroniques』をリリース。イギリスの BBC でも紹介され、国外でも有名になった。2016 年の Beat Street Awards では、Best Hip Hop Artist に選出された。

　ところが、仲間の相次ぐ逮捕、連日のしつこい脅迫電話により、ガールフレンドも逃げ出すという有様。2016 年 10 月の Vice インタビューでも、人目につかないようひっそり行われた。結局、ブルキナファソに逃亡、活動の拠点とする。以降『#SurLesCheminsDeLaRêv'oIte』『#2020Chroniques』のフルアルバムを発表。そのたびにコンゴ共和国当局の神経を逆なでしつつ、アフリカ諸国やフランスをツアーした。また、執筆活動として、2 冊の詩集、1 冊の小説を発表している。

97

Central Africa

Martial Pa'nucci インタビュー

わが国では、音楽で政権を dis るだけなら当局に拘束されることはまずない。しかし、一部のアフリカ諸国では事情が異なるようだ。コンゴ共和国にて独裁政権を激しく批判したラッパー Martial Pa'nucci は、結局祖国を捨てた。その経緯や新天地での活動を取材。意外なところで日本との接点も発見した。

——日本のラッパーで亡命を余儀なくされた人はいないので、色々教えていただきたいと思います。まずは、よくある質問ですが、子供の頃はどんな感じの少年でした？

子供時代！ それはあまり聞かれた記憶がないな（笑）。喜んで答えるよ。幼少の頃は大人しく無口な子だった。俺の両親は、最近の親のようにあまり子供の行動に制限をしなかったので、近所の友達とその辺の道端で好き勝手に遊んでいた。音楽を始めたのは小学生になってからだね。

——ご自身の Hip Hop との出会いに関してお伺いします。これもよくある質問ですが（笑）、影響を受けたミュージシャンは？

Hip Hop との出会いは、年上の近所のアニキ達やラジオを通してだね。当時すでにブラザヴィルでは Public Enemy、Wu Tang、Nas、Fugees、IAM、Suprême NTM、Lunatic、Arsenik、Biso Na Biso、MauvaizHaleine、PBS、Tripl'3、Collectif、109、Mafia K'1Fry、Kery James、Youssoupha、Médine などなど、メジャーだった。ただここで言いたいのは、俺が影響を受けた音楽は、Hip Hop だけではないということ。TPOK Jazz、Empire Bakuba、Les Bantous de la Capitale、Nina Simone をはじめとするコンゴ共和国音楽、ディアスポラのアフロミュージック。さらにアフリカや世界の文学など、多岐にわたる。

——初期キャリアでは色々なグループに所属していました。Brigade Ö、Temple "K"、Big Mortel A4、Gangsta Clan など。印象深いグループはありますか？

一番印象に残ったグループは、なんといっても Brigade Ö。俺がキャリアをスタートさせたグループだし、多くの試練や経験を与えてくれた。

——本名の Moyi Mbourangon 名義で、詩集、小説を執筆しています。好きな詩人や作家は誰ですか？

そうだね、今まで俺は 2 冊の詩集を執筆した。『Le Poids des Maux（邪悪の重み）』（2016）と『Pour que l'Humain Survive（人類が生き残るために）』（2018）だ。小説『L'Aube d'un avenir avorté...（中断された未来の夜明け……）』は書き終わっていて、現在出版社を探している。影響を受けたのは Sony Labou Tansi、Guy Menga、Tchicaya U Tam'si といったコンゴ共和国を代表する作家。そして外国の作家では Charles Baudelaire、James Baldwin、Aimé Césaire、Léon Gontran Damas らといったところだね。

——デュオ 2 Mondes としても活動していました。2 Mondes 時代はいかがでしたか？相方の Vhan Dombo も亡命しました。彼と連絡は取りあっていますか？

2 Mondes は、私が芸術的に成長できたグループなので、このデュオには良い思い出しかない。実際、Vhan Dombo (a.k.a Ya Vé) と俺は、話し合いもままならないゴタゴタの中で亡命したので、論理的にはグループは解散していないんだよ。彼が元気でいることは知っているし、会おうと思えばすぐに会えると思う。

——ここ数年、ほぼ毎年ヨーロッパツアーをしています。ライブの反応はいかがですか？

ようやくブルキナファソでの生活も落ち着いて、ヨーロッパの国々を回ることが出来るようになった。これらのツアーは大成功といっていいだろう。どの会場でもアツい反応が返ってく

ブラザヴィルは完全に見捨てられ荒廃している！

MV「Brazzaville Hardcore」(2015)

る。せっかくなので、俺はもっと多くの地域でライブをしたいと思っているよ、例えば日本とか（笑）。

——2020年からブルキナファソを拠点とする日本の現代音楽作曲家、藤家溪子がご自身の小説をオペラにしました。このコラボレーションはいかがですか？　日本での公演が楽しみです。

藤家溪子さんとのコラボは、俺のアーティストとしてのキャリアにおいて、最大の収穫だったね。彼女がやることは全てCool！　このオペラでは、俺の小説のストーリーとテキストが採用された。現在、世界中の人々に戦争や暴力が身近に迫る時代であるため、このプロジェクトはワールドツアーに値すると思う。

——2016年、亡命した直後にブラザヴィルのBeat Street AwardsでBest Hip Hop Artistを受賞しましたね。

当時、全てを捨ててブラザヴィルから脱出し、自信喪失により抑うつ状態となっていた。何せ国外に出るのも初めてだったし。亡命したばかりの頃に貰ったBeat Street

Awardsのトロフィーは、失意の中にいた俺にとって非常に貴重なものとなった。

——時折ブラザヴィルに帰ったりしていますか？　現在もまだ当局による拘束の可能性はありますか？

じつはブラザヴィルを脱出してから、足を踏み入れていないんだよ。もし俺が戻れば、刑務所か死か、というシャレにならない脅威が現実味を帯びているからな。

——ブルキナファソでもクーデター（2022）やテロ（2017）がありましたが、ワガドゥグーでの生活はブラザヴィルと比較していかがですか？

ワガドゥグーでは、状況を改善しようという意志のある人々が多いということが、コンゴ共和国との違いだね。現在進行形で政府も様々なプロジェクトに取り組み、国民はその経過を見守っている。

いっぽうでコンゴ共和国は、あらゆる異論を圧殺する独裁国家であり、国民との対話を拒否している。要するに、コンゴ共和国は外敵に攻撃されているのではなく、テロリストのように

振る舞う自国の指導者に攻撃されているのさ……。ワガドゥグーにはまだ多くのポテンシャルがある。しかし、**ブラザヴィルは完全に見捨てられ荒廃している！**

—— 志を共にする仲間と創設した市民運動「Ras le bol」の活動は、現在もブラザヴィルで続いていますか？　活動の成果はいかがでしょうか？

仲間とともに創設した市民運動は、今も続いているよ。しかしながら、政府当局の独裁と弾圧により、かなりやりにくい状態となってしまっている。ブラザヴィルやポワントノワールでは、抗議活動に警察の妨害はつきもので、デモ隊を激しく武力弾圧してくる。警察の暴力により市民を怯えさせ、その勢いを奪うつもりなのさ。

—— 2021年の選挙で、サスヌゲソ大統領が再選されました。いろいろ問題のある選挙であったと聞いています。

アイツを大統領とは呼びたくない。1997年のクーデター以降、ずっとコンゴ共和国の**選挙は茶番**なんだよ。暴力、インチキや突然のルール変更といったものは毎度の選挙につきものだ。我が国で行われた唯一の透明性のある民主的な選挙は、サスヌゲソが敗退した1992年の選挙だけ。それを踏まえると、サスヌゲソは選挙に一度も勝ったことがない。

—— ケニアの Influx Swagga、タンザニアの Professor Jay のように政治家になったラッパーもいます。こういったキャリアを考えたこ

「Coupe d'Afrique」（2018）MV のロケ地はワガドゥグーの英雄記念塔

とはありますか？

なるほど、政治家として飛躍できるラッパー仲間がいることはとてもいいことだし、アイデアも湧いてくる。しかし、今のコンゴ共和国の政治情勢を考えると、国会議員になったからといって、何か変わるとは思わない。まず独裁者とその子分たちを追い出し、政権を一旦白紙に戻してから、政治にコミットすることがベストだと考える。

—— しばしば詩や歌詞で旧態依然とした独裁政権への批判をテーマにします。このようなアフリカ諸国の専制政治に対し、言いたいことはありますか？

専制政治は、アフリカ大陸の前進と発展を妨げている。俺の作品では専制政治をはじめとする有害な古臭い因習を非難している。こういった俺の詩と音楽を人々の心に届け、変化を求める反乱の種まきをしているともいえる。

—— 最後に日本の Hip Hop ファン、アフリカの人権問題に関心のある人たちにホットなメッセージをお願いします。

日本の Hip Hop ファンの皆さんには、「いつもローカルのアーティストを大事にしてくれ」と言いたい。社会的政治的な問題に関して、ポジティブに闘う**表現者たちを応援してあげてくれ！**

そして、人権擁護、社会正義、グッドガバナンスのために戦っているアフリカのアーティストに対する支援のお願いも付け加えておきたい。

本人 Instagram より

© : Facebook

Jeunesse

2020

A6 名義でのアルバム、11 トラック収録。シングルカットされた「Dingue」「L'invité n'invite pas」は、キャッチーな踊れるトラック。全体を通してクラブレディな音作りだ。ガチな Hip Hop をお望みなら、Trap サウンドを採用している Diesel Gucci 名義ソロ作品をオススメする。

Diesel Gucci

🏴 国：コンゴ共和国　🔺出身地：ブラザヴィル　📍拠点：ブラザヴィル　🔁活動期間：2010-
🔺本名：Moufouta Borly Jean Rey　▶　◯　◯ 32

ブレイクダンス出身、あざとく高級
ブランドのダブルネームを名乗る！

　風俗店の店名で「サンローラン」「シャネル」など、高級ブランドにあやかった店を目にすることがある。ラグジュリアスな嬢を揃えていそうな雰囲気をアピールする常套手段だ。もちろん不正競争防止法に違反しており、実際に高級ブランド本社からの訴訟がニュースになったりする。また、ラッパーが高級ブランドをテーマとしたトラックをドロップしたり、MV で見せつけたりするのも定番である。そして、ブラザヴィルにはイタリアのプレミアム・カジュアル Diesel と、同じくハイファッションブランドの Gucci をステージ名にした Diesel Gucci がいる。ブランドに訴えられないか、はたまた、あの Gucci Mane にあやかったのか気になるところだ。

　2010 年、ブレイクダンサーとしてデビューした Diesel Gucci は Dance Crew Cg の Best Dancer に選出された。このコンペで知り合った仲間とグループ A6 を結成。2013 年、クラブバンガーなシングル「Makossa」がヒット。以降、独立記念日コンサート、Festival Panafricain de Musique（FESPAM）といった大ステージを経験し、Sony Music France と契約。Africa Music Awards 2016 では Best Local 賞を受賞。Beat Street Awards ではシングルおよびデジタル部門のダブル受賞となった。2020 年にはアルバム『Jeunesse』をリリース。

　前後するが、2019 年からは Diesel Gucci 名義でのソロ活動も開始。「Lisolo」「Lol」といったシングルが好評を得た。

Mfumu Mavula

14 トラック収録の 1st アルバム。この作品の前にミックステープを 3 巻試作、それをまとめた作品である。「Muana l'école」や「Vrai congolais」などのシングルがヒットした。ただし、One Mic Music レーベル時代の音源は、大手ストリーミングサービスでは提供がないので、本人の SoundCloud か、YouTube などでチェックするほかないのが残念だ。

Key Kolos

©：Facebook

🇵 国：コンゴ共和国　◉ 出身地：ブラザヴィル　◉ 拠点：ブラザヴィル
👤 本名：Koukola Kennedi Franklie Lange　▶ ※一部　💿 7

ローカルに敬意、フランス語から
リンガラ語、そしてブラザヴィル方言へ！

「俺はラップをするのでラッパー」

Music in Africa のインタビューにて、自分のジャンルに関してそう答えた Key Kolos。Hip Hop ではなくラッパーと答えるあたりが、外している感があるものの単純明快だ。ただし、「俺はクソをするのでクソ野郎」というロジックも成立してしまう。

冗談はさておき、ブラザヴィル出身のこの若手ラッパーのアウトラインを紹介してみよう。ステージ名の Key Kolos は姓名の一部分 Koukola Kennedi を短縮したもの。中学生の頃から Hip Hop に親しみ、50 Cent、MC Solaar、Shaggy といったあたりを聴きまくる生活を送る。ようやく 2007 年の大学卒業

辺りでフランス語と英語の作詞を始め、2008年、Busafu Squad に加入し本格的に音楽活動を開始。2010 年からソロ活動開始、現地語のリンガラ語、キツバ語、そしてブラザヴィル周辺で話されるラーリ語での作詞にシフトしていく。理由は若者だけではなく、キッズ、親世代にもアプローチするためである。その先には、コンゴ共和国国民の意識やモラルを高めることが目的だと語っている。売れなきゃしょうがないという現実があるのも正直なところだ。

普段のライブはフェスや学園祭などのステージが中心、また、Papa Wemba、Booba、Soprano といった大物の前座も経験している。現在までに『Mfumu Mavula』（2013）ほか 3 枚のフルアルバムをリリースしている。

ンクルマ、ニエレレ、サンゴール、 マルコム X に影響されたユニット！

Filhos da Ala Este

© : Facebook

🔍 🏴 国：アンゴラ ✚出身地：ルアンダ 📍拠点：ルアンダ 💬活動期間：1996-
ℹ️ グループ中心人物：Wima Nayobi、Dyala Ka Kilunje ▶️ ∞3

　「影響を受けたのは？」とインタビューされたら 2Pac、50 Cent、Jay Z といった名を答えるのがアフリカの Hip Hop アーティストの相場。ところが、グループ Filhos da Ala Este はサンパウロ大学の人文雑誌『Revista Crioula』第 19 号のインタビュー冒頭にて、ンクルマ、ニエレレ、サンゴールほか独立を導いたアフリカの政治家、そしてマルコム X、アミルカル・カブラルら活動家の名をリストアップした。

　Filhos da Ala Este は 1991 年、Wima Nayobi、Dyala Ka Kilunje、Cristo、Adhamou、Revolucionario ら数人の MC によりアンゴラの首都ルアンダで結成された。その後 Wyma Nayoby、Hebo Imoxi らも加入、流動的なメンバー構成ながら、現在も活動中のグループである。アンゴラ Hip Hop 史の生き字引ともいえる。グループ名はメンバーの多くが住むルアンダの東地区に由来する。1995 年にレコーディングを開始。折しも MPLA（アンゴラ解放人民運動）と UNITA（アンゴラ全面独立民族同盟）が内戦を続けている中、若者

Bootleg EP

🕐 1999

Filhos da Ala Este 初の EP。録音はお世辞にもよろしくなく、「Ideal De Paz」に代表されるようにトラック音源もおもちゃのシンセを使ったのかと思えるほどチープ。とはいえ、思いと勢いはグイグイくるラップだ。当時彼らが録音したムセケ地区のスタジオは、飛行場の近く。離着陸の合間を縫って 10 分以内の一発録りだったとのこと。

の間で Hip Hop が大流行。多くのラッパーがカンブリア大爆発の如く登場した時代である。

　冒頭で紹介した通り Filhos da Ala Este は社会問題に対する意識が高く、アンゴラの政治腐敗、貧困などに鋭く切り込む作風。そしてアンゴラで最初に政治を Hip Hop に持ち込んだグループとしてヘッズに認識されている。諸事情でフルアルバムといえる大作が未発表なのが惜しいところだ。

ヒップホップアフリカに影響与えた政治家

Zlatan「Oganigwe」(2023) 胸にンクルマの肖像

Hip Hop の誕生は 1970 年代のポスト公民権運動時代。しかしながら、現在も公民権運動の英雄マルコム X やキング牧師をリスペクトするラッパーは多い。もちろんアフリカでもこの二人は多くの尊敬を集めている。そして、列強による植民地支配が長く続いたアフリカ諸国、やはり 20 世紀中盤の独立の英雄は、アフリカの Hip Hop シーンに何らかの影響を与えている。

1950 年代、イギリス領ケニアで、反イギリス民族解放闘争を行った秘密結社マウマウ団。先住民のキクユ族を中心に結成され、「白人の奪った土地を我らに返せ」をスローガンとした。このマウマウ団を模した Clan が、Kalamashaka と Kaa la Moto の項で紹介した Ukoo Flani Mau Mau だ。

そして 1960 年「アフリカの年」。ガーナを筆頭に多くの国が独立を果たした。クワメ・ンクルマは Highlife をガーナの国民的音楽と宣言。E.T. Mensah & The Tempos などのバンドは、彼のアフリカ化政策を推進するため、アフリカ諸国を歴訪した際に同行した。大統領就任後、クーデターにより失脚するが、現在も建国の父として、若い世代中心に評価されている。その影響はナイジェリアの Zlatan が肖像のタトゥーを彫り、ケニアの Khaligraph Jones がオマージュトラック「Kwame」をリリースするなどアフリカ全土に及ぶ。

タンザニア初代大統領ジュリウス・ニエレレが 1967 年に発表した「アルーシャ宣言」の中で、「ウジャマー（家族愛）」を呼びかけた。結局彼も失政が重なり失脚するが、1980 年代に勃興したタンザニアの Hip Hop シーンで「ウジャマー」が再評価された。また、Bongo Flava の語源となった用語「Ubongo（頭脳）」は、1970 年代後半にニエレレ大統領が行った演説に由来する。

2021 年に 97 歳で亡くなったザンビアのケネス・カウンダ初代大統領。なかでも 96 歳の誕生日を記念した Natasha Chansa による「Kenneth Kaunda」では、普段は極悪なルックスの女ラッパーが、MV ではメガネ地味子となる変身ぶりを見せた。リスペクト度合いが別格ということだろうか。

2006 年、セネガルの偉大な詩人でもある、レオポール・セダール・サンゴール初代大統領の生誕 100 周年を記念し、映像、本、CD が一体となった豪華 Box『Les Rappeurs Chantent Senghor』がリリースされた。本書で紹介しているガボンの Movaizhaleine をはじめ、フランコフォン諸国から 8 人のラッパーが参加している。

不良から地味子に変身 Natasha Chansa「Kenneth Kaunda」MV(2020)

植民地支配に抵抗した建国の英雄は、国民の代弁者でもある。テーマとしやすいため、今後も新たなトラックが制作されるであろう。

c：アンゴラ公共 TV「Live no kubico com os SSP 27.09.2020」

TELEVISÃO PÚBLICA DE ANGOLA　　A 006 0006 0000 0171 6245 3020 5

90 年代ドイツから帰国、00 年代 アンゴラのトップを獲ったグループ！

📍 国：アンゴラ　⦿ 出身地：ルアンダ　🔍 拠点：ルアンダ　💬 活動期間：1992-
👥 グループ中心人物：Big Nelo、Paul G　▶ ● ㏄ 576

　ポルトガルのポピュラー音楽マーケットにて、20％の売り上げを誇るレーベル Vidisco。1993 年のスタートアップとそれなりに歴史はある。特にコンピレーションアルバム制作に強く、ダンスミュージックでは首位とのことだ。また、ポルトガル語圏のブラジルやアフリカ諸国からも、アーティストを多数掘り起こしている。

　その Vidisco レーベルに見いだされたのが、SSP（South Side Posse）だ。1992年、Big Nelo、Paul G、Jeff Brown、Kudy の 4 人で結成。当初は Big Nelo の住んでいたドイツで活動していたが、翌 1992 年、アンゴラに拠点を移す。学校、公民館、バーでのライブを中心に活動していたが、1996 年、Vidisco との契約を勝ち取る。そこで生まれたのがアルバム『99% de Amor』だ。2ndアルバム『Odisseia』（1998）では南アフリカ、モザンビーク、カーボヴェルデ、そしてイギリス、ポルトガルとアフリカとヨーロッパをツアー。Rádio Luanda にて Best Album と Best Hip Hop Group 賞を受賞した。『Alfa』

99% de Amor

Ⓐ 1996

　ポルトガルの大手レーベル Vidisco と契約し、リスボン郊外のアマドラにてレコーディング。アンゴラの Hip Hop グループとしては初。「Paixão (Tânia)」に代表される 1970 年代風 Funk や Dancehall ナンバー「Te Quiero」など、1996 年を基準としても古臭さは否めない。とはいえ、アンゴラ Hip Hop 史の重要なマイルストーンの 1 枚である。

　（2000）ではアンゴラサッカーの聖地シタデル競技場にて、Hip Hop としては初のアリーナライブで満席にした。ツアー先もマカオ、ブラジルが追加された。

　2003 年と 2006 年には Big Nelo、Jeff Brown の二人で『Amor e Ódio』『Momento da Trajectória』を SSP 名義でリリース。レコーディング活動はここで途絶えた。以降思い出したようなタイミングで復活ライブを行っている。

Revolta à Cruz Ⓐ 2019

13トラック収録のフルアルバム、とフツーに紹介したいところだが、初っ端の「Intro (Discurso de Paris)」に全てを持っていかれてしまう構成だ。なんと Intro なのに演奏時間は 17 分 14 秒！しかも演奏していない(笑)。スピーチというかアジテーションが 17 分間続くのだ。さすがラッパー、演説も滑舌がよく政治家向きだ。よって 2 トラック以降の印象があまり残らない怪アルバムである。

Ⓒ：Facebook

🇦 国：アンゴラ　📍出身地：ルアンダ　📍拠点：ルアンダ　📅活動期間：1988-　👤本名：Bruno dos Santos　16

銃で脅され、大統領賛美の曲制作、褒美を貰いフランスへ亡命！

　なぜブラジルのお菓子は激甘なのだろうか。その最右翼ともいえるチョコレート菓子ブリガデイロ。チョコスプレーでコーティングされたトリュフだが、ド派手な色目もある。1940年代、大統領選候補のゴメス准将（ブリガデイロ）陣営の宣伝のために菓子職人が考案したとされ、同じポルトガル語圏のアンゴラでも定番スイーツとなっている。

　Brigadeiro 10 Pacotes は 10 個入りパックのブリガデイロをそのままステージ名にしたベテランラッパー。ただし、甘くはない。1988年、ローカルのブレイクダンスグループを結成。1991年にブラジルのラッパーGabriel o Pensador、Thaíde の影響でラップを始める。1996年に友人らとグループPelotão Weza を結成するも、音楽性の違いからソロへ転向。政権批判のトラックばかり制作するようになり、政府当局にマークされるようになった。2008年には議会選挙公布直前に逮捕、3か月間の拘留の後、「サントス大統領賛美の曲を作れ」と銃で脅される。報酬として高級 SUV、100万ドルの手形、郊外の邸宅を贈られた。完全に日和ったとみられたが、そこは作戦。2010年、これらを処分し、フランスへ逃亡。政権批判はさらに過激となる。ルアンダでは警察当局による CD 狩りが行われた。

　ロウレンソ政権となりアンゴラに帰国するも、2020年11月には毒を盛られた疑いで入院。2022年の選挙では政治プロジェクトRentes-PJ の政党申請が妨害され、結局参戦できなかった。また最大野党 UNITA からも中傷され、全方位敵だらけの状態となっている。彼が国会議員の椅子に座る日は、果たしていつになるのだろうか。

© : Facebook

Angola Dream Boy

Ⓐ 2008

初のフルアルバム、14トラック収録。もちろん、メンターの Big Nelo は「Tal Puto Tal Kota」で参加。ほかに Anselmo Ralph、Pereira、Edmázia Mayembe といった R&B シンガーもゲスト出演。アルバム全体を通してキャッチーなナンバーが揃っているため、聴き疲れることはない。アンチが指摘する Lil Wayne オマージュを探してみよう。

Cage One

🔘 国：アンゴラ　◉ 出身地：ルアンダ　⑧ 拠点：ルアンダ　▣ 生年：1987　⊘ 活動期間：1999-
🔘 本名：Sérgio Alexandre Jota Manuel　▶️ ⑤ ※一部　⑥ 277

SSP のバックダンサーから大出世、
アンゴラのヤングヒーロー！

　人権問題を中心に欧米メディアが取り上げるためか、アンゴラのラッパーはコンシャスラッパーが目立つ印象が強い。とはいえ、現地では「カネ、パーティー、女の子」といった脳天気かつキャッチーな売れ線狙いの Hip Hop のほうが人気だ。

　SSP もその代表格である。その SSP の Big Nero の舎弟ともいえるのが、Cage One だ。1987 年生まれ、小学生の頃より Notorious B.I.G.、2Pac に親しみ、SSP のダンサーを皮切りに、Warrant B、そして Big Nero のプロジェクト B26 にて才能開花。第 1 世代の Hip Hop Nacional 時代を築いたのは Big Nero の世代、Cage One らの世代はその後の Nova Escola ムーブメントとの中間地点である。2008 年、初の

アルバム『Angola Dream Boy』に続き、『Angola Young Hero』(2011)、『Angola Most Wanted』(2013)、『Mais Que Um Rappe』(2017)、『A.B.R.a. (Angolan Best Rapper Alive)』(2019) がリリースされている。いずれも、アルバムタイトルが少々自画自賛な点に注目したい。

　また、アンゴラの大手ライフスタイルメディア『PlatinaLine』のインタビュー (2011) にて、「アンチが Lil Wayne のコピペと言ってますが？」と突っ込まれるも、半ば質問を無視し、いかに自分が Lil Wayne の熱心なファンであるかを語った。いまや、アンゴラを代表する大物。2020 年にはアメリカの BET Hip Hop Award に招待されるなど海外での活動も本格化している。

© : Facebook

Outro Nível   Ⓢ 2021

夫 で あ る Cage One
共同名義の聴かせる
R&B ナンバー。ゲスト
に 人 気 Kizomba シン
ガ ー の Anna Joyce。
Elisabeth Ventura はブ
リッジ部分でラップして、
曲を盛り上げている。意
味深な MV ではパラレル
ワールドの女ギャングと貴婦人とのギャップを味わえ
る。

Elisabeth Ventura

🔍 　📍国：アンゴラ　◈出身地：カクアコ　⚲拠点：ルアンダ　🗓生年：1998　〰活動期間：2012-
👤グループ中心人物：　▶　Ⓢ　∞ 6

美しすぎるモデル体型、石油生産工学の
リケジョ Trap アイドル！

　石油やダイヤモンドなどの天然資源にも恵ま
れ、内戦終結後は順調な経済発展を遂げてい
るアンゴラ。そうなると花開くのはさまざま
なカルチャー。アンゴラの Hip Hop 界も、激
しい政権批判を行うレベルミュージックからメ
ジャーな売れ線まで、硬軟併せて発展してき
た。女性ラッパーも 2009 年ポルトガル帰り
の Eva Rap Diva の登場以降、何人か成功し
ている。

　そこで、Nova Escola 世代を代表する女
性ラッパー Elisabeth Ventura を紹介しよ
う。1998 年、首都ルアンダの郊外カクアコ
生まれ。2012 年より作詞作曲を始め、大学
在学中の 2018 年にシングル「Te Ignoro」
にてメジャーデビュー。ちなみに専攻は石油生

産工学のリケジョである。立て続けに「Sou
Boa」「Visão」「Assim Tá Bom」「Tampa
da Minha Panela」をリリース。これらのト
ラックはラジオ局はもとより、テレビでも MV
が大いにオンエアされた。

　「Sou Boa」や TikTok に投稿しているフリー
スタイルから分かるように、ハイスピードラッ
プをシームレスにつなぎ、テクもある。アグレッ
シブな Trap Music が得意ながら、R&B、
Pop Urbano、Kizomba も OK。中学生の頃
から Funk、Guetho Zuk を作曲した下地が生
きている。

　私生活では Cage One と 2021 年結婚、
テレビのトークショーでも仲の良さを見せてい
る。アンゴラ最強の Hip Hop カップルである。

© : Facebook

🏴 国：アンゴラ 📍出身地：ルアンダ 🎤 拠点：ルアンダ 〰 活動期間：2007-
👥 グループ中心人物：Lil Boy、Lil Fox 📺 ▶ 💿 cⓢ 246

キャリア 15 年以上の
Kings do Trap Angolano!

とある経済誌の記事によれば、我が国のヤングファミリー層の定義は、高校生くらいまでの子供を抱える世帯を含むとのこと。すなわち 20 〜 50 代までヤングファミリーということだ。いくら晩婚化が進んだとはいえ、40 〜 50 代をヤングと呼ぶのはどう考えてもムリがある。これでは中年ファミリーだ。

アンゴラの Young Family は、2007 年から活動。Nova Escola シーンをターゲットに、So Much More Records レーベル CEO の Negro Bué と Double S の呼びかけで結成されたグループである。当初のメンバーは Lil Boy、Lil Fox、Lil Fat など全員中学生高校生世代。我が国とは違い、キャリア 15 年以上でも正真正銘のヤングファミリーだ。2017 年までに 5 本のミックステープを発表。2015 年から 2017 年にかけて、さらにメンバーが加入し、現在は 8 人グループとなっている。

2018 年 8 月 8 日には 8 人のメンバーに敬意を表してミックステープ『8』をリリース。全 8 トラックどころか、倍以上の 17 トラッ

Gas Station　　　　　　Ⓐ 2018

Young Family 公式サイトの壁紙にもなっているカバーワークが印象的だ。バンガーな「So Fogo」からバラードの「Dodói」まで多彩。Trap Music という縛りの中で引き出しの大きさを示している。「Não Liga」は Elizabeth Ventura がゲスト参加。リッチな Trap が聴きたければオススメの盤。

クを収録した。2018 年のミックステープ『Gas Station』、2019 年の『No Cap』が躍進への転機となった。「Tá se put」「Segue vem」といったシングルヒットにも恵まれ、Nova Escola、さらに Trap Angolano での地位を確立した。

また、2021 年には、大手ライフスタイルメディア『Platina Line』の人気投票で 1 位を獲得。アンゴラのヘッズに支持されていることを証明した。

©：Facebook

Vert Rouge Jaune   Ⓐ 2003

Cameroon Music Awards にて、Best Album of the Year、Best Score of the Year をダブル受賞したアルバム。全14トラック、Ak Sang Grave、Teek、Fulaw といったカメルーンのビッグネームをゲストに迎えた。特に大ヒットとなった「Jamais」は、ギター、ジャンベ、ボーカルで参加した Funkiss、Dar-X の仕事ぶりも注目である。

Krotal

▶ 国：カメルーン　◆ 出身地：ヤウンデ　🎯 拠点：ヤウンデ　📅 生年：1975　💬 活動期間：1989-
👤 本名：Paul Edouard Etoundi Onambélé　📺 💿 ※一部　📀 93

1989年、カメルーン最初の一歩を
踏み出したゴッドファーザー！

　カメルーンに Hip Hop が上陸したのは1980年代半ば。最初はブレイクダンス、Yaoundé City Breakers なる B-Boy グループもいた。1980年代後半には、留学生や海外在住者から持ち込まれた音源が広がり、ラップも人気となる。この時代から活動を続けているのが、ゴッドファーザーともいえる Krotal である。

　1975年首都ヤウンデ生まれ。1989年、カメルーン初のラップコンテストにエントリーし、本格的キャリアスタート。1990年代に入るとグループ Anonym と Magma Fusion を結成。1997年のフェス Rencontres Musicales de Yaoundé（REMY）では、セネガルの Positive Black Soul の前座も務めた。これがきっかけでダカール遠征が実現。

Magma Fusion として Dakar Rap Festin' に参加し、Fabe、Koma、Daddy Nuttea、Supernatural といった大物とステージを共にした。2002年ステージ名を現在の Krotal に改名。そして、2003年1st アルバム『Vert Rouge Jaune』をリリースした。このアルバムからシングルカットされた「Jamais」が大ヒット。2004年にはオーディション番組『Dream Coca Cola』の制作に携わった。2008年には、自身のレーベル Ndabott Productions を設立。2010年サッカーワールドカップ南アフリカ大会の公式ソング「Everywhere You Go」にも参加した。

　2012年、久しぶりのアルバム『La B.O. de nos life』をリリース。以降『Cœur de lions, peaux de panthères』『Ouvre les Yeux』を発表した。

首都ヤウンデ発、バッサ語をフィーチャー、
カメルーンから海外進出した先駆け！

c：MV「A Man Guinn Do」

🄿 国：カメルーン　🄓 出身地：ヤウンデ　🄶 拠点：ヤウンデ　🄕 活動期間：1995-
🄗 グループ中心人物：Sadrake、Sundjah、Evindi　▶ 🄯 ⚏ 22

Negrissim'

歴史的経緯からカメルーンではフランス語と英語が公用語となっている。ただし、圧倒的にフランス語話者が多く、英語はナイジェリアに近い北西部で話されている。シーンが熱いヤウンデやドゥアラは元々フレンチラップ、近年は英語もミックスされる。

「Hip Hop de la Brousse」というコンセプトでスタートした Negrissim'。ヤウンデの山の手地区シテ・ヴェルトにて 1995 年に結成。Sadrake（バッサ族出身）、Sundjah と Evindi 兄弟（ベティ族出身）、後に加入脱退した Boudor の 4 人組。ヤウンデのアンダーグラウンドシーンで注目を集めた。フランス語ラップに Sadrake のバッサ語をフィーチャーしたスタイルが特徴だ。

2000 年、ストリート、政治批判をテーマとした 1st アルバム『Appelle ta grand-mère』が国内でヒット。Boudor 脱退後、3 人は西アフリカのナイジェリア、ニジェール、ブルキナファソ、マリを転々とする。フェスに参加したり、地元ラッパーとセッションしたりと修行の旅だ。2002 年末、セネガルの首都ダカールに到達。ここで彼らの運命を変える

Bantoo Plan Vol.1　　🄐 2012

折衷的な彼らのフレンチラップとアフリカンサウンドを、さらに実験的で難解なスタイルに進化させた作品。「Je rêve de faire un gosse à une extraterrestre（宇宙人を産むのが夢）」に代表されるように Negrissim' からの挑戦状ともいえる。テーマは社会的抑圧、汎アフリカ主義と相変わらずアツい。

DJ Max a.k.a. Nomad Wizard との知遇を得る。DJ Max の提案でフランスに拠点を移し、2009 年に『La vallée des rois』をリリース。フランス語圏中心であるが、ワールドワイドなポジションを得た。メンバーそれぞれの拠点はバラバラになったが、2012 年、『Bantoo Plan Vol.1』をリリース。RFI チャートで 1 位まで上昇した。

2018 年『Bantoo Plan Vol.2』リリース以降、目立った活動は見られないが、カメルーンから飛躍したグループの先駆けである。

ドガチミ ペイッ イミーデ
STANLEY ENOW

カメルーン国内紛争の地、 北西部英語圏出身の大物！

ⓒ : MV「King Kong」

🏴 🔴 国：カメルーン　◉ 出身地：バメンダ　⬢ 拠点：ドゥアラ　🔲 生年：1985　💬 活動期間：2007-
▶️ ⚫ 🔵 ♻ 948

Stanley Enow

　2016年から分離独立派の動きが激化した
カメルーンの北西州と南西州。ナイジェリア
と国境を接するこの地は、かつてイギリス領
だったこともあり英語圏（アングロフォン）で
ある。カメルーン国内では20％ほどの少数派
で、政治的にも長年冷や飯を食わされてきた地
域だ。この地のHip Hopシーンでは、アメリ
カやナイジェリアのモノマネが多く、ようやく
2010年代に入りオリジナリティ溢れるアー
ティストがみられるようになった。

　Stanley Enowは1985年北西州の首都
バメンダ生まれ。英語圏で生まれ育ったが、
高校からは西部州のバフサム。高校時代から
ブレイクダンス、作詞を始め、地元ラジオ局
のパーソナリティなどを務めた。2007年
から、最大都市のドゥアラのフランス文化セン
ターに移籍、同時にドゥアラ大学で学ぶ。
2013年リリースのデビューシングル「Hein
Père」が大ヒット。この成果により、第1
回 Cameroon Academy Awards で Male
Artist of the Year と Urban Artist of the
Year を受賞。カメルーン人初の MTV Africa

Soldier like Ma Papa

🅰 2015

大ヒット「Hein Père」
「Tumbuboss」含む全
17トラック収録。「Hein
Père」が2013年なの
にアルバムは2015年？
これは本邦同様、先にシ
ングル、売れたらアルバ
ム制作というカメルーン
の制作手法によるもの。
タイトルは、退役軍人である父に敬意を表している。
また、Sarkodie, Ice Prince といった国外のビッグ
ネームがゲスト参加している点も注目だ。

Music Awards の Best New Act も獲得し
た。2015年、1stアルバム『Soldier like
My Papa』、2019年には2ndアルバム
『Stanley VS Enow』をリリースした。

　冒頭の話に関係するが、2020年、分離独
立派と政府当局の戦闘に関して苦言を呈したと
ころ、分離独立派からテロリスト呼ばわりされ
るなど激しく非難された。双方とも暴力はやめ
ようという提言だったにもかかわらず、同じ北
西州出身同士なのに理不尽である。

ヘビーな lyrics、カメルーン最大の都市 ドゥアラ出身のシンデレラ！

© : MV「C' la faute à pa'a Biya」

🅿 国：カメルーン　◆出身地：ヤウンデ　📍拠点：ヤウンデ　🎂生年：1984　📅活動期間：2002-
👤本名：Rosine Mireille Obounou　▶️　🔴　💿 39

Lady B

Ma Colère

🅐 2006

「私の怒り」と題された アルバム。カメルーンお よびアフリカ諸国の女性 への虐待防止がテーマ。 Lady B 周囲の女性の経 験談をもとに、当時本人 もボーイフレンドから DV を受けていたという lyrics はヘビー。「Intro」 のポエトリーリーディングをはじめ、下積み時代様々 なジャンルで歌っていたキャリアが反映されている。

　大西洋に面したカメルーン最大の都市ドゥア ラ。カメルーン経済の中心地だ。中部アフリカ 地域で最大級の Douala Music'Art Festival （以前は Douala Hip Hop Festival）が開催 されるなど、Hip Hop シーンもアツい。

　このドゥアラのバーで歌っていた Lady B の シンデレラストーリーを紹介してみよう。ロー カルで歌のうまさが評判となり、フランス文化 センターにてレバノンのラッパー Clotaire K の前座を務める。そして、Krotal 監修のオー ディション番組『Dream Coca Cola』にて勝 利。番組勝利者 5 人のコンピレーションアル バムにてデビューした。1984 年生まれとい うことで、カメルーンの女性ラッパーとしては パイオニアである。

　2004 年より、国外のフェスにも出演する ようになり、2006 年には初のソロアルバム 『Ma Colère』をリリースした。同年、中部 アフリカを対象とする Gabao Hip Hop（現在 は Gabao Festival）にて Best Liberation of the Year に選ばれる。2nd アルバム 『La Fille Béti』（2008）『Another Part of Me』（2010）『Au pays des femmes sages』（2012）と順調にアルバムをリリー ス。しばらく間をおいて 2017 年、彼女は『C'la fault à Pa Biya』というタイトルのシングル でシーンに復帰した。

　「何でもビヤ大統領の責任にせず市民とし ての自覚を持って」、と厳しい lyrics は賛 否を巻き起こした。2018 年には、『Black Progressiv'』をリリースした。

©：Facebook

Mboko God
 2015

唯一無二、孤高の Mboko。前作『HIV』以上にカメルーンにはそれまでなかった音作りとなっている。プロデューサーの Le Monstre は Jovi の別名義、完全なセルフプロデュースで制作した。「Bastard」などンゲンバ方言の Reniss をはじめ、リンバム、ドゥアラ方言のアーティストも参加している。とにかく孤高なので、まずは聴いてみよう。

Jovi

⊕ 国：カメルーン ◎ 出身地：ドゥアラ ◎ 拠点：ヤウンデ ▣ 生年：1983 ～ 活動期間：2011-
⊕ 本名：Ndukong Godlove Nfor ⊕ 別名義：Le Monstre ▶ ◎ ◎ 921

インドでサウンドエンジニアリングを学び
独自スタイル Mboko を確立！

カメルーンの音楽チャートでは、Makossa や Bikutsi などのダンスミュージックが人気である。Hip Hop は存在感はあるものの若干マイナーという、アフリカ諸国でありがちな傾向だ。しばし停滞気味であったカメルーン Hip Hop シーンにおいて、大胆にも Makossa や Bikutsi と Hip Hop を融合させたラッパーがいる。そして、Mboko という独自のスタイルを確立した。

1983 年ドゥアラ生まれの Jovi はヤウンデ第二大学を卒業し。本当はイギリスに留学したかったのだが、予算の都合でインドはベンガルールに留学、サウンドエンジニアリングを徹底的に学ぶ。2012 年、シングル「Don 4 Kwat」が Trace Urban と Channel O でヘビーローテーション。続く「Pitié」は、BBC の Destination Africa で最高5位まで上昇、数か月間チャートに留まった。同年 1st アルバム『HIV (Humanity is Vanishing)』をリリース。そして 2015 年、自身のラップスタイルを冠した『Mboko God』をリリース。英語、フランス語、ピジン英語、およびフランカングレ（フランス語、英語、ピジン英語のミックス語）を駆使し、Trap Music と Makossa などカメルーンのローカルサウンドをハイブリッドさせた。一方、MTV Africa Music Award（MAMA）にノミネートされたにもかかわらず欠席。同じレーベル以外のアーティストとは滅多にコラボしない、など孤高ぶりが現地メディアで取りざたされる。

Stanley Enow とも beef 状態となったこともある。

Mission à Mbeng Ⓐ 1999

ガボンの伝統的なメロディーとムヴェット、ンゴンビ、ムゴンゴといった弦楽器、そしてファング族の儀式 bwiti をモチーフとしたビートを採用。ネタがないのに 20 曲ぐらいは持ってるとスタジオを提供したプロデューサーに見栄を張り、わずか数日で書き上げたという作品。全 12 トラック。

© : Facebook

▶ 国：ガボン　◆出身地：リーブルヴィル　⊗ 拠点：リーブルヴィル　～ 活動期間：1992-
⊕ グループ中心人物：Lord Ekomy Ndong、Tough G　☺ 165

ガボンのレジェンド、そのユニット名は
フランス語で「口臭」！

　フランスのデュオ V2A4。メンバーの Klaus はオマール・ボンゴ大統領の甥、父親は内務大臣という実家の太さだ。1990 年、V2A4 の「African Revolution」が、ガボン本国にもたらされた。初めてのガボン人によるレコードである。同じころ登場した首都リーブルヴィルローカルの Siya Po'Ossi X らは、ストリートの労働者階級というパラレルワールドのようなシーンの立ち上がりであった。

　1992 年、国立レオン M'Ba 高校の生徒 Lord Ekomy Ndong、Tough G、Sky Powers、Evil Fancy、H2S の 5 人が Bad Breath なるグループを結成、「口臭」とは随分ヒドイグループ名だ。学園祭のステージでデビューし、機材を揃えてビートメイクも開始した。メンバーは Lord Ekomy Ndong、Tough

G、Lion のトリオに落ち着いた。1993 年、グループ名をフランス語の Movaizhaleine に改称、意味は相変わらず「口臭」だ。ラジオ及びフランス文化センターのステージ出演により、リーブルヴィルのヘッズに名を轟かせた。

　1994 年、方向性の違いから Tough G が脱退、デュオとなる。1995 年には Raboon、Acid Gangsta、Dikam、Poetic Gangsters らと Buk Drama なる Clan を結成した。1st シングルは 1994 年の「La Loi du Talion」。フルアルバムは 1999 年の『Mission à Mbeng』をはじめ、これまでに 4 枚のアルバムを発表。2016 年にはガボンの有力メディア『Info241』主催の Info Awards にてガボン芸術家賞を受賞した。

Chronique des Terres Arides Ⓐ 2014

自身のレーベル Marge d'Action Music からの 1st。全 17 トラック収録。「Fils d'Afrique」など半分ほどはギニア時代に知り合ったビートメーカー Tony Matti の手によるもの。ギニアをはじめ近隣諸国への旅にインスパイアされたという。中部アフリカのローカルフレーバーを感じ取ってみてはいかがだろうか。

Anonyme

🅟 国：チャド 🅞 出身地：ンジャメナ 🅟 拠点：ンジャメナ 🅘 生年：1986 ∿ 活動期間：2004-
🅐 本名：Magloire Tampélé ▶ 🔘

チャドからギニア医大に留学し、 医学博士号を取得したラッパー！

ソクラテス。ギリシアの哲学者ではなく、Doutor（医者）と呼ばれた往年のブラジル代表サッカー選手のほう。ニックネームの通りサンパウロ大学で医学を学んだインテリ選手だ。本邦では、メンバー全員歯科医師の J-Pop グループ GReeeeN。そして、偉大な漫画家手塚治虫が医学博士であることはよく知られている。

別名 Ndjamboy としても知られる Anonyme も、手塚治虫と同じく医学博士。1986 年生まれ、2000 年代後半に頭角を現し、2010 年代を駆け抜けた。10 代の頃、教会の青年部で作詞し発表したのが活動の最初。2004 年にギニアに医大留学。多くのラッパーと知り合い、Label State Production のオーナーを紹介される。2006 年、このレーベルと契約、シングル、コンピレーションをリリースした。後のアルバム制作で一緒に仕事をするフランス人の Tony Matti と出会ったのも、このギニア時代だ。大学卒業でチャドにいったん帰国し、「Mon Trésor」がヒット。2012 年には再び学業に専念し、博士号を取得した。

2014 年、Anonyme は『Chronique des Terres Arides』をリリース、そして 2019 年には『Comme un Seul Homme』『Farafina Victory』『Mukchacha』の驚異のトリプルディスクをリリース。この 3 部作は Crazy Missy、Bandimic Kyam、Ng Bling といった国内外の著名アーティストが参加している。

© : Facebook

Gardien du Temple

Ⓐ 2017

全10トラック、20年のキャリアを経て初のアルバム。タイトルはチャドラップの守護者を自任する本人のキャッチフレーズでもある。盟友ともいえる Daisson が「Esclavage」、Sultan が「Gardien du Temple」にゲスト参加している。売れ線狙いのニワカラッパーを dis するなど老害臭いが、本人曰くシーンの起源に立ち返ったとのことだ。

Imaam T.

🅿 国：チャド　◆出身地：ンジャメナ　🔍 拠点：ンジャメナ　〜 活動期間：1992-　💬 別名義：Turbo

中国人もビックリ、キャリア25年で
編み出した少林寺ラップ！

　チャドの首都ンジャメナに Hip Hop が上陸したのは、1980年代の終わりごろ。1990年代初頭には、Komplyss や Banlyeuzars などのグループが登場、メジャーな人気となった。Komplyss と Banlyeuzars らは、フランス文化センターの支援により、定期ライブの権利を獲得。これに対抗して Célestin Mawndoé、Love Nixon らは、ファラー文化大臣の支援を受け、後に影響力を持つ Génération 3R（Rap-Raga-Reggae）という団体を結成した。

　Imaam T. はその Génération 3R の系統、1990年代初頭よりシーンでは有名であった。同じく今も現役の Daisson とグループ Western Seven を結成。その後いくつかのグループを転々とし、ソロに。基本コンシャスラップの Imaam T. はラジオやテレビから声は掛からない。ライブ中心のアンダーグラウンドシーンで25年以上活動してきた。

　そこで生み出されたのが、本人が大好きな中国武術を採用した「少林寺」ラップだ。本人はもとより、ステージ上のダンサーも少林寺の小僧スタイル。少林寺の修行シーンを思わせるパフォーマンス、さらに中国風メロディのトラックにコンシャスラップというハイブリッドぶり。この何ともシュールなステージは、ぜひ体験してみたいところだ。その集大成が2017年のアルバム『Gardien du Temple』である。

　また、Hip Hop シーンの振興を目的に、DJ Boum が新旧のラッパーを集め結成したグループ Syndikat Toumaï Rap のアルバム『Tchad Meilleur』（2020）の録音にも参加した。

©：MV「Gue so」

MC Fonctionnaires

● 国：中央アフリカ ◆出身地：バンギ ◎ 拠点：バンギ 〜 活動期間：2006-
ⓘ グループ中心人物：Petrus、Rafale ▶ ◉

グループ名の意味は公務員、
メンバーは失業中の民間人！

　中央アフリカに Hip Hop シーンが生まれた
のは、1982 年。グラフィティアーティスト
の Supreme Galère が、ラップに転向してか
らと記録されている。彼は 1990 年代初頭に
首都バンギのフランス文化センターにて、MC
Solaar の前座を務めたということだ。2000
年代に突入すると Sector 0+、Le Staff、
Sons of Sun といったグループが人気を博
し、Gabao Hip Hop、Sümä Hip-hop といっ
たフェスが開催されるようになった。

　首都バンギでのシーンが過熱気味の 2006
年のことだ。KM5 のシカ ベンツ V 地区
で Petrus を中心に屯する若者たちが、グ
ループ MC Fonctionnaires を 結成 した。
Fonctionnaires とはフランス語で公務員、役
人という意味だが、もちろん彼らは公務員では
ない。かといって Hip Hop 一本で暮らしてい
けるわけでもなく、メンバーそれぞれ職業を持
ち、ダブルワークだ。フランスの民放 TF1 の
『Metronews』2014 年インタビューによれ
ば、当時全員失業中とのことであった。現在の
ようにストリーミングサービスが普及していな
いので、音源はライブやストリートでの CD 手

La Paix

Ⓢ 2013

影響を受けたというコモ
ロ系フランス人ラッパー
Rohff の『Le Son C'est
La Guerre（音は戦争だ）』
に対抗して Paix（平和）
を主張する。リリースは
ちょうどイスラム系反政
府組織が首都バンギを制
圧し、ボジゼ政権崩壊の
頃。宗教対立で数百人規模の死者が出るなど、さらに
状況が悪化した翌年、サンゴ語のバージョン「E ye
gui siriri」をドロップした。

売りであったという。といっても 2020 年時
点でインターネットの普及率は 10％なので、
ファンにアプローチするには、今でもやはりライ
ブ、ラジオが中心となるのは致し方ない。メン
バーは男性 5 人ほど、時期によって増減が
ある。女性メンバーもいた。

　現在、女ラッパーとして若い女性のロールモ
デルとなっている Cool Fawa は、大学生時代
このグループのメンバーであった。2017 年
の世界人権宣言 70 周年記念日には、国連平和
維持活動（MINUSCA）の支援により作成さ
れた人権啓蒙 MV を公開した。

© : MV「Toka」

Tongolo

△ 2018

全 15 トラック収録、タイトルはフランス語とンバンディ語から派生したサンゴ語で「星」という意味だ。子供たちの貧困をテーマとした「Godobé」、古のフレンチポップス風だがヘビーな「Mbi Na Mon」など、困難に面した中央アフリカを救うべく、団結、共有、尊重という普遍的な価値観をテーマとしている。

Djou Gotto

▶ 国：中央アフリカ ◉ 出身地：バンギ 🎙 拠点：バンギ 〜 活動期間：2014-
🔢 9

挨拶は Goudoubay、首都バンギは ストリートチルドレンが多い下町出身！

　自らを「アフリカのナポレオン」と称した中央アフリカ帝国初代皇帝ボカサ一世。前任の独裁ダッコ大統領からクーデターで政権を奪い取るも、さらに輪をかけた独裁政権を樹立し、皇帝宣言。国家予算の 2 倍以上の予算をかけた戴冠式を行い、世界の失笑を買った国家元首だ。返り咲いたダッコ政権以降、複数政党制が実施されるも 1990 年代に入ると深刻な財政難に見舞われ、軍の反乱を招く。結果、独立以来の頻繁なクーデターと長年続く内戦状態のため、経済は疲弊し、最貧国といわれている。さらにハーバード大学教授ロバート・ロットバーグが定義した「失敗国家」として知られる。このような国情のため、国民の約 30％が難民または国内避難民であり、Godobé と呼ばれるストリートチルドレンも多い。戦乱が続く中、2000 年前後には Hip Hop シーンが拡大した。

　Djou Gotto は、バンギにてストリートチルドレンが多いとされる地区 KM5 で育った。メポコ国際空港の東側に位置するゲットーだ。そのため、ストリートチルドレンを意味する Godobé を変化させた Goudoubé を自称している。挨拶に「Goudoubay」というフレーズも多用し、マーチャンダイズの T シャツのロゴにも採用とお気に入りのようだ。また、それまでフレンチラップが主流だった現地シーンにて、クレオールであるサンゴ語をラップに乗せた第一人者として知られている。サンゴ語のスラングは、まさに KM5 の厳しいストリートライフの可視化である。2015 年頃より頭角を現し、いくつかのシングルを発表。2017 年に惜しくも亡くなった Vey Zo とのコラボ「Soala」は、中央アフリカのエスプリ満載、とファンを喜ばせた。2018 年には 1st アルバム『Tongolo』をリリースしている。

© : Facebook

Banho Público

Ⓐ 2016

BANHO PÚBLICO

「公衆浴場」を意味する
タイトルは、サントメプ
リンシペ に住む人々の
社会参加のメッセージを
象徴している。郷土愛か
ら首都サントメのクラブ
Espaço Cacau にて 発
表ライブを開催した。CD
は 5 ユーロで配布したら
しいが、本人の SoundCloud にて無料ダウンロード
可能。また、女性に対する DV をテーマとした「Elsa
Figueira」はドキュメンタリー作品も制作された。

Pekagboom

★★ 🎤 国：サントメ・プリンシペ 　●出身地：ルアンダ 　⊗拠点：リスボン 　📅生年：1985
　　 〜活動期間：2003- 　▶️ ● ∞ 7

ポルトガル語圏で静かなブーム、小さな島国
サントメ・プリンシペの Santola Rap!

ガボン沖大西洋上に浮かぶ小さな島国、サン
トメプリンシペ。火山島であるサントメ島、プ
リンシペ島、そしてその周辺の島々を併せても
東京 23 区より若干大きい程度の国だ。旧ポ
ルトガル領ということで、Hip Hop シーンは
アンゴラ、ポルトガルの影響が強い。1990
年代初頭のポルトガルで、General D、Boss
AC らと Rap Tuga ムーブメントを盛り上げ
た NBC はサントメプリンシペ出身である。

Pekagboom もレコーディングスタジオな
どが充実しているポルトガルが拠点。1985
年アンゴラはルアンダの生まれだが、幼少
期以降は両親の故郷サントメプリンシペの育
ち。リスボンに引っ越した 2003 年、仲間と
Imperio Suburbano を結成。このグループ
から 2007 年にリリースした「7 Minutos

Para A Troca」は、リスボンのカルースト・
グルベンキアン財団から表彰された。そして、
ポルトガル語の「情熱、精神、心、愛、偉大、
爆弾」の頭文字を合わせた　Pekagboom に
改名しソロへ。2010 年にミックステープ
『Brasa/Parlamento Verbal』をリリース。
2015 年に 2016 年の 1st アルバム『Banho
Público』では、サントメプリンシペの STP
Music Awards にノミネート。翌年には
Best Collaboration を受賞した。また、アン
ゴラのメディア『Planeta Rap Luso』より
2016 サントメプリンシペ Best Rapper と
Best Album をダブル受賞した。

ポルトガル語圏でサントメプリンシペ出身者
による Santola Rap が徐々に浸透中とのこと
で、本人も期待を寄せている。

Reliquia　　　　　Ⓐ 2013

某党のフレーズ「小さな声を、聴く力」と同じコンセプトで制作。7 分 9 秒の大曲「Desahogo」は本人を思わせる人物の一生の物語。2019 年のドキュメンタリー映画『El escritor de un país sin librerias（書店のない国の作家）』では、「Carta Al Presidente」のライブシーンが山場となる。ファング語とスペイン語による全 18 トラック。

Negro Bey

c：Facebook

🏴 国：赤道ギニア　📍 出身地：バタ　📍 拠点：マラボ　🗓 生年：1984　〜 活動期間：2003-
👤 本名：Mariano Francisco Ebana Edú Achama　　▶ 🎵 ⑥ 7

赤道ギニア政府の弾圧にも屈せず、
社会問題に切り込みすぎて逮捕！

　赤道ギニアで最も有名な Hip Hop 関係者は、Teddy Nguema ことテオドロ・ンゲマ・オビアン・マンゲ第一副大統領だろう。1979 年より独裁を続けているテオドロ・オビアン・ンゲマ・ムバソゴ大統領の息子で、次期大統領と目されている。趣味が高じてレーベル TNO Entertainment を設立したほど。しかし、横領と汚職の疑いでフランス、アメリカなどから数々の国際刑事告発と制裁を受けたホンモノのワルだ。石油マネーで経済成長したとはいえ、ンゲマファミリーの贅沢ぶりと比較して国民の生活は厳しい。もちろん体制批判はご法度、多くのアーティストが旧宗主国スペインなどへ脱出した。

　Negro Bey も一時期活動拠点をマドリードに移した一人。1999 年、バタのフランス文化センター（ICEFB）で開催されたラップコ

ンテストで優勝。翌年仲間とグループ Verso Rot を結成した。とはいえ、当時は Hip Hop そのものがマイナー過ぎて、まったく人気なし。ムヴェト（弦楽器）、メンジャン（木琴）といった伝統楽器やバンツー文化のリズムを採用し、徐々にファンを広げていった。2009 年 1st アルバム『Erosión』のツアー時には、ツアー先のスペインで人類学の修士号を取得。『El Trovador』（2009）、『Cicatriz』（2011）とアルバム発表。2013 年の『Reliquia』では国民の貧困を歌ったシングルカット「Carta Al Presidente（大統領への手紙）」が大きな反響を呼んだ。

　また、2018 年には当局によって逮捕されるという事態にもなった。2022 年に『Caminos』をリリース。当局の弾圧にも屈せず、社会問題に切り込む Negro Bey は、若者からある意味アイドル視されている。

Akon と録音やツアー

Innoss'B 🎬 コンゴ民主共和国 📅1997 🔁6228

Innocent Ⓐ2013

赤道ギニアのテオドロ・オビアン・ヌゲマ・ムバソゴ大統領もファンだという Innoss'B。2010年、13歳で Vodacom Superstar にて優勝した。この番組の縁で Akon とレコーディング、ツアーで共演。後年、Diamond Platnumz や Koffi Olomidé といった大物とも仕事をしている。こちらは彼の1stアルバム。軽快な Dancehall や Afrobeats ナンバーが心地よく響く。

聖歌隊出身

Gaz Fabilouss 🎬 コンゴ民主共和国 🔁198

Jeune Courageux Ⓔ2021

2012年から活動、仲間と B16 Music、Show Slime Music を結成後、ソロへ。2016年のシングル「You-p-yeah」のヒットでメジャーシーンに浮上した。先行シングルカットされた「Aye」は Soukous 界の大御所 Koffi Olomidé を ft.。ビートを支えるクリーントーンのギターサウンドはコンゴならではの音色。「Love Story」ではタンザニアの歌姫 Hamisa Mobetto を迎えた R&B ナンバーとなっている。

カンパラで Nyege Nyege に出会う

Chrisman 🎬 コンゴ民主共和国 📅1996 🔁1173

Makila Ⓐ2022

ゴマの Hip Hop グループ Young Souljah Empire を経て、サウンドエンジニアに転じた Chrisman。現在は Nyege Nyege の実験的なサブレーベルである Hakuna Kulala から意欲的な作品をリリースしている。「Trap と Gqom を融合させた Afro House の突然変異」と称された前作 EP『Ku Mwezi』をさらに深化させた1stアルバム。この作風、好き嫌いはかなり分かれると思われる。

第2の都市ルブンバシ出身

Pson 🎬 コンゴ民主共和国 📅1990 🔁405

Anaconda Ⓔ2022

別名 Zubaboy としても知られ、2014年デビューの中堅。Dancehall、Afrobeats 寄りの作風である。地元メディアは「2Pac というジャンルの預言者であり、神の使者」と持ち上げているが、2Pac らしさは一切ない（笑）。『Anaconda』は8トラック収録のEP。コンゴの若者に向け、モチベーション、愛、自我について意識的なメッセージを届けようとしている。タイトルチューンはナイジェリアの Bnxn とコラボ。

ファッションはいつも紙オムツ一丁

Suintement 🎬 コンゴ民主共和国 📅1990 🔁34

Une Banane Ⓢ2022

Pson Zubaboy が無名のアーバン・アーティストに知名度を与えるために作ったプラットフォーム『Zubaboy Session』。その第1シーズン「Une Banane」で注目を集めたのが Suintement。ステージ名 Suintement（お漏らし、滲出の意）を体現した紙オムツ一丁というファッションとコミカルな動きで YouTube は100万再生突破。肝心の Rap が意外とマトモな点も高評価である。

キンシャサとベルギー2拠点生活

IDPizzle 🎬 コンゴ民主共和国 🔁4454

Legendary Ⓐ2023

2020年はじめ、あの Pop Smoke の「Dior」カバーが世界中のラッパーの間で流行った。IDPizzle は「Billie Jin (Dior Remix)」としてカバー。これがカバー勢の中でもバイラルヒット上位となり話題を呼んだ。このアルバム『Legendary』は Rumba Drill の集大成となっている。全トラック、クリーントーンの静かなギターと、TR-808 のキックが唸り Rumba と Drill が見事に融合している。

Chapter 3
Southern Africa

南アフリカ／レソト／エスワティニ
ナミビア／ボツワナ

ナミビア
ボツワナ
エスワティニ
南アフリカ レソト

サブサハラでナイジェリアに次ぐ大国の南アフリカ以外はよほどアフリカ事情に精通していなければ影が薄い地域。目を凝らしてみれば「アフリカ最後の絶対王制」といえるエスワティニがあったり、国の中の国（包領）レソトがあったりと興味深い点も。各国の Hip Hop シーンはそれぞれ存在しているが、南アフリカの影響力は巨大である。そのような事情もアーティスト紹介やディスクレビューで紹介。そして、南アフリカの Hip Hop シーン黎明期より活動するレジェンドグループ Black Noise のリーダー Emile YX? にインタビュー。また、近年再注目されているアフロフューチャリズムに関し、1950年代からの流れをコラムにまとめてみた。なお南アフリカはアフリカ大陸の中でも、経済的に発展しており、音楽産業が盛んである。近年はナイジェリアに追い上げられているが、ヒップホップ周縁のミュージシャンが多く存在する。本章ではで全てを紹介するのは不可能だが、日本での愛好家も多く、ネットでも多くの情報を得ることができるので、興味がある方々は更に深掘りして欲しい。

Kasi Rap

📍 南部アフリカ　🏴 南アフリカ　📅 1990

ヨハネスブルグの南西に位置するタウンシップ、ソウェトのストリートから生まれた Kasi Rap。タウンシップとはアパルトヘイト時代に作られた有色人種専用居住区のことだ。1990年代、ストリートでのフリースタイルに明け暮れる若者たちによって始まった。英語ではなくズールー語やコーサ語でハードなストリートライフを表現しあった。2000年代中盤に登場し、Kasi Rap の父と称されているのが Prokid である。様々なアーティストが南アフリカらしい Hip Hop に挑戦する取り組みの中、彼が人気スターとなったところで爆発的に普及し、ジャンルとして確立された。

Kwaito

📍 南部アフリカ　🏴 南アフリカ　📅 1990

1980年代末から90年代初頭に、ヨハネスブルグ周辺のタウンシップで発生したダンスミュージック。アパルトヘイト時代終了とともに南アフリカ全土で人気となった。House のように四つ打ちだが BPM は遅い。南アフリカの伝統音楽と Disco、R&B、Bubblegum の影響を受けているが、Hip Hop の要素も大きい。南アフリカの Hip Hop の一形態なのか、それとも独自のカテゴリーなのかは議論がある。M'du Masilela と Arthur Mafokate が初期の二大巨頭。さらに Kwaito を不動の地位に押し上げた人物として R&B シンガーの Brenda Fassie が知られている。

Amapiano

📍 南部アフリカ　🏴 南アフリカ　📅 2010

Kwaito から派生。Deep House、Rounge Music を Jazzy にハイブリッドさせた大人の音楽。2010年代後半に出現、その名の通りピアノストリングスによるメロディーが特徴だ。南アフリカのアーバンミュージックのジャンルとして地位を確立している。Hip Hop 界隈では Casper Nyovest の大ヒット「Siyathandana」も Amapiano ナンバーだ。デジタルストリーミングが普及した2020年代初頭にかけて、その人気は世界各地に広がった。ナイジェリアでは Olamide が「Asake」で Amapiano を採用、Asake を ft し「Amapiano」をリリース他のアーティストも続き、本家南アフリカ以上の盛況を呈した。

Gqom

📍 南部アフリカ　🏴 南アフリカ　📅 1990

Gqom はズールー語でクリック音を表現した擬音語。ダーバンにて2010年代初頭に産声を上げた。ちょうどスマホ時代に突入、WhatsApp などで人気となった。こちらも Kwaito 派生説が有力だ。重低音の効いたミニマルなフレーズを反復するダンスミュージックである。House の影響はあるものの、House らしい4つ打ちを使わない点も特徴。DJ Lag、Babes Wodumo、Distruction Boyz らがシーン発展の立役者だ。そして2018年、本書で何度も登場している Beyoncé のアルバム『The Lion King: The Gift』収録の Gqom ナンバー「My Power」により世界的人気となった。

Hikwa

📍 南部アフリカ　🏴 ナミビア　📅 2000

ナミビアで人気の Kwaito のうち HipHop 色が濃いサブジャンル。基本ナミビアのシーンは隣国の南アフリカとほぼ同じである。理由は国内に大手レコードレーベルや流通インフラがほぼ皆無という点。歌詞やダンスが下品ということで、不興を買った Kwaito であるが、ナミビアでも人気ジャンルとなった。2004年ごろ、ナミビアの SunnyBoy は、南アフリカの Zola らの HipHop 寄り Kwaito を参考にし、独自ジャンル Hikwa として確立した。Qonja、TheDogg、Gazza といった SunnyBoy に近い Kwaito アーティストも Hikwa のスタイルを採用している

Motswako

📍 南部アフリカ　🏴 ボツワナ　📅 1990

ボツワナと南アフリカ北部で話されるツワナ語による Hip Hop。1990年代後半に登場し、両国での人気ジャンルとなった。シーンの中心となったのはボツワナと国境を接している南アフリカ北西州の街マフィケングである。南アフリカでは Hip Hop Pantsula（HHP）、Fifi Cooper、ボツワナでは Nomadic、Zeus らがブームを牽引した。特に Zeus は南アフリカでも人気となり、Motswako のパイオニアとして名高い。2010年代後半、ボツワナの Motswako 中興の祖 Drama Boi が登場。Motswako を不動のジャンルとして確立したが、2021年若くして HIV で亡くなってしまった。

NAMBA NAMBA

© : MV「Romeo, O Shwa Jwang Unkolota」

Fuquza Dance
Ⓐ 1987

初っ端の Disco Rap「African Rap」をはじめ、能天気な踊れるナンバー目白押し。Senyaka のファンキーで人を笑わせると評判だったキャラクターがにじみ出ている。大ヒット「Go Away」に代表されるように、Kwaito サウンドの片鱗が見られ、ある意味時代を先取りした作品である。2017 年にカップリング再発となった「Don't Judge Me Bad」は 80 年代 Funk のグルーヴ感あふれる作品。

Senyaka

🏳 国：南アフリカ　◉出身地：エバトン　📅 生没年：1956-2015　💬 活動期間：1980-2015
👤 本名：Thula Kekana　▶ ⊙ 5449

南アフリカ初のラップ、
そして後の Kwaito シーンを作った男！

1980 年代の南アフリカでは、いわゆる Township Bubblegum Music が大流行していた。本来の 1910 Fruitgum Company らのティーン向けお気楽ソングというよりは、踊れる AOR といった南アフリカならではのジャンルだ。そして、新しもの好きの若者の間では、当時のアメリカ映画に登場する DJ、ブレイクダンス、グラフィティが流行り始めていた。1985 年、Afrika Bambaataa をはじめとするミュージシャンが集結した反アパルトヘイトアルバム『Sun City』が、この地にも紹介された。

1986 年にデビューアルバム『Fuquza Dance』をリリースした Senyaka は、南アフリカ初のラッパーとの指摘もある。後に Kwaito の基礎を築くことになるキョーレツな

ヒットシングル「Jabulani MC」とともに、画期的なアルバムとも評価されている。アフリカ大陸全体でも極めて初期のアーティストだ。1990 年代に突入するとコメディ俳優、プロデューサーとして活躍。前述の Kwaito シーンにおいて多くの作品を手掛け、Kwaito 全盛時代を築いた。また、「タウンシップのマドンナ」と呼ばれた歌姫 Brenda Fassie との beef は伝説となっている。

残念ながら 2015 年に死去。2004 年にオーバードーズで亡くなった Brenda Fassie と天国で相変わらず beef しているのだろうか。2017 年には過去のヒット「Bayanyonyoba/ Don't Judge Me Bad」のカップリング 12 インチがリイシューされた。

© : Facebook

Our World

Ⓐ 1990

A 面 が Hip Side、B 面 が Hop Side それぞれ 4 トラック計 8 トラック収録。A 面の「Our World」「Stop the Violence」は B 面に Dub バージョンも収録されている。南アフリカ初の本格的社会派 Hip Hop アルバム。この作品により OKTV Awards の最優秀新人グループ賞にノミネートされた。もちろん Hip Hop 勢初。

Prophets of da City

🏳 国：南アフリカ　◉出身地：ケープタウン　⦿拠点：ケープタウン　〜活動期間：1988-2001
👤 グループ中心人物：Shaheen、Ishmael、DJ Ready D　▶️※一部　💿 1317

アパルトヘイト時代の申し子、
　　有色人種居住区ケープフラッツ出身！

　ニューヨークシティのブロンクスは Cool Herc、Grandmaster Flash、Afrika Bambaataa らが Hip Hop を生み出した聖地として知られる。南アフリカでは、ケープタウンの南東部、ケープフラッツが Hip Hop カルチャーの聖地だ。もちろんアパルトヘイト時代は、有色人種居住区のタウンシップである。

　Prophets of Da City (P.O.C.) は、ケープフラッツから登場したレジェンド。1988 年結成、Shaheen、Ishmael、DJ Ready D、Ramone らを中心とする 8 人ほどのグループだ。1990 年の 1st アルバム『Our World』収録の「Dala Flat」では、Kaaps といわれるタウンシップの黒人の間で話される独自のアフリカーンス語を初めて採用した。1991 年の『Boomstyle』では、アパルトヘイト体制への痛烈な批判を行った。そのため、すでにデ

クラーク大統領からアパルトヘイト撤廃方針が発表されていたにもかかわらず、南アフリカ放送協会（SABC）の検閲対象となる。1992 年、あの Quincy Jones に誘われ、スイスの Montreux Jazz Festival に出演。また、初の民主選挙に向けた有権者教育キャンペーンに取り組んだ。

　そして、1994 年、マンデラ大統領就任式典に招待され、「Excellent, the First Black President」をパフォーマンス。アパルトヘイトの時代に育った Prophets of da City およびケープフラッツの人々にとって非常に大きな意義があった。

　社会的メッセージを訴え続けた Prophets of da City は、1990 年代初頭の南アフリカにおける Hip Hop ナショナリズムを象徴するグループである。

Black Noise

ヒップホップ 4 大要素全てをこなす Zulu Nation 南アフリカ支部！

ⒸｰFacebook

🏴 国：南アフリカ　◆出身地：ケープタウン　📍拠点：ケープタウン　～活動期間：1986-
👤グループ中心人物：Emile YX?、Alfred Burgess 　▶ ⏺ ◉ 10169

Prophets of da City 登場と時と場所を同じくして、似たようなビジョンを持つ別の Hip Hop クルーがケープフラッツから誕生した。1982 年より、B-Boy チーム Pop Glide Crew にてブレイクダンサーとして活動していた Emile YX? が、ラップにも手を出したのが Black Noise の始まりだ。

1986 年、音楽コンテスト Shell Road to Fame の地方予選を勝ち抜いた Emile YX? は、DJ、グラフィティアーティストにも声をかけ Black Noise を結成する。この時はまだ小学校教師であった。1991 年のヨハネスブルグへのツアーは、自己資金の持ち出しと厳しい日々が続いた。ようやく 1992 年 1st アルバム『Pumpin' Loose Da Juice』をリリースした。2010 年まではほぼ 1-2 年ごとにアルバムを発表、合計 13 枚をリリースしている。このほかにメンバーのソロ名義、コンピレーションも 20 枚近くある。

また、Afrika Bambaataa の Universal Zulu Nation の南アフリカ支部でもあり、1994 年にはニューヨークシティにて開催された Universal Zulu Nation Anniversary

Best of Black Noise Volume 1　Ⓐ 2008

活動期間が長い Black Noise、ということでベスト盤で押さえておきたい。結成 20 周年を機にリリースされた記念盤。トラックの並び順は、リリース順。なので Black Noise の歴史をたどることができる。「Dance in the Party」から「Summerbreeze」までの 20 年間、あまりスタイルが変化していないのがわかる。自分たちのスタイルに忠実ということだ。

に出席した。一般書籍の執筆に加え、アフリカ初の Hip Hop マガジン『Da Juice』の創刊、コンテスト、ライブイベントの運営、演劇と活動の領域を広げた。1997 年にはドイツで開催された世界ブレイクダンス選手権で 3 位を獲得、全方位に強いグループの健在ぶりを示した。

南アフリカ Hip Hop 史に名を刻んだ Black Noise は、Prophets of da City と併せて聴いてみるべきである。

Black Noise
創設者 Emile YX? インタビュー

南アフリカの Hip Hop シーン創成期、Prophets of da City とともにシーンを牽引した Black Noise。ブレイクダンス、ラップ、DJ、グラフィティという Hip Hop の4大要素を全てこなし、Zulu Nation 南アフリカ支部を立ち上げた。およそ40年間にわたる活動、その思いに関し、グループのリーダー Emile YX？にいろいろ話を聞いてみた。

――経歴を拝見すると1980年代から、Hip Hop を軸に社会運動、教育、執筆、イベントクリエイターなどなど多方面にわたり活動をしています。ここまで多くの仕事に関わった人は日本の Hip Hop シーンではちょっと見当たらないですね。リスペクトします。ということで、前半は、ご自身とその音楽、活動についてお伺いします。
まずは、よくある質問ですが、Hip Hop との出会いは？　少年時代はいかがでしたか？
1980年だったかな、両親とレソト旅行中に街中でロボットダンスをしているのを見て、衝撃を受けた。そのあと、テレビの Diana Ross Show で Michael Jackson のダンスを見てコピーを始めた。少年時代から反アパルトヘイト活動に関わりながら、週末には他の B-Boy とダンスバトルに明け暮れていたね。あとローラースケート、スケートボードといった今でいう X-スポーツばかりしてた。
――1982年に Pop Glide Crew でブレイクダンスを始めたそうですが、当時としてはかなりアーリーアダプターではありませんか？　その頃を振り返ってみていかがですか？
ああ、当時俺たちはトレンドの最先端でイケイケだった。アメリカの最新ミュージックビデオや、Cool な黒人文化に大きく影響されていた。ボディウェイブの動きにハマり100万回は観た（笑）Chic の MV「Hanging Out」や、ケープタウンのダンサーの間でも

Jeffrey Daniels（Shalamar）のダンスパフォーマンスが大流行したのを思い出すよ。**1982年から83年にかけてとにかく MV を観まくりダンスをコピーしていた。初のブレイクダンス映画『Breakin'』が公開される前だよ。**
――日本初の Hip Hop マガジン『FRONT』よりも1年早く、1993年にアフリカ初の Hip Hop マガジンを創刊しました。どのような雑誌でしたか？
『Da Juice Magazine』だね。最初の誌名は Grandmaster Flash & The Furious Five の曲にちなんで『The Message』だった。当時、俺は学校の教師をしていたんだけど、多くの子供たちが Hip Hop カルチャーについて尋ねてきたので、雑誌という形で情報を共有することになった。まだまだ Hip Hop は知る人ぞ知るアンダーグラウンドカルチャーだった。創刊当初は切った貼ったのスクラップブックのような同人誌のノリだったが、きちんと製版された雑誌に成長した。この雑誌の出版により、アンダーグラウンドなレベルで世界各国の Hip Hop 雑誌の人脈ができた。『Da Juice Magazine』に、Knowledge of Self をはじめとする Hip Hop カルチャー全ての要素を掲載するという試みだった。
――劇作家としても多数の作品を手掛けています。代表作『Afrikaaps』に関してテーマとストーリーを紹介していただけますか？
『Afrikaaps』は、Hip Hop とオペラを組み合わせた Hip Hopera によるケープタウンの人々の歴史物語だ。皮肉なことに、混血のアフリカーナーは自らを白人と見なし、黒人をさらに下に置いた。これは決して語られることのない悲しい物語だ。この事実を明らかにし、アパルトヘイトと新植民地主義の搾取から、多くの若者の自尊心と人間性を復興させるという筋書きだ。具体的には長い間抑圧者の言語とされ

アフリカーンス語を、
解放の言語として再定義している

特徴あるアフロヘアーの Emile YX ？ MV「Black is Back」（2013）より。結成 25 周年記念トラック

てきた**アフリカーンス語を、解放の言語として再定義している**。かつてのアパルトヘイトを糾弾する一面もあるが、苦しんだ人々を癒す一面もある。2010 年にはこの演劇に関するドキュメンタリー映画が制作された。

——長年ダンスバトルイベントのオーガナイザーの他、アート系などジャンルを超えたイベントを手掛けています。最近ではどのようなイベントを実施しましたか？

最近俺が関わったイベントは、Heal the Hood Schools のコンサートという形での Project Create Presentation だね。また、４R（執筆、読書、報酬、再人間化）プロジェクトの一環として、40 のローカルコミュニティで図書を購入するための資金を調達した。

最新のイベントは、Heal the Hood プロジェクトの活動をナミビアやその他の南部アフリカ諸国に拡大するイベントだね。もちろん、南アフリカ国内での Hip Hop Healing イベントも手掛けている。

——Hip Hop 関連の著作のほか、さまざまなジャンルにわたって執筆しています。
『Bedtime Story Books』は民話集ですか？なぜこういったジャンルに挑戦しようと思ったのですか？

その通り、『Bedtime Story Books』は民話だね。我が国でもよくあるヨーロッパ由来の民話に代わるものとして、自分の子供たちのために作った物語でもある。すでにある物語をそのまま使うのではなく、アフリカらしい代替案を作りたかったのさ。また、子供たちのメンタリティを変え、私たちの未来も変える力があることを多くの人に知ってほしいと思ったのが理由。世界を席巻する欧米のキッズコンテンツに対抗したいと思っている。

—— YouTube で『Heal the Hood Project』の講演を拝見しました。このプロジェクトの目的と成果、そして実際にはどのようなプログラムがありますか？

『Heal the Hood Project』の主な目的は、若者のアイデアとパワーを使って地域社会の問題を解決する方法に関連して、若者の自尊心と自信を高めること。また、資金調達によりコミュ

ニティの経済的自立を構築することも目的としている。このプロジェクトを通して、最高のアーティストを Battle of the Year をはじめとする国際イベントに送った。プログラムは各地の学校で生徒向けにアート、ラップ、ダンス、ビートメイキングなどのワークショップ、講演を行うことが多い。

——UCLA など国内外の研究者たちとコラボレーションをしています。また、多くの大学で基調講演やワークショップをしています。こういった高等教育機関でのお仕事はいかがですか？

こういう仕事はエキサイティングでもあるし、とても有益だと感じている。俺は学ぶことはもちろん、元教師なので教えることも大好きなんだ。仕事を通して、多くの実務者が教育界に役立つナレッジを持っていることに気づいた。学校での「お勉強」は、実際の生活でどのように役立つかはピンと来ない。しかし生きた経験は、俺たちが人生で成功するヒントになると思いる。教育も音楽も似ていると感じていて、単に学ぶ、あるいは演奏するだけではないと気付いたときに、変化がもたらされると俺は思うよ。

——これまでの質問の通り、個人あるいはチームとして数多くの成果を上げてきました。こういった仕事への取組み、新しいことへの挑戦するモチベーションの源泉は何ですか？

俺のステージ名 YX? は方程式の未知数を表している。常に未知のものを探し、常に理由を問いかけ、俺たちは学び、成長し続けることができる。赤ちゃんが理由を尋ねるのと同じように、俺たちは生涯を通じてそれを行う必要がある。ただ、年をとるにつれて、**健康であることが大前提**であると気づいた。自分にできることとできないことについては、結局自分の身体と相談だ。実際病気になってよくわかった。

——ありがとうございます。後半は Black Noise とケープタウン及びその Hip Hop シーンについてお訊ねします。

ケープタウンは南アフリカの Hip Hop 誕生の地とも言われています。1980 年代初頭、ケープタウンが Hip Hop シティとなった理由はな

ぜでしょうか？

ケープタウンが港町であることが大きいのではと思うよ。古来より、色々な外国文化が流入してくるのが港町。俺の両親を例にすると、James Brown、The Manhattans、Shirley Bassie、Otis Redding、Miles Davis、BB King、Diana Ross といった当時流行していたアメリカのアーティストを聴いていた。**俺の家族はいわゆるカラード**（混血）なので、聴く音楽ジャンルの人種、民族による偏りはない。これらのアーティストが Hip Hop でサンプリングされたとき、そのサウンドは既におなじみのものだった。また、俺たちはアパルトヘイトの人種区分によってアフリカ古来の文化からも隔離されていた。このことが、ルーツのアフリカと生まれ育った国アメリカから隔離されている**アフリカ系アメリカ人への共感**に繋がったのだと思う。

——前の質問に関連しますが、ケープタウンとヨハネスブルグ、ダーバンの Hip Hop シーンの違いは何がありますか？ 都市ごとの特徴はありますか？

ケープタウンは、常に Hip Hop の文化のメッカとされてきた。理由の一つに、ケープタウンはヨハネスブルグやダーバンに比べて、商業都市としての性格が薄いことがあると思う。もう一つの理由は、カラードが多いため、Hip Hop カルチャーを受け入れるスピードが圧倒的に他の地域より速かったということ。さらにケープタウンの GRP（地域内総生産）の高さも相まってシーンが発展した。南アフリカにはいまだ強い部族間格差があるんだ。ケープタウンと違い、他の地域の人たちは人種グループ内で経済が完結している傾向がある。これもアパルトヘイトの弊害だね。南アフリカ人であることは、自分の部族や人種であることよりも二の次なのだ。

—— 近年では亡くなった AKA や YoungstaCPT といった新世代のケープタウン出身者も人気です。このような新世代たちに関してはどのように思いますか？

ちょっと答えにくい質問（笑）。彼らは欲しいものを手に入れるために、資本主義の法則に

従っている。AKA の死は、そういった資本主義的なセレブ生活も理由の一つではないかと思っている。実際、成功しなければならないという幻想のために、自らの命を絶つ若者もいる。セレブを見て、誰でもいつか成功できるという錯覚が生まれるが、現実にセレブになるのはごく少数で幻想に過ぎない。また、最近はソーシャルメディアで**大企業が大衆に幻想を与えるため**、より一層現実との差は大きくなってきている。実際に、地元や世界でこのゲームの勝者となるのは、わずか5〜10人のアーティストだけなので。

——Black Noise 結成に関して質問します。ブレイクダンサーからスタートし、MC、グラフィティ、DJ を集めた総合 Hip Hop ユニットを結成したのはどういった理由ですか？

南アフリカの図書館を巡っていたとき、Hip Hop に関する情報に全くアクセスできないことに気づいた。この文化全体を国中に広めたいのであれば、自分たちでやらなければならない、と思ったのがきっかけ。後に 1994 年、Zulu Nation の記念式典で Afrika Bambaataa に会い、文化のグローバルネットワークとしての実力を再確認した際、このアイデアを選択してよかったと改めて思った。

——その Afrika Banbaata の Zulu Nation に参加したきっかけは何だったのでしょうか？ Zulu Nation SA としての活動はどういったものがありましたか？

当時、すでに Zulu Nation に参加していたケープタウンはミッチェルズ・プレイン出身の King Jamo のことを常に意識していた。俺は人々をつなぐためのグローバルおよびローカルコミュニティを探していたが、Zulu Nation は完璧な手段のように思い、コンタクトした。先程述べた Zulu Nation の記念式典の後、南アフリカに戻った俺は、ステージにすべての要素を盛り込み、パフォーマンスから視覚的に Hip Hop カルチャー全体を広めてみようと考えた。そして、興味を持つ人がいる場所でワークショップを行い、すべての要素が広がり、人々は Black Noise と Hip Hop のすべての要素を関連付けるようになっ

た。当初、俺と King Jamo は Hip Hop 文化を共有し成長させたいと思っていたが、界隈は喧嘩上等の奴らが多く結構大変だった(笑)。

——『Circles of Fire』ではブラジルのカポエイラをテーマとしました。どのような理由でカポエイラを取り入れたのですか？

アフリカ回帰のテーマを調査していたところ、カポエイラとブレイクダンスの間に多くの共通点があることがわかった。実際、カポエイラのライブで演者と観客がハイになるのを見て確信した。カポエイラの歴史は、Hip Hop を以前とは違う視点から俯瞰するのにも役立った。また、カポエイラの伝統とテクニックをブレイクダンスに何か応用できるのではないかと思い、考えを深めるきっかけにもなった。

——Black Noise のアルバム『Black Noise Matters』(2019) では、オーセンティックなスタイルを守っています。サウンドスタイルへの拘りはいかがですか？

これまで、俺たちはさまざまな音楽スタイルとそれに関連するコミュニティを探求してきた。アーティストとして、コミュニティ、音、伝統から学んだことを実験し、拡大するのは義務だと思っている。俺たちはあえて売れ線狙いは外し、グループとして常に実験的なサウンドに取り組んできた。

——そういえば、日本に来たことがありますか？ 日本の Hip Hop ファン、特に B-Boy にメッセージをお願いします。

俺は日本に行ったことはないけど、日本の B-Boy の規律と文化への敬意を持っているよ。その中でも B-Boy Taiske は注目だね。彼はしっかりした基礎とともにオリジナルなスタイルを持っている。この文化は今や世界的なものであり、世界中が日本の B-Boy を見たいと思っていると言えるだろう。また、ドキュメンタリー『Asia Rising』を観たけど、アジアから発信される新しい Flava がとても気に入っている。もっとグローバルな実験とコラボレーションを見たいね。将来は、業界の枠にとどまらない、自分たちで創り出すアンダーグラウンドなツアーや交流が待っていると確信している。

© : Facebook

BVK Ⓐ 1997

Prophets of Da City の関係者が設立した Ghetto Ruff Records からリリース。インディーでは大手レーベルだ。デビューアルバムにしては全16トラックと豪勢となっている。「Kaap Van Storms」など、当時ケープタウンはもとより全国のラジオ局でかかりまくったという。1998年には South African Music Awards（SAMA）の Best Hip Hop Album にノミネートされた。

Brasse Vannie Kaap

🏴 国：南アフリカ　◉出身地：ケープタウン　🅢拠点：ケープタウン　⟳活動期間：1996-2006
ⓘグループ中心人物：Boeta-D、Hamma、Mr Fat　▶◉※一部　🆖 541

Die Antwoord 人脈重なる90年代
アフリカーンス語ラップのパイオニア！

　南アフリカにて、2010年代最もワールドワイドな知名度を得たミュージシャンは Die Antwoord であろう。Hip Hop 寄りではあるが微妙にシーンが異なるこの Die Antwoord。フロントマン Ninja のルーツは1993年結成のラップグループ The Original Evergreen だ。途中ヨハネスブルグからケープタウンに拠点を移し、1999年までこのグループは活動した。2008年、Die Antwoord の1stアルバム『0』では、このケープタウン時代の人脈が多数ゲスト参加している。

　1996年から2006年まで活動した Brasse Vannie Kaap はアフリカーンス語をメインとするラップグループだ。ケープフラッツ出身、グループ名の通り、Prophets of da City（P.O.C.）以上に Kaaps といわれるタウンシップのスラングを rhyme する。メンバーは DJ Ready-D（ex.P.O.C.）、Hamma、Mr Fat、Garlic Brown ら総勢6から7人ほど。メンバーの入れ替えも割と頻繁であった。1stアルバムはセルフタイトルの『BVK』（1997）。以降『Yskoud』『Super Power』『Ysterbek』と、2年おきにアルバムをリリースした。

　解散後、不摂生していたのか Mr Fat は、2007年に心臓病の合併症により病死。他のメンバーはそれぞれソロ活動の道に進んだ。Garlic Brown は前述の Die Antwoord『0』の「Wie Maak die Jol Vol」に参加した。また、DJ Ready-D はドリフトレーサーとしても活躍している。Brasse Vannie Kaap は、それまで英語中心であった Hip Hop 及び Kwaito シーンにて、アフリカーンス語などの現地語を採用する道を開いた功労者との評価だ。

© : MV「Asinamali」

At the Bassline

Ⓐ 2004

ライブ盤がいきなりの1stアルバムだ。ヨハネスブルグの有名ライブハウスBasslineにて録音された13トラックを収録。スポークンワード「Yvonne」、そして生バンド演奏によるビートはライブの空気感に溢れる。女性ボーカルをフィーチャーした「76」「People of the Light」、Jazz Funk「Chameleon」と枠にはまらないナンバーは魅力だ。

Tumi and the Volume

🏴 ● 国：南アフリカ ● 出身地：ヨハネスブルグ ⊗ 拠点：ヨハネスブルグ ◠ 活動期間：2004-2012
👥 グループ中心人物：Tumi Molekane、Tiago Correia-Paul ▶ ⊜ ⊙ 11279

メンバー二人はポストパンクバンド出身、
生バンドのビートは一味違う趣！

　かつて2ちゃんねるで流行った「ヨハネスブルグのガイドライン」を覚えておいでだろうか？ 1990年代後半から2000年代前半にかけ、極端に治安が悪化したヨハネスブルグを揶揄したコピペだ。ただ、半分ほどは実際に起きた事件も混じっているので揶揄ともいえない。ギャングの要塞となったタワーマンションポンテシティなど、ミレニアム前後のヨハネスブルグの治安は伝説的ともいえる。

　その治安最悪な時代のヨハネスブルグから登場したグループが、Tumi and the Volumeだ。ラッパーのTumi Molekane、リードギタリストのTiago Correia-Paul、ベースギタリストのDavid Bergman、ドラマーのPaulo Chibangaにより2000年ごろ結成された。Tiago Correia-PaulとPaulo Chibangaは、

モザンビークのPost Punkバンド340mlのメンバーである。そのため、Ska、Jazz、Reggaeをミックスしたビートで、フツーのHip Hopとはひと味違う趣だ。グループはTumi Molekaneのプロジェクトの色合いが強かった。それもあり、3枚のアルバム『At the Bassline』（2004）、『Tumi and the Volume』（2006）、『Pick a Dream』（2010）を残し、2012年に解散した。

　Tumi and the Volume時代からさまざまなソロプロジェクトに取り組んでいたTumi Molekaneは、解散後Stogie T名義でChinese Man、Mutabarukaといった大物ミュージシャンを巻き込み、作品を発表。2022年にはDef Jam Africaと正式にサインした。

Godessa

Spillage Ⓐ 2004

テーマは女性問題、スピリチュアリティ、南アフリカの文化。とはいえ「Mindz Ablaze」に代表されるようなお気楽ビートにより、暗さは全くないところがウリ。1990年代初頭の売れ線Hip Hopを思わせる。唯一惜しい点はデビューシングルの脳内ループ神曲「Social Ills」が収録されていないところだ。全13トラック。

🏴 国：南アフリカ ⬤ 出身地：ケープタウン ⬤ 拠点：ケープタウン 🔊 活動期間：2000-2005
👤 グループ中心人物：Shame、EJ、Burni ▶ 🔒 ※一部 06 2570

南アフリカ初レコーディング＆
メジャーデビューした女性グループ！

　南アフリカ Hip Hop 史に重要な役割を果たした街、ケープタウン。初の女性ラッパーが登場したのもこの地だ。1980年代後半、8人の女性クルー Yo Girls が登場。同じくケープタウン出身の Prophets of da City もライブしていた人気クラブ The Base を拠点に活動していた。ライブのみでレコーディングされていないのが残念である。

　その10年以上後、南アフリカで女性グループとして最初にレコード契約を結んだのが Godessa だ。2000年代は Miss Nthabi、QBA、Sky Wanda といった、女性ラッパー躍進の年代ともいえる。そして Hip Hop の商業化が進み、シーンの中心はヨハネスブルグへと移っていった時代だ。2000年、プロデューサー Grenville Williams により、Shame、EJ von Lyrik、Burni の3人からなるユニットが作られる。いずれも1990年代後半から、それぞれケープタウンで活動していた女性ラッパーだ。2002年、今やクラシックナンバーの定番となった 1st シングル「Social Ills」でデビュー。そして、2004年のアルバム『Spillage』を残し、わずか数年で解散した。

　2007年のドキュメンタリー映画『Counting Headz: South Afrika's Sistaz in Hip Hop』でも大きく取り上げられている。

　その後、Shame はローカルにとどまり、EJ von Lyrik はオランダへ、Burni はスイスへ移住。それぞれの地で音楽活動をしている。2019年、News24 系メディア『City Press』の「あの人は今」特集にて、Shame に取材しているが、再結成は難しそうだとのこと。

📷 Q-FM

Styling Gel

Ⓐ 2004

大ヒットシングル「Pitch Black Afro」「Matofotofo」「A Day in My Life」が収録されているためか、リリース直後いきなり5万枚のセールスを記録した1stアルバム。独自のスラングを多用し、ストリートライフをテーマとしている。アフロヘアーに相応しいソウルやFunkのビートも聴きどころだ。全12トラック。

Pitch Black Afro

🇿🇦 　🏳 国：南アフリカ　◈出身地：ソウェト　&拠点：ヨハネスブルグ　◫生年：1979
　⏺活動期間：2003-　☗本名：Thulani Ngcobo　▶ ◉※一部　∝1138

リアル殺人ラッパー、収監され
　　自慢のアフロヘアーは丸刈りに！

　ジミヘンこと Jimi Hendrix に代表されるように、1960年代後半から1970年代初頭にかけて多くのアフロヘアーのミュージシャンがいた。Sly Stone、Maurice White ら、ソウル、Funk ミュージシャンらの定番ヘアスタイルの時期である。本邦においてもアフロヘアーのタレントやスポーツ選手の顔が何人か思い浮かぶ。目立つには最適なヘアスタイルだ。

　Pitch Black Afro もその名の通り、アフロヘアーが特徴。しかも前歯が一本欠けている（あえて治さないようだ）歯抜けフェースなので、一度見たら絶対忘れないルックスである。1979年生まれ、幼少より吃音に悩んでいたという。大声で歌ったり、ラップすると吃音が治るのに気づき、Hip Hop の道へ進んだ。現地メディアでは Busta Rhymes とよく比較されたが、最も影響を受けたのは Redman と

インタビューで答えている。

　2004年 DJ Cleo プロデュースにより 1st アルバム『Styling Gel』をリリース。このアルバム、2014年に Cassper Nyovest『Tsholofelo』が記録を破るまで、最高のセールスを記録したとのことだ。基本、lyrics はズールー語、英語。さらに Totsi Taal と呼ばれるさまざまな言語のスラングが混ざり合っているため、現地のヘッズも聴き取り不能となる場合もある。以降『Split Endz』『Zonke Bonke』『Int'emnandi』をリリース。

　ところが、2018年の大晦日に妻を殺害した疑いで 2019年1月9日に逮捕。2020年6月、過失致死罪で懲役5年の実刑判決となった。アフロヘアーのかつらを外した法廷での姿は、毛を刈られた羊そのものであった。

© : Facebook

Rabulapha! Ⓐ 2015

世に出なかった 24 トラックのアルバム『Time Traveller's』を 12 トラックに再編成。ヒットし 22nd Annual South African Music Awards にノミネートされた。「Cut the Cake（隠語でスケベするで！）」といったヤリマンナンバー以外にも、警察への批判を暗喩した「Go Starring」もある。収録曲は全て Kwaito や Electro 風味の軽快なビート。

Moonchild Sanelly

🏴 🅜 国：南アフリカ 🔵 出身地：ポートエリザベス 🔲 生年：1987 💬 活動期間：2006-
👤 本名：Sanelisiwe Twisha 📺 🅢 22024

青いドレッドヘアは特許取得済み、
自称「女性のオーガズムの大統領」！

　奇抜系ファッションの女性タレントといえば誰が思い浮かぶ？　本邦では 1990 年代の篠原ともえに始まり、近年ではフワちゃんといったところであろうか。目立ってナンボのショービジネス、南アフリカでもそのようなタレントやミュージシャンは存在する。

　そんな傾奇者だらけのショービズ界において、アタマ一つどころか圧倒的な差をつけているのが、Moonchild Sanelly である。一目でわかるのは、特許を取得したという青いドレッドヘアー。しかも太いといわれるドレッド・ロックスよりもさらに太く、ロープのようにきれいに編み込まれている。ここまでなら奇抜なスタイルのミュージシャンだが、さらに彼女のフリーダムな点は、「女性のオーガズムの大統領」を自称し、作品や普段の言動を通じセックスポ

ジティブを奨励していること。言い換えればヤリマン宣言だ。

　肝心の音楽キャリアだが、ダーバンのファッションカレッジに在学中の 2006 年、ダーバン工科大学のイベントに参加し始めた。これがきっかけで地元の FM ラジオのレギュラーとなり、2015 年に 1st アルバム『Rabulapha!』をリリース。2018 年には Die Antwoord と共に海外遠征。2019 年には Beyoncé の『The Lion King: The Gift』に多くのアフリカンミュージシャンとともにゲスト参加した。2011 年よりヨハネスブルグを拠点とし、国内外のフェスにも積極的にエントリーしている。本人曰く、Hip Hop を軸に様々なジャンルを採り入れた自身のスタイルは Future Ghetto Punk とのことだ。

© : OkayAfrica

Dankie San

🅐 2008

AKA、Buks、Kamza からなるヒットメイカーチーム IV League も制作に参加。シングルカットされた「Bhampa」はその代表作である。この仕事で AKA は Prokid から大きなインスピレーションを得た、とヨハネスブルグの有力カルチャーメディア『New Frame』にて語っている。

Prokid

🔴 国：南アフリカ　◀ 出身地：ソウェト　📍 拠点：ヨハネスブルグ　⬛ 生没年：1981-2018
🔁 活動期間：1994-2018　🅰 本名：Linda Mkhize　••• 別名義：Pro　▶️ 📷 🆔 1872

ソウェトのストリートから生まれた
Kasi Rap の父！

　ヨハネスブルグ郊外、タウンシップであるソウェトのストリートから生まれたサブジャンル Kasi Rap。故に lyrics はワルく、ニヤリとするようなエスプリに満ちている。そして、英語ではなく、ズールー語などの現地語をメインに使うスタイルだ。2000 年代半ば、南アフリカの Hip Hop は独自のスタイルを確立できず、多くのラッパーが模索し続けていた。初めてメインストリームで成功したグループ Skwatta Kamp ですら、ウケるためには現地語の使用は必須であると理解していた。

　その Kasi Rap の父として、いまだにリスペクトを受けるのが 1981 年生まれ、2018 年没の Prokid である。2004 年、ローカルの MC バトル大会で優勝。これをきっかけ

に、2005 年には 1st アルバム『Heads & Tales』をリリース。英語とズールー語を自由自在に繰り出し、ストリートでのセッションで鍛えた rhyme が評判となった。2008 年に 3rd アルバム『Dankie San』リリースの際、名前から「kid」を削除し、単に Pro と名乗るようになった。大人になったのだ。

　その後シーンを席巻する AKA、F-Eezy、Emtee、Red Button、Mickey M といった Kasi ラッパーに与えた影響力は計り知れないものがある。2018 年 8 月、Prokid がよくライブを行っていた Bassline での追悼セレモニーでは、交流のあったアーティストや業界関係者が、思い出を語り、Prokid のシーンへの貢献について讃えた。

© : Facebook

Levels

Ⓐ 2014

数多くの賞を獲得し、ダ
ブルプラチナディスクに
輝いた 2nd アルバム。
1st『Altar Ego』のフォ
ローアップ作品でもある。
「Levels」、「Sunshine」
は ガ ー ナ の Sarcodie、
「All Eyes on Me」 は
ナイジェリアの Burna
Boy、そのほかのクレジットにも豪華ゲストの名があ
る。

AKA

🏁 　🔘 国：南アフリカ　🔷出身地：ケープタウン　👤拠点：ケープタウン　⬤ 生没年：1988-2023
　　　🔄 活動期間：2002-2023　★ 本名：Kiernan Jarryd Forbes　▶ ◉ ⌨ 27212

2010 年代に出現賞総なめプラチナ連発、
惜しくも凶弾に倒れる！

　ケープタウンは南アフリカの首都のひとつ。
「ひとつ」というのは、この国は首都機能を、
プレトリア（行政）、ケープタウン（立法）、ブ
ルームフォンテーン（司法）とそれぞれ分けて
いるため。1910 年の南アフリカ連邦成立以
前、プレトリアはトランスバール共和国、ケー
プタウンはイギリス領ケープ植民地、ブルーム
フォンテーンはオレンジ自由国の首都であっ
た。当時のパワーバランスの妥協によりそのま
ま 3 つの首都が制定された経緯がある。
　1988 年生まれ、ケープタウン出身の AKA
は 2010 年代に現れたビッグネームだ。
2002 年、友人同士で Entity なるグループを
結成。KORA Awards にノミネートされるな
ど、それなりの評価はされたが解散。2006
年、Prokid の項で触れた制作集団 IV League

を設立し、楽曲提供を開始する。2010 年、
1st アルバム『Altar Ego』をドロップ。
商業的に成功しゴールドディスクとなり、
Metro FM Awards、South African Music
Awards にて賞を獲得した。2nd『Levels』
は 2014 年プラチナ、2018 年にはダブル
プラチナに認定。以降『Be Careful What
You Wish For』『Touch My Blood』
『Bhovamania』も好評を得、名実ともにシー
ンを代表する顔となった。
　ところが 2021 年 4 月、婚約者の Nelli
Tembe がケープタウンのホテルから転落死す
るという事件が起き、メディアの格好の餌食と
なった。そして 2023 年 2 月、仲間と店から
出た直後、何者かに突然銃撃され命を落とし、
アフリカの Hip Hop 界に衝撃が走った。

© : Facebook

Tsholofelo

(A) 2014

制作に3年近く費やした渾身の1stアルバム。「希望」を意味するタイトルは妹の名前にちなんだもの。無料ダウンロードで先行リリースした「Gusheshe」「Doc Shebeleza」「Phumakim」がセールスに貢献した。その結果、発表後1時間でiTunes南アフリカのアルバムチャートで1位を記録した傑作盤である。

Cassper Nyovest

📍 国：南アフリカ　🧭 出身地：マフィケング　📍 拠点：ヨハネスブルグ　🎂 生年：1990
〜 活動期間：2013-　📛 本名：Refiloe Maele Phoolo　▶️ 🟢 💿 13648

AKA との beef も話題となった
ヨハネスブルグ拠点の新世代ラッパー！

1990年代、血を見るほどに激化したHip Hopの東西抗争。最終的には2PacとThe Notorious B.I.G.という東西の二大巨頭が銃により命を落とすという悲劇となった。まぁ、地域同士の対抗意識というものは東京vs大阪、パリvsマルセイユといった感じで全世界共通である。ただ、Hip Hopの東西抗争は、登場人物の背景からして面子をかけたギャング抗争そのものであった感がある。

Cassper Nyovestは最大都市ヨハネスブルグを拠点とする新世代のラッパー。ソングライター、プロデューサー、そして実業家としての顔も持つ。2009年、高校を中退してフラフラしていた時、同郷の故Hip Hop Pantsulaとの知遇を得た。本格的キャリアのスタートは、Hip Hop Pantsulaのアルバム『Dumela』のレコーディングに参加した

ことがきっかけだ。2014年、彼は レーベルFamilyTree Recordsを設立。デビューアルバム『Tsholofelo』のセールスにより、いきなりトップアーティストの仲間入りをした。以降ほぼ毎年の頻度でアルバムをドロップ。ライブはアリーナクラス、国外の著名アーティストともコラボしている。

いっぽうで2014年以来、ケープタウンを拠点とするAKAとのbeef合戦は、長年にわたり地元メディアやヘッズに話題を提供してきた。きっかけはCassper Nyovestの何気ない自慢ツイートだ。以降、ことあるごとにクソリプで応酬。一時は銃を向けられた、殴られたなどとお互いエスカレートした。

しかしながら、2023年2月AKAの死に際しては、ライバルに対し哀悼の意を表した。

3T

Ⓐ 2018

YoungstaCPT 曰く、パンチラインの集まり。ケープタウンの植民地時代の歴史、奴隷制度、アパルトヘイトの人種隔離政策を研究しインスパイアされたという。たとえば「YVR」はケープ植民地を建設したヤン・ファン・リーベックの頭文字だ。植民地政策がもたらした矛盾をテーマとしている。影響を受けた Method Man、Redman のエッセンスも漂う全 22 トラック、すべてが深い。

YoungstaCPT

©：Facebook

🇿🇦　🅐 国：南アフリカ　🅑 出身地：ケープタウン　🅢 拠点：ケープタウン　🅓 生年：1991　🅔 活動期間：2010-　🅕 本名：Riyadh Emandien　▶　◯　◎ 1954

あふれ出るケープマレー文化、
そのスタイルは King of Kaapstad ！

　ケープマレーとは、南アフリカにおける民族集団を意味する。ケープタウンにオランダ人が入植した 17 世紀、同じく当時オランダ領のインドネシア、マラッカから奴隷として連れてこられたムスリムの人々が起源だ。アパルトヘイト時代は黒人、白人とは別のカラードのサブグループとして扱われた。

　YoungstaCPT も熱心なイスラム教徒であり、祖母はマドラサ（イスラム学校）の教師だったという。ついでながら、最近の南アフリカ若手ラッパーの名前に「CPT」とあるのはケープタウンの略で、hood への愛を表している。1991 年生まれ、ケープマレー文化とケープタウンのルーツにインスパイアされ、ケープタウンのアフリカーンス語愛称と同じ

Kaapstad というスタイルに昇華したことで知られている。デビューは 2010 年。以来、30 のミックステープ、6 枚の EP、コラボレーションアルバムをリリースしていた。そして、2018 年に 1st アルバム『3T』をドロップ。このアルバムリリース直前には Red Bull の人気企画『64Bars』に招待され、フリースタイルとともに新アルバムの制作秘話を披露した。また、こちらは South African Hip Hop Awards にて 2019 Album of the Year を受賞している。

　このあと一時的にヨハネスブルグに拠点を移したことが批判された。ケープマレー期待の星なのだ。2021 年には、Netflix のドラマ『Blood & Water』第 2 シーズンで俳優デビューを果たした。

C：Facebook

Bad Hair

Ⓐ 2016

2015年ごろメジャーシーンに現れ、初登場1位や賞独占と荒らし回り、トップに立ったNasty C。2016年リリースの『Bad Hair』は記念すべき1stアルバム。同年末には4曲追加された『Bad Hair Extensions』がリリースされた。カバーはTwitterでファンに乱れた髪型の像を送ってもらい、それらをコラージュして自分のポートレートに仕上げたアートワークとなっている。Wavyかつ本格Hip Hopで捨て曲なしの仕上がりとなっており、売れるのも納得だ。

🏴 国：南アフリカ　　◆出身地：ソウェト　　📍拠点：ヨハネスブルグ　　● 生年：1997
🎧 活動期間：2013-　　本名：Nsikayesizwe David Junior Ngcobo　　▶ 　∞ 35549

南アフリカNo.1に上り詰めた
中学デビューのCoolest Kid!

ガラの悪い地域だとヤンキー、ギャルは中学デビューが相場。陰キャが高校デビューでキョドるよりは健康的かもしれない。ソウェト生まれのNasty Cも中学デビュー。もっとも少年時代を過ごしたのはガラの悪いソウェトではなく、ダーバンの丘の上の住宅街ロータスパークだ。親しみやすいルックスでヤンキー臭さがない好青年に見えるが、極悪なTrapビートも使うなど、トラックはまた別の話。

2012年、14歳のときNasty Cは初のミックステープ『One Kid, a Thousand Coffins』をリリースした。そして2015年、転機となるヒットシングル「Juice Back」を発表、DavidoとCassper NyovestをフィーチャーしたGemini Majorプロデュースのリミックス版が数か月後にリリースされた。有名どころ二人のゲスト参加によるリミックス版もヒットを記録、シーンでの地位を確立した。そして初のスタジオアルバムとなる

『Bad Hair』をリリース。こちらも数か月後、アメリカのFrench Montanaをゲストに迎えた「Allow」など4トラックを追加した『Bad Hair Extension』が発表された。2018年、Nasty CはレーベルTall Racks Recordsを設立。翌年のAFRIMAでは、Best African Rapper / LyricistとBest African Collaborationをダブル受賞の栄誉に輝き、南アフリカのトップアーティストとなった。Universal Music Africaとも契約し、傘下のDef Jam Recordsからアルバムを3枚リリース。また2020年にはNetflixのオリジナルドラマ『Blood & Water』にて俳優デビューした。

ちなみに2019年には初来日、渋谷Harlemのイベントにゲスト出演し、JP The Wavey、Ricky、Yoshiら日本人アーティストとのコラボも実現した。この時の様子はRed Bullのミニドキュメンタリー『Zulu Man in Japan』にまとめられている。

℗：Facebook

Psalm 23

Ⓐ 2009

タイトルはダビデ王の言葉と伝えられる旧約聖書の詩篇 23 篇と大きく出た。「Bothata」など自身の過去トラックをアレンジ及びミックスし直したうえ、新たなトラックも収録。1990 年代より、レソトの Hip Hop シーンを引っ張ってきた Papa Zee のいわば集大成ともいえるアルバムだ。ソト語とその文化をヘッズに再認識させ、その後のレソトシーンに多大な影響を与えた。

Papa Zee

🔘 国：レソト ➕出身地：マセル 📍拠点：マセル 〰 活動期間：1995-
😀 本名： Motlalehi Leshoel ▶ 🟢 ∞ 3

国の中の国レソト王国の
オールドスクール親父！

　国の中に国があるという珍しいレソト。バチカン、サンマリノ同様の包領だ。当然のことながら、レソトでは南アフリカの影響が大きく、音楽シーンも同様だ。

　Papa Zee はレソトにおけるシーンのファウンダーである。多くのラッパーが登場し活気を帯びてきた 1995 年、Papa Zee はグループ Ethnics を結成。テーマは「庶民の日々の闘争」だ。当時は Zee Dawg と名乗っていた。2004 年、Papa Zee は兄弟のいる南アフリカケープタウンへ。レコードレーベル Struggle Entertainment を立ち上げる。このレーベルから 2007 年ソロコンピレーション『The Signature Album』をリリース。2008 年、南アフリカのレセディ FM のソト語放送をきっかけにアルバム『Psalm 23』の構想を始める。翌年このアルバムはリリースされ、レソトを含むソト語圏で高い評価を得た。ちなみにソト語は南アフリカにおいて、11 ある公用語のうちの一つである。2012 年、自身のレストラン事業のマネジメントも兼ね、レソトのミュージシャンを支援するために帰国。アフリカの小さな国にありがちだが、レソトも例外なくレコーディングやプロダクションといった音楽産業のバックボーンが貧しい。そのため南アフリカのリソースに頼らざるを得ない。

　こういったレソトの現状を解決すべく 2013 年、新たにレーベル Big Bang Records を設立した。現在もプロデューサー、イベントオーガナイザーとして、Papa Zee はレソトの音楽シーンに対し力を注いでいる。

©：ProfileAbility

Nowhere

🅐 2019

さすがプロデューサー＆ソングライターの本領発揮。売れ線ばかり集めた全17トラック。却って、あまりのキャッチーさに途中で退屈になってくるほどだ。Hip Hop を軸に Mbhaqanga、R&B、Afro Pop をミックス。ラジオ向きのトラックを作らせれば最強、ドライブ、作業の BGM にいかがだろうか。

Mozaik

🏴 国：エスワティニ　📍 出身地：ムババーネ　📍 拠点：ムババーネ　📅 生年：1985
📅 活動期間：2006-　👤 本名：Muzi Ngwenya　👤 別名義：Mozaik the Producer　▶ 🎧 ∞ 2

スコットランド留学し、今や
エスワティニの大御所プロデューサー！

アフリカ最後の絶対王制エスワティニ王国、2021年の民主化運動にて当局の攻撃により多くの死者が発生した痛ましい事件が起きた。国王ムスワティ3世の長女シハニイソ・ドラミニ王女は、2009年から留学先のイギリスにて Pashu 名義でラッパー活動していたという。現在は帰国し情報通信技術大臣に落ち着いたが、若気の至りで侍従から棒打ちや猿轡かませの罰を受けたお姫様だ。

エスワティニでお姫様ラッパーの次ぐらいにリッチなのが、プロデューサー兼ラッパーの Mozaik。もっとも王族と平民では天と地ほどの差ではある。1985年、首都ムババーネ生まれ。スコットランドにサウンドエンジニアリング留学の経験もあり、2000年代か

ら実績を積み上げてきた実力派だ。2006年に国内初のトップレコードレーベル Claiming Ground Records を立ち上げた。

自身のシングルを発表する傍ら、KrTC、Psycho Lution、Crax といった国内アーティストのほか、南アフリカの Nomalungelo らのプロデュースも手掛けた。2010年、KrTC との共同名義のアルバム『Siyinqaba』は、政府芸術文化評議会主催の Tihlabani Awards にて Hop Artist of the Year、Producer of the Year ほか、マルチプライズとなった。2019年、キャリア15年にしてようやく1st アルバムを『Nowhere』をドロップ。

また、近年も MTN SWAMA Awards にノミネートされている。

The Return Ⓐ2004

Hip Hop と Dancehall のトースティング、さらに R&B を独自の解釈で融合した The Kalaharians。現役当時の人気により、今も懐しむヘッズ多数。ただし、残された音源が散逸しているため、YouTube にいくつかアップされている MV でチェックしてほしい。収録曲「Work Tha Middle」など、ナミビアの Black Eyed Peas と評された理由がわかると思う。

Ⓒ：MV「Get It On」

The Kalaharians

ユニット空中分解、音源散逸が惜しい ナミビアオールドスクール！

Ⓟ 国：ナミビア ◆出身地：ウイントフック ⑧拠点：ウイントフック 〜活動期間：1996-2000
⊕ 別名義：The Usual Suspects ⓘ グループ中心人物：CJP、TC、Exile, Queli ▶ ∞ 176

　ナミビアの独立は、1966 年から南アフリカとの独立戦争を経て 1990 年と割と近年。洋書『Hip Hop around the World: An Encyclopedia』によれば、ヒップホップは南アフリカとほぼ同じ時期 1980 年代初頭にナミビアに到達した可能性が高いとのことだ。ただし、無きに等しい音楽産業の乏しさのため、実際にシーンが活性化したのは The Kalaharians 登場の 1990 年代後半まで待たねばならなかった。前述の通り貧弱な音楽産業のため、ミレニアム以前の音源は散逸してしまっているのが残念である。

　初期のナミビアシーンを代表するのが The Kalaharians だ。1996 年、CJP、TC、Exile、Queli の 4 人により結成された。ところが、2000 年にグループ内で確執が生まれ空中分解。The Kalaharians 解散後、元メンバーらが結成した集団 Dungeon Family には、のちに国民的アイドルとなる女性デュオ Gal Level も所属していた。

　首都ウイントフックの有力ニュースメディア『New Era』では、元メンバーのその後を取材をしている。CJP は所属レーベル Ogopa Butterfly の親会社 Ogopa Deejays を頼りケニアへ。TC は神様の声を聞き信仰の道へ。Queli は難病の治療を受けながら教職へ。そして、ドラッグのリハビリプログラムなど、グループ解散後も 10 年以上世話を焼いてきた Ogopa Butterfly の CEO から「あいつはどうしようもない奴だ」と匙を投げられた Exile。グループ解散の原因はキミだったのか。

© : Facebook

Shimaliw' Osatana

Ⓐ 2004

基本ナミビアのシーンは南アフリカとほぼ同じ。2000年代はナミビアでもKwaito全盛であった。初のKwaitoフルアルバムということで、ナミビアでは現在でも音楽史に残る記念碑的な扱いだ。バックコーラスにGazzaが参加している「Mamma」を肴に、その後の確執に想いをはせるのもオツ。

The Dogg

🏁 　　　　　 🎌 国：ナミビア 　📍出身地：オナイエナ 　🎧 拠点：ウイントフック 　🎂 生年：1983
　　　　　 〰️ 活動期間：2003- 　🅰 本名：Martin Morocky 　💬 別名義：King TeeDee 　▶️ 🅂 ⒸⓇ 172

初のKwaitoフルアルバムという
記念碑建立、ナミビアのDMX！

　史上初、1stアルバムから5作連続で全米チャート初登場1位を記録したDMX。1990年代後半からミレニアムの時代を象徴するHardcoreなラッパーであった。犬が吠えるような独特な発声テクニックから、The Dogとも呼ばれ、ヒットシングルのタイトルにも採用していた。惜しくも2021年4月に50歳で亡くなってしまった。

　いっぽうナミビアのThe Doggは、マネとしか思えないステージ名とともに声質もDMXとよく比較される。とはいえ、HardcoreなHip Hopというよりは、お気楽なKwaito寄りのアーティストだ。1983年生まれ、これまで11枚のアルバムと20以上の賞を受賞しており、ナミビアでは重鎮ともいえるミュージシャンだ。2003年にギャングスタラッパーのGazzaと仲良くなり、お

互いシングルでコラボ。当時一緒にグループOmalaeti O'Swapoを組んでいたプロデューサーElvoのもと、1stアルバム『Shimaliw' Osatana』を2004年にドロップ。このアルバムはナミビア初のKwaitoフルレングス作品となった。2ndアルバム『Take Out Yo Gun』は自身のレーベルMshashoからリリース。Hip HopとKwaitoを融合したHikwaの第一人者Sunny BoyをMshashoレーベル初契約。

　ところが、Sunny BoyがGazzaのレーベルとの契約を拒否していたことがきっかけで、The Dogg vs Gazzaの長期にわたる確執が始まる。これにより、Sanlam-NBCでの受賞に対し不正疑惑が取りざたされるなど、各方面に影響が及んだ。Beefは界隈の名物とはいえ、程々にして頂きたいものだ。

©：MV「Jupiter's Love」

🏴 国：ナミビア ●出身地：ウイントフック 🔍拠点：ウイントフック ⏱ 活動期間：2013-
👤 グループ中心人物：Mark Question、AlithatDude、Okin ▶ 🔲 ∞178

コンピュータサイエンス博士のハイテク
ユニットによるアフロフューチャリズム！

1964 年のザンビア宇宙計画をご存じだろうか？　小学校教師が米ソを出し抜くべく、宇宙計画をぶち上げ、訓練センターを開設した。まず月に行き、次は火星人にキリスト教を布教するなどトンデモプロジェクトであった。無重力訓練はドラム缶に入り丘を転がる、最初に搭乗する予定だった少女訓練生の妊娠、他の訓練生は酒やダンスパーティーに興じる、そして予算不足と崩壊の予感しかないプロジェクトであったという。

Black Vulcanite は、このザンビア宇宙計画を 2016 年の 2nd アルバム『Black Colonialists』にて言及。Mark Question、AlithatDude、Okin の 3 人によるナミビアの首都ウィントフックを拠点とする Hip Hop ポエトリーグループである。結成は 2013 年、3 人はもともと近所同士だったという。1stアルバム『Remember the Future』以来、アフロセントリズム、そしてアフロフューチャリズムをテーマとするコンシャスラップを徹底している。2nd アルバム制作では、Mark Question はコンピュータサイエンスの博士号

Black Colonialists

Ⓐ 2016

前作に続き、全 22 トラック Black Vulcaniteイデオロギー全開のアルバム。Lyrics は列強の植民地政策からポストコロニアル時代、そして未来の宇宙までタイムトリップ。後半を Free Jazz風に盛り上げる「Black Colonialists」、Bossa Nova ビートがリフレインする「Brazil」と音作りの引き出しも大きい。心して掛かれ。

取得のためヨーロッパを転々、Okin は北京、AlithatDude がナミビアに残るという体制の中、レコーディングした。

博士号を取得した Mark Question は、手や指の動きを使う「Hip Hop パワーグローブ」なる電子楽器を発明。テクノロジーと未来に生きるグループなのだ。また、これまでYoungstaCPT、Yuppi Da Rapper、Jay Prince、Star Dust といったアーティストとコラボしている。

宇宙とテクノロジー、アフロフューチャリズム

San Ra 『Jazz in Silhouette』 (1959)

　Black Vulcanite で触れたアフロフューチャリズムに関して補足しておきたい。

　アフロフューチャリズムとは、テクノロジー、未来、宇宙とブラックカルチャーが結びついた思想、表現である。1992 年に批評家の Mark Dery によって名づけられた。故郷を失い、差別により苦難を経てきたアフリカ系アメリカ人が、自らのアイデンティティを取り戻すために、宇宙や科学、そしてスピリチュアル方面に活路を見出した思想でもある。黒人社会の理想の未来を音楽や小説、映画などのフィクションでフィルタリングしたともいえる。

　Mark Dery の命名から、わりと新しいものと思われるが、この哲学自体はかなり昔から見られた。1950 年代末、Free Jazz に自分の思想を融合させた San Ra が、古代エジプトや宇宙をモチーフとした SF 風の衣装や奇抜な演出を試み、Cosmic Jazz を確立した。折しも米ソ宇宙開発競争が激化し始めたころである。この時代はソ連に先行された「スプートニクショック」もあり、アメリカ国民の大きな関心を呼んだ。宇宙をイメージしたスペースエイジデザインが巷にあふれたのもこの時代である。こうしたことから、土星から来たという San Ra は、

San Ra 制作映画『Space Is the Place』(1974) より

アフロフューチャリズムの先駆者ともいわれる。

　San Ra が始めた Cosmic Jazz の影響は Funk 界隈にも及んだ。Parliament、Funkadelic を率いた George Clinton ほか、1970 年代には長岡秀星による幻想的なイラストをアルバムジャケットに採用した Earth, Wind & Fire へと連なる。ヒット曲「Fantasy」の邦題は「宇宙のファンタジー」

Parliament 『Parliament』(1974)

だ。以降アフロフューチャリズムは、Ras G、Flying Lotus といった Hip Hop 界隈も巻き込み、近年の Black Lives Matter 運動、映画『Black Panther』にも絡み、多くのアーティストが取り上げるようになった。

　ただし、上記の話はアフリカ系アメリカ人によるものだ。ザンビア宇宙計画をテーマとした Black Vulcanite らは本来のアフロフューチャリズムといえるかもしれない。

Black Vulcanite が開発「Hip Hop パワーグローブ」

Freshly Baked

Ⓐ 2008

出世作の 1st アルバム。前述の通りツワナ語によるモツワコであるが、英語ピジン語とのミックス。全 14 トラックのこのアルバム、ボツワナで大ヒットとなり、南アフリカでも MTN『Hype Magazine』Hip Hop アワードでアルバムオブザイヤーにノミネートされた。「Intro」からラストの「Dream On」まで捨て曲なしの隠れた名盤である。

Zeus

© : Facebook

▶ 国：ボツワナ　◀ 出身地：セロウェ　⊗ 拠点：ハボローネ　■ 生年：1986　✦ 活動期間：2005-
♠ 本名：Game Goabaone Bantsi

スーパーゼウスを名乗ってもいい
モツワコヒップホップの最高神！

　ボツワナの Hip Hop 史は 1980 年代初頭から始まる。欧米留学帰りなど裕福な家庭の子弟がファッション、ライフスタイルを流行らせ 1990 年代にかけて飛躍した。当時お坊ちゃま学校であったハボローネ中等学校などでは生徒間でラップバトルが頻繁に行われていた。ところが、1990 年代後半は隣国南アフリカ発のダンスミュージックである Kwaito が大流行。中上流家庭のキッズ中心の Hip Hop は、マイナージャンルとまではいえないまでも不遇の時代を迎えた。転機はミレニアムの変わり目。ボツワナ Hip Hop の伝道者ともいえる DJ Sid や Dave-Ski が次々と若手ラッパーをプロデュース。多くの階層に認知されるようになり、人気の点で Kwaito を抜きジャンルを不動のものとした。

　Zeus もこのタイミングで登場したラッパーである。人口 4 万人の田舎町マハラピエにて 1986 年生まれ、ということで当時ティーンエイジャー真っ只中。イキリ過ぎたためか一旦シーンから遠ざかり、モナシュ大学南アフリカ校（現 IIE MSA）へ留学する。

　マーケティングの学位を取得し卒業後、2008 年 1st アルバム『Freshly Baked』をリリース。以降、アルバムは最大のヒット曲「Champagne Music」が収録された 2009 年『Flip Side』、アフリカニズムをテーマに大きく方向性を変えた 2013 年『African Time』、2021 年ミックステープ『Draking』と寡作である。本人がインタビューで話しているように、民族文化を重視しツワナ語をメインとする Motswako Hip Hop を確立。彼の世代以降、Motswako はボツワナ及び南アフリカ北部の Hip Hop シーンでスタンダードとなった。

　また、青少年育成、HIV 啓蒙といった慈善事業のほか、ボツワナ音楽産業の進歩と成長に自身の力を提供している。

© : Facebook

Mma Mongwato

Ⓢ 2015

ソロデビュー作、意味は
ツワナ語で「モンワトさ
ん」。その後の彼女の愛称
にもなった。スリムな女
性が理想的であるとする、
保守的な価値観へのアン
チテーゼがこのトラック
の背景だ。ありのままの
自分を受け入れ、自信を
持つべきというメッセージでもある。ビッチな lyrics
はもちろん Parental Advisory である。生前アルバ
ムを残せなかったのが惜しい。

Sasa Klaas

● 国：ボツワナ　● 出身地：ハボローネ　🎤 拠点：ハボローネ　■ 生没年：1993-2021
● 活動期間：2010-2021　● 本名：Sarona Motlhagodi　▶ 🄪 ⓒ 2

ボツワナ最高のフィメールラッパー、
Z 世代女子のロールモデルとなる！

　ボツワナ最高の女性ラッパーとの呼び声も高
い若手。1993 年 5 月 17 日、ボツワナの首
都ハボローネ生まれ。女性政治家であるアン
ナ・モクゲティ（Anna Mokgethi）国籍・移
民・ジェンダー担当大臣の娘でもある。

　2010 年、ラジオパーソナリティ仲間でも
あった Scar のアルバム『A KeMoKhande』
にゲスト参加、これがキャリアスタートとな
る。その後まもなく 2011 年に、彼女はテ
レビ局 e.tv ボツワナで 2011 年から 2012
年まで Hip Hop オーディション番組『The
Foundation：Next Level』の司会に抜擢さ
れた。以降「Mma Mongwato」「Hadsan」
など ソロシングル をリリース。「Mma
Mongwato」シングルリリースからわずか 1
か月後、ガーナのラジオ局にてエアプレイされ
るなど、早くもポテンシャルの深さを現す。ま

た多数のボツワナラッパーのアルバムにゲスト
参加、テレビ出演を重ねるなど、ボツワナでの
ポジションを確立していく。ちなみに前述の
Scar とはご近所さんだったとのこと。幼少の
頃より歌やダンスが大好きな彼女は、用もない
のに Scar のスタジオに出入りし、冗談半分に
「いつトラック作る？」などのやり取りがその
後のデビューに繋がった。活動は隣国南アフリ
カにも及び、衛星放送局 DStv-Moja Love で
トーク番組の DJ 兼プレゼンターに抜擢さ
れた。ファッションをはじめとする彼女のライ
フスタイルは、ボツワナの多くの若者、特に若
い女性へのロールモデルとなった。

　しかしながら、2021 年 3 月 5 日ヘリコプ
ター墜落事故で帰らぬ人となる。これからアフ
リカ全土、世界へと飛躍する矢先の事件であ
り、ボツワナの音楽界は悲しみに包まれた。

Motswako Rap のパイオニア

HHP
📍南アフリカ 🎙1980-2018 💿1476

Introduction
🅰1999

初期のステージ名は Hip Hop Pantsula。1990年代後半、セツワナ語の Motswako Rap をメジャーシーンに押し上げた功労者としても知られる。Pantsula とはアパルトヘイト時代に生まれたストリートダンスを意味している。ステップをはじめ脚の動きに特徴がある。こちらは 2nd アルバム。Hip Hop Pantsula の名前の通り、踊れるトラック盛りだくさんである。

00 年代人気の 7 人組グループ

Skwatta Kamp
📍南アフリカ 💿2332

Mkhukhu Funkshen
🅰2003

1996年から 2009年まで存在していたヨハネスブルグ発の 7 人組グループ。こちらはグループをシーンの支配者に導いた 2003年発売の 2nd アルバム。2004年の South African Music Awards にて Best Rap Album 受賞、Skwatta Kamp の最高傑作アルバムとも評されている。なかでも「Umoya」は大ヒットした。テキストはズールー語、ソト語などを採用。

Drake の前座を務める

Khuli Chana
📍南アフリカ 🎙1982 💿1357

Motswakoriginator
🅰2011

Motswako の本拠地マフィケング出身。セツワナ語に英語を混ぜた「ツウェングリッシュ」が聴衆にウケ人気となった。また、Drake の南アフリカツアーでオープニングを務めた。『Motswakoriginator』は Motswako と Originator を合わせたタイトル。本人の自信がうかがえる 2nd アルバムだ。シーン黎明期から活動している Motswako 仙人である。

警察官試験をバックレ

K.O
📍南アフリカ 🎙1980 💿9111

Skhanda Republic
🅰2014

母親に 2 年間無職を隠し通した大卒ニート。とはいえ、音楽活動を続け Skwatta Kamp を超えるか、といわれたグループ Teargas を結成し世に出た。メンバー間の確執により Teargas 脱退後はソロキャリアを追求。全 11 トラックの『Skhanda Republic』はソロとして初のアルバムである。リリース時、南アフリカのアルバムチャート初登場 1 位、速攻でプラチナ認定を得た。ちなみに Teargas 再結成に関してはハッキリ否定している。

インスタライブでポロリ

Emtee
📍南アフリカ 🎙1992

Avery
🅰2015

2017年 10 月、インスタライブをしながら用を足している際、誤って全世界に自慢のお宝を公開してしまった Emtee。南アフリカの Twitter トレンドリストで 2 位まで上昇した。こちらは彼のデビューアルバム。ナイジェリアの Wizkid、そして故 AKA を ft した「Roll Up Re-Up」は、同アルバムに収録されているデビューシングル「Roll Up」のリミックス。全編 Trap 風味でズッシリ来る。

Motswako のファーストレディ

Fifi Cooper
📍南アフリカ 🎙1991 💿167

20Fifi
🅰2015

本来は R&B シンガーでキャリアをスタートしたが、2010年の Hip Hop ナンバー「Chechela Morago」の大ヒットで路線変更。その彼女の全 15 トラック 1st アルバム。ゲストは Kwesta、Emtee、AB Crazy となかなかいい線を突いている。「Motswako のファーストレディ」と称されるだけあり、音楽的多才さが表現されているアルバムだ。Metro FM Music Awards で 2 賞獲得。

薬物中毒を克服するもうつ病に

Riky Rick
📍 南アフリカ　📅 1987　📊 2870

Family Values
🅰 2015

2010年代中盤、南アフリカのHip Hopシーンで大きな存在感を示したRiky Rick。MTV Africa Music Award、South African Hip-Hop Awards (SAHHAs) などの常連となった。しかし、2021年、長期にわたるうつ病による自殺。生まれたばかりの息子を抱いたジャケットの『Family Values』が彼の唯一のアルバムとなってしまった。全18トラック、愛にあふれたアルバム。

レーベルのゴタゴタに巻き込まれる

A-Reece
📍 南アフリカ　📅 1997　📊 4281

Paradise
🅰 2016

脱退したアーティストのFacebook削除、MVをYouTubeから削除。Ambitiouz Entertainmentと揉め散々な目に遭ったアーティストはFifi Cooper、Emtee、Amanda Blackと多い。原因はギャラや印税の未払いだ。こちらのアルバムはAmbitiouz時代にリリース。「Sebenza」ではレーベルに対し未払いギャラ100万ランド支払いを求めた裁判で勝訴したAmanda Blackがゲスト。

大学在学中に多数受賞

Gigi Lamayne
📍 南アフリカ　📅 1994　📊 480

i-Genesis
🅰 2016

大成功を収めた3部構成のミックステープGround Zeroシリーズに続く、記念すべき1stアルバム。Prokid(Pro)にその才能を見いだされ、2013年辺りから破竹の勢いでチャートインを繰り返し、南アフリカのHip Hopシーンを盛り上げた。こちらは2016年リリースということで、ちょうど快進撃真っ只中の頃の作品。先行シングルの「Ice Cream」はラジオでヘビロテとなった。

『Forbes誌』Africa under 30掲載

Kwesta
📍 南アフリカ　📅 1988　📊 7243

DaKAR II
🅰 2016

前作『DakAR』の成功を受け制作された3rdアルバム。セネガルの首都ダカールではなく「Da King of Afrikan Rap」の略である。『DakAR II』では、Disc1:11トラック、Disc2:11トラックの2枚組構成となっている。このアルバムは7xプラチナ認定を受け、当時、南アフリカで最高売上Hip Hopアルバムとなった。Kwesta最大のヒットといわれる「Ngud」はこのアルバムからシングルカットされた。

タクシー運転手からラッパーに転職

Big Zulu
📍 南アフリカ　📅 1986　📊 965

Ungqongqoshe Wongqongqoshe
🅰 2019

2008年、タクシー運転手を辞め音楽の道へ。インディーズで何年も活動後、2015年Universal Music Recordsの契約を勝ち取った。こちらの2ndアルバムでは、FiFi Cooper、Kwesta、Cassper Nyovestといった南アフリカを代表するアーティストの面々をゲストに迎えた。Reggaeシンガーっぽいルックスだが、肝心のトラックではしっかりHip Hopしている。

AKAと交際

Nadia Nakai
📍 南アフリカ　📅 1990　📊 1378

Nadia Naked
🅰 2019

オーディション番組出身。テレビの音楽番組パーソナリティとしても活躍しているNadia Nakai。交際中のAKAが亡くなった際は多くの人が悲しみを共有した。こちらはデビューから9年目にしての初アルバム。一切媚びないオーセンティックかつハードなHip Hopが勢揃い。Trapサウンドなどトレンドもしっかり押さえている。このアルバムのために50曲レコーディングしたという。そこから厳選した17トラックである。

151

Southern Africa

ケープタウンの新星

Ka$hCPT
📍 南アフリカ　📅 1999
▶️ 🎧 💿 750

Cape Town Radio
🅰️ 2020

ケープタウン発、多彩な音楽性が持ち味の若手ラッパー。2020年のEP『Cape Town Radio』の続編ともいえるフル&1stアルバム。前作より格段にパワーアップした全16トラック。「What I Like」ではAfrobeats、「Pour Up」ではAmapianoといった甘めのトラックも収録している。Blackie、J Molley、Savageほか、地元の大センパイYoungstaCPTとのコラボ曲も必聴である。

コロナが生んだSA Hip Hopの新風

Blxckie
📍 南アフリカ　📅 1999
▶️ 🎧 💿 8080

B4Now
🅰️ 2021

コロナのロックダウンで大学を卒業できず、SoundCloudでトラックを発表していたら人気に火が着いてメジャーデビュー。2021年、『B4Now』にも収録されている「Ye×4」では、早くもNasty Cをゲストに招く貫録を見せつけた。『B4Now』ツアーではサポートにA-Reece、Nasty C、Nadia Nakai、Big Zuluほかが揃い、南アフリカの新星に相応しい豪華なライブとなった。

Kasi Trapの宝石

25K
📍 南アフリカ　📅 1994
▶️ 🎧 💿 646

Pheli Makaveli
🅰️ 2021

2017年のデビューシングル「Culture Vulture」が、故AKAのアンテナを反応させオープニングアクトの座を勝ち取った25k。元々インディーズながら、Homecomingなどの巨大フェスにも出演。有名プロデューサーZoocci Coke Dopeらと仕事をしてきた。全12トラックの『Pheli Makaveli』は、「Kasi Trapの宝石」といわれる25Kによるストリート言葉で綴る物語である。

レーベル戦争を起こしたHikwaの先駆者

Sunny Boy
📍 ナミビア　📅 1983
▶️ 🎧 💿 259

Uuyelele
🅰️ 2019

ヒット曲のゲストに招かれたGazzaのGMP Recordsと契約すると見せかけ、兄貴分のThe DoggのMshashoとサインし両レーベルの争いを生んだ男、Sunny Boy。2004年のデビューから2010年頃まで、Sunny Boy自ら先頭に立ちdisトラックの応酬が続いた。Hikwa考案よりもキョーレツなエピソードだ。『Uuyelele』はそんな彼がすっかり落ち着いた2019年リリースの7枚目アルバム。

顔にキズのボツワナ第一世代

Scar
📍 ボツワナ　📅 1984
▶️ 🎧 💿

Happy Hour
🅰️ 2008

Zeusとのbeef、ラジオ局の出入り禁止と血の気が多いScar。しかし、顔のキズは喧嘩が原因ではなく子供時代のケガの跡ということだ。「Metlholo」「Psycho」など、90年代中盤っぽい印象もあり。南アフリカのテレビ局が主催するChannel O Africa Music Video Awardsにて、3部門ノミネート。当アワードにて、ボツワナ勢としては初のBest Hip Hop Videoを受賞した。

Drama Boiの遺作となったアルバム

Drama Boi
📍 ボツワナ　📅 1993-2021
▶️ 🎧 💿 3

Boy from Another Jungle
🅰️ 2021

ボツワナでも人気のMotswako。シーン中興の祖として人気を博したのがDrama Boiである。南アフリカでも認知度が上がり飛躍を期待されていた2021年、28歳の若さでこの世を去る。当初、自殺では？と噂されていたが、HIVによる病死であった。遺作となった『Boy from Another Jungle』は3rdアルバム。キャッチーな全20トラックは、Drama BoiのMotswako総決算となった。

Chapter 4
Western Africa

ナイジェリア／コートジボワール／ベナン／トーゴ／ガーナ
ニジェール／ブルキナファソ／マリ／モーリタニア／カーボヴェルデ
セネガル／ガンビア／ギニアビサウ／ギニア／シエラレオネ／リベリア

モーリタニア
カーボヴェルデ
セネガル
ガンビア
ギニアビサウ
ギニア
シエラレオネ
リベリア
マリ
ニジェール
ブルキナファソ
ナイジェリア
コートジボワール
ガーナ
トーゴ
ベナン

アフリカ最大の人口と経済力を誇るナイジェリアを有する地域。かつてフランス植民地であった国々が多いのもこのエリアである。アーティスト紹介やディスクレビューにて、フレンチラップの影響を補足しておいた。また、イスラム教徒の多いニジェール、マリ、モーリタニアといったサブサハラ北限のシーンにも注目。そして、日本マンガオタクで Drill なセネガルの Akatsuki SN にインタビュー。合間のコラムでは、Wizkid ら超大物が宣伝するスマホの謎を解明、長年の議論 Afrobeats 呼称問題、アフリカ発のストリーミングサービス、アフリカの Drill Music、Hip Hop のルーツを再考したコラムを掲載。なおナイジェリアだけは桁違いに音楽シーンの層が厚く、アーティスト数も膨大にいる為、それだけで一冊の本が成り立ってしまうほど巨大である。本章で紹介できるのはごくごく一部であることをお許しいただきたい。

サブジャンル・周辺ジャンル解説

Rap Dogba

🌍 西アフリカ ▮▮ コートジボワール 📅 1990

コートジボワールでのシーン初期、1988 年に結成されたグループ Crazy B。その中心人物であった Angelo Dogbas は 1996 年、Gangsta Rap、UK の Jungle そしてアフリカのリズムを融合させたスタイル Rap Dogba を完成させた。その成果は初のソロアルバム『Represent』として結び、シングルカットされた「Dogba」と「Ne baissez pas les bras」は、コートジボワールとアフリカ各地のヒットチャートに躍り出た。Ice-T、N.W.A を彷彿とさせるオールドスクールな Gangsta Rap に対する独自解釈は、コートジボワールの Hip Hop 史における遺産である。

Zouglou

🌍 西アフリカ ▮▮ コートジボワール 📅 1990

1990 年代中盤に生まれたダンスミュージック。地方都市ガニョアの大学生が始めたとされる。経済危機のなか、コートジボワールの都市運動 Ziguehi とも連動。抑圧された若者の社会現実、政治的メッセージを明るく軽快なメロディーに乗せる。1996 年結成の 4 人グループ Magic System により、フランス語圏であるブルキナファソ、カメルーン、ガボンなどにも波及した。このスタイルから Coupé-décalé に進化。Magic System の初期作品と、最新作品を比較すればその変化が分かる。代表的アーティストはほかに Sur-Choc、Petit Denis、Vieux Gazeur、Espoir 2000 など。

Coupé-décalé / Dirty Décalé

🌍 西アフリカ ▮▮ コートジボワール 📅 2010

コートジボワールで人気のダンスミュージック Coupé-décalé とアメリカの Dirty South を融合したサブジャンル。ベースとなった Coupé-décalé は 2000 年代初頭にパリのコートジボワール人コミュニティで生まれた。お気楽なパーティーアンセムであるため、2002 年の内戦の頃にはコートジボワールでも人気となり、夜間外出禁止にもかかわらずアンダーグラウンドなイベントが各地で行われた。2003 年にデビューした DJ Arafat は、持ち前のハードコアなスタイルがウケ「Coupé-décalé の王」と称された。

Coupé-décalé 人気はサブサハラ地域、特に西アフリカと中部アフリカにも波及。フランスの MHD が Coupé-décalé と Dirty South を融合した Afro Trap を完成させた 2010 年代中盤、コートジボワールでも同じ動きがあった。Hip Hop、R&B、Reggae、Dancehall など多ジャンルの融合を得意とするグループ Kiff No Beat（2009 年結成）は、Mix テープ『Cubisme』（2015）にて、Dirty South の特徴でもある TR-808 のキックを大胆に採用。ここに Dirty Décalé のスタイルが誕生した。これにより、2000 年代初頭から Coupé-décalé に人気を奪われていたコートジボワールの Hip Hop は復権した。

Highlife / Hiplife

🌍 西アフリカ 🏴 ガーナ 📅 1990

19 世紀末、カリブ海交易により、ガーナを中心とする西アフリカ地域に登場した Palm Wine Music をルーツとする Highlife。その名の通り、高級クラブで演奏され上流階級を中心に広がった。1940 年代以降は小規模なギターバンドから、ビッグバンドへと変化。ダンスミュージックとしての傾向が強くなった。ET Mensah and the Tempos、The Ramblers Dance Band、Kofi Ghanaba らは、1950 年代の Highlife を躍進させた。ET Mensah においては国際的な注目を集め、1957 年にはあの Louis Armstrong と共演した。Hip Hop がガーナで注目され始めた 1990 年代初頭、Jay Q や Reggie Rockstone らは、トゥイ語やピジン英語、Highlife のフレーズを採用するなど Hip Hop と融合したスタイルとして Hiplife を作り上げた。Reggie Rockstone においては「Hiplife のゴッドファーザー」と評されている。1990 年代末、若きプロデューサー Hammer of The Last Two の出現により、Hiplife はさらなる躍進を遂げ、ガーナを代表するジャンルとなった。Edem、Obrafour、Tinny、そして Sarkodie といった面々は彼の門下生である。

Azonto

🔊 西アフリカ　🏴 ガーナ　🕮 2010

このキーワードの初登場は2009年の
R2Bees「Azonto」に遡る。元々はApaaと
いう職業ごとの符牒を脚の動きで表現する伝
統的ダンスが由来。2012年頃Guruの「Lapaz
Toyota」、SarkodieとELによる「You
Go Kill Me」で火が付いた。ナイジェリアの
Wizkid、イギリスのFuse ODGらもAzonto
ナンバーをリリース。簡単な踊りであること
から素人動画も作られ、バイラルヒットとなっ
た。ここから派生した勢力として、過激派グ
ループの動作を模したダンスAlkayidaがある。
こちらは2013年、前述のGuru「Akayida
(Boys Abrɛ)」により広まった。

Asakaa

🔊 西アフリカ　🏴 ガーナ　🕮 2020

ガーナ第2の都市、アシャンティ王国の首都
であったクマシから2020年頃に発生した
ムーブメント。ヨーロッパなどではGhana
Drillと呼ばれる。トゥイ語のDrill Musicだ
が、特徴は逆さ言葉を多用すること。Asakaa
そのものがトゥイ語の「Kasa（話す）」の逆
さ言葉である。Off-White創始者且つLouis
Vuittonのアートディレクターであった故
Virgil Abloh が、SNSにタグ付け投稿した
ことも爆発的な広がりを見せた要因だ。代表
的なアーティストはJay Bahd、Yaw Tog、
O'Kenneth、Black Sherif、Kwaku DMCら。
いずれのアーティストも10代後半の学生デ
ビューということで若い。

Mbalax

🔊 西アフリカ　🏴 セネガル　🕮 1970

セネガルとガンビアの国民的人気ダンスミュー
ジック。1970年代初頭にセネガルの都市部で
発展した。今日ではRnB、Hip Hop、Coupé-
décalé、Zoukの影響もみられる。その起源は
ウォロフのグリオによるサバール（太鼓）にたど
り着く。サバールはドラム言語ともいわれ、ス
トロークによってウォロフ語での発話と相関す
る。1970年代には、西洋楽器や電子楽器が採
り入れられMbalaxとなった。しかしながらそ
の屋台骨はサバール、バラフォンといった伝統

的なドラムである。代表的なアーティストは、
Youssou N'Dour、Ismaël Lô、Habib Faye
といったアフリカ音楽好きにはお馴染みの面々。

Nova Geração

🔊 西アフリカ　🏴 ギニアビサウ　🕮 1990

ギニアビサウにHip Hopが上陸したのは1990
年代初め。ラジオからはヒット曲が流れていたが、
不良文化扱いであったため、Hip Hopを実践する
ものは日陰ものであった。転機は1997年から
1998年にかけての内戦後。Nova Geração(ス
ペイン語で新世代の意）として、Masta Tito、
Baloberos、FBMJ、Best Friendsら、社会や
政治に対し敢然と意見を言うHip Hopが農村に
まで普及した。もちろん国家権力としては検閲な
どで対応するが、人の口に戸は立てられぬ。また
Baloberosにより、Nova Geraçãoからはド
ラッグ問題を扱うNarco Rapが派生した。

Hipco

🔊 西アフリカ　🏴 リベリア　🕮 1980

「co」はリベリアのクレオール言語であるコロク
ワ語を示す。単なる現地語のHip Hopという括
りではなく、1980年代に登場して以来、常に
社会的、政治的メッセージを内包してきた。い
わば社会悪に対して意見する媒体として機能し
ている。1990年代の内戦期間中も発展を続け、
2000年頃メジャーとなった。『Washington
Post』紙によると、「リベリアにとっての
Hipcoは、アメリカにとってのジャズと同じ」
と評する。代表的アーティストは本書でも紹介し
ているTakun J、Bucky RawほかChristoph
the Change、Sundaygar Dearboyら。

Afrobeat / Afrobeats / Street Hop

🔊 西アフリカ　🏴 ナイジェリア

※ 168ページコラム「Afrobeats 呼称問題、そしてStreet Hop」参照。

: Facebook

The Way I Feel

Ⓐ 1981

当時ナイジェリアでも流行っていた Disco 全開の全 8 トラック。A1:「The Boxer」は Simon & Garfunkel のカバー曲だ。ナイジェリアの Hip Hop 遺産は B1:「The Way I Feel」。アタマの悪そうなトラックばかりで気楽に楽しめる。そうは言っても、ナイジェリアのラップと新時代の到来を告げる記念碑であることは事実だ。

Ron Ekundayo

🔵 国：ナイジェリア　🔺 出身地：ラゴス　🔵 拠点：ラゴス　🔵 活動期間：1981-　🔵 別名義：Ronnie

世界遺産級、ナイジェリアどころか
アフリカ初のヒップホップ説！

　Sugarhill Gang の「Rapper's Delight」が登場したのが 1979 年 9 月。1980 年初頭には全米トップ 40 にランクイン。イギリスで 3 位、カナダでも 1 位と、それまでアンダーグラウンドであった Hip Hop をメジャーにした功績は、よく知られている。「Rapper's Delight」ヒットの様子は凄まじく、その勢いはなんとナイジェリアまで波及したようだ。

　当時、最大都市ラゴスの人気テレビ＆ラジオパーソナリティである Ron Ekundayo（Ronnie 表記もあり）は、仕事柄全米チャートを日々チェックしていた。おそらく、ブロンクスで勃興した Hip Hop のトレンドは把握していたと思われる。そして 1981 年、彼のデビュープロジェクト『The Way I Feel』にて、ラップトラックを収録する。この試みは、ナイジェリア初は当然のこと、Gyedu-Blay

Ambolley の「Simigwa-Do」を除けば、アフリカ初のラップトラックという通説だ。同じころ、Chris Okotie が Nigerian Disco のスタイルを確立したのに対し、Ron Ekundayo のラップは革命的であった。

　彼に続き、Mams & Hart、Oby Onyioha らがラップを採用するなど、ブレイクダンスを含めた初期の Hip Hop シーンに影響を与えた点は大きい。この時点では、わずかにナイジェリア風味があるとはいえ、能天気なお気楽パーティーアンセムに過ぎなかった。

　Dizzy K. Falola、Rapmaster Lexy Mella らも、従来の Disco Boogie、アメリカの物真似から進歩することはなく、しばし停滞した。本格的な Hip Hop シーンが登場するのは、1980 年代末あたりまで待たなくてはならなかった。

© : Facebook

Face 2 Face

全17トラック中12トラックにKing of Dancehallの異名を持つBeenie Manが参加。「Nfana Ibaga」に至ってはBeenie Manに加え、Hiplifeの父Reggie Rockstoneまで参加と豪華である。最大のヒット曲、元バンドメイトBlackface参加の「African Queen」は、その後権利問題でbeefとなった。Afrobeats時代となるとHip Hop色が薄くなってきた変化が分かる。

2baba

●国：ナイジェリア ●出身地：プラトー ●拠点：ラゴス ●生年：1975 ●活動期間：1994-
●本名：Innocent Ujah Idibia ●別名義：2face Idibia ● ● ● 9887

20年以上Naijaシーンに
君臨するベテラン！

2000年代以降、国境を越えたジャンルとして地位を確立した西アフリカ発のAfrobeats。ナイジェリアではNaija Beatsと称される場合もある。少々ややこしいが、1960年代後半、Highlifeやヨルバ伝統音楽にJazzやFunkの要素を取り入れたジャンルがAfrobeat。Fela Kuti、Tony Allenが築いたこちらは最後に「s」がない。AfrobeatsはAfrobeatの影響を受けながらも、Hip Hop、House、R&B、Highlifeなど、さまざまなジャンルを融合したスタイルの総称として使われる。いささか主語としては大きすぎるため、論争となることもある。

2BabaはAfrobeats創世紀から現役のベテランだ。1996年、当時は2Faceと名乗り、Hip HopグループPlantashun Boizを結成。『Body and Soul』（2000）と『Sold Out』（2003）、2枚のアルバムをリリースした。Plantashun Boizはそれなりに成功したが、音楽性の違いから解散。元メンバー間でのbeef合戦も話題となった。

2004年、ソロとして1stアルバム『Face 2 Face』をリリース。ナイジェリア国内だけでも200万枚というセールスを記録した。2006年に2nd『Grass 2 Grace』をリリース、以降コンスタントにアルバムをドロップしている。2016年、彼は2Faceから2Babaにステージ名を変更。また、大手企業のブランドアンバサダーはもちろん、慈善活動家としても知られており、米国食品医薬品局（NAFDAC）、国連難民高等弁務官事務所（UNHCR）とのパートナーに任命された経歴を持つ。

© : Facebook

First Lady

Ⓐ 2006

Sasha Pのキャラを決定づけたデビューアルバム。2006年といえば既に甘めのAfrobeatsが台頭してきた頃。しかし、このアルバムでは全16トラックでしっかりラップしている。全編にわたりクラブバンガーなチューンに溢れ、人気者となるのも分かる気がする。シングルカットの「Adara」「Only One」はもちろん、大ヒットした。

Sasha P

🔴 国：ナイジェリア　🔵 出身地：イバダン　🔵 拠点：ラゴス　🔴 生年：1983
🔵 活動期間：1993-2014　🔴 本名：Anthonia Yetunde Alabi　▶ ⓢ 〇 106

ファッションブランド立ち上げた
Naija Hip Hop のファーストレディ！

　1990年代、ナイジェリアの女性ラッパーのハシリとなったWeird MC。ただし、彼女はイギリス国籍の帰国子女。結局1996年イギリスに戻り、アルバム『Simply Weird』を発表するなどさらにキャリアを開花させた。

　純粋な意味でのナイジェリア初とされる女性ラッパーは、2001年にメジャーシーンに登場したSasha Pである。1983年生まれ、小学生の頃より音楽に親しみ、女性ラッパーがほぼゼロのシーンで成功した先駆者だ。デビュー翌年1stシングル「Work It」が大ヒット。続いて「Oya」「Emi Le Gan」など、ラジオとテレビでエアプレイされ、誰もが知る人気者となった。2006年にはデビューアルバム『First Lady』をリリース。このアルバムタイトルがきっかけで「Naija Hip Hop の

ファーストレディ」と称されるようになる。

　2009年、2nd『Gidi Babe』をリリース。人道活動家として、ストリートチルドレン救済、アンチDV、妊産婦啓蒙といったキャンペーンにも取り組んできた。2008年、ナイジェリア人女性アーティスト初、World Music Awards に出演。2010年にはナイジェリア人初、MTV Africa Music Awards（MAMA）にて Best Female を受賞した。2004年から始めたビスポークから発展し、2012年にはブランドEclectic by Sashaを立ち上げ、本格的にファッションビジネスに参入した。

　以降、事業に専念するため音楽活動は休止しているが、シングルをいくつか発表している。Sasha P が後の女性ラッパーに開拓した道筋は大きなものだ。

Talk About It

Ⓐ 2008

当時、低迷していた Hip Hop 界を蘇らせたアルバム。キャッチーなフローに女性ファンも増えたとのことだ。Wizkid をフィーチャーした「Fast Money Fast Cars」は Kelly Hansome と の beef となったことで知られている。お互いの所属レーベルを巻き込み、次のアルバム『M.I.2』で「Beef」というトラックを発表する延長戦にもつれ込んだ。全 15 トラック。

ⓒ：Facebook

M.I Abaga

■ 国：ナイジェリア　● 出身地：ジョス　● 拠点：ラゴス　● 生年：1981　● 活動期間：2004-
● 本名：Jude Lemfani Abaga　● 別名義：MI　● 25

スベり過ぎてコメディアンを諦め、
ナイジェリア「ヒップホップの救世主」へ！

　芸人はスベりたくてスベっているのではない。コメディアンに挑戦するも、全くウケずスベりまくりだったため、ラッパーになった M.I Abaga を紹介しよう。

　Mode 9、Eldee the Don、Ruggedman を代表とする 1990 年代後半から ミレニアムにかけてシーンを築いたガチ勢ラップは、2000 年代以降、勃興してきた Afrobeats に対し地位を失いつつあった。そんな状況の 2000 年代中盤、北中部の地方都市ジョスで名を上げ、後にファンから「Hip Hop の救世主」と評価されたのが M.I Abaga だ。大学はアメリカのミシガン州カルバンカレッジに留学。Hip Hop にハマり学園祭のステージに立つようになる。コメディに取り組むも、自分以外ウケていない現実にこの路線は諦めたという。

　2003 年にナイジェリアに帰国し、音楽のキャリアをスタート。友人と制作したミックステープが好評で、地元ラジオでエアプレイされ、ローカルの賞を獲得するなど頭角を現した。2008 年、1st アルバム『Talk About It』をドロップ。MTV Africa Music Awards、Hip Hop World Awards などを受賞した。

　その後『MI 2: The Movie』（2010）を筆頭に計 7 枚のスタジオアルバム、多数の EP、ミックステープを発表した。また、2015 年から Warner 傘下になる 2019 年まで、ナイジェリア最大級のレーベル Chocolate City Music の CEO を務め、多くのアーティストを輩出した。近年はより一層勢いづいた Afrobeats に Hip Hop ガチ勢が苦戦しているようで、M.I Abaga の嘆きツイートが地元音楽メディアのネタとなったりしている。

© : Facebook

Superstar
Ⓐ 2011

1st にして 500 万枚以上を売り上げたベストセラーアルバム。先行シングルカットされた「Holla at Your Boy」は、Lil Kim を ft した Se7en の「Girls」のカバーということだ。Naeto C らの影響を受けたとはいえ、全編通して Hip Hop 色はかなり薄目の歌モノ Afrobeats。風味としては R&B、Dancehall も感じられる。

Wizkid

🏳 ● 国：ナイジェリア　● 出身地：ラゴス　◉ 拠点：ラゴス　● 生年：1990　📶 活動期間：2001-
♺ 本名：Ayodeji Ibrahim Balogun　••• 別名義：Lil Prinz　▶ ● ● ❻ 333349

Drake、Beyoncé とコラボし
ワールドワイドに飛躍する Naija の巨人！

2010 年 中 盤、Rick Ross、Kanye West といった大御所らが Afrobeats とのコラボに取り組み始めた。これにより Afrobeats はイギリス、北米のメジャーシーンにしばしば登場するようになった。Beyoncé のアルバム『The Lion King: The Gift』（2019）には、本書で紹介しているアーティストが何名か参加している。いずれもローカルシーンにそれなりのポジションを築いた者たちだ。

このアルバムの「Brown Skin Girl」に参加し、グラミー賞の Best Music Video、そして Billboard、US Rolling Stone で 1 位を獲得したのが Wizkid である。じつはすでに 2016 年、カナダの大物ラッパー Drake とコラボした「One Dance」でアメリカの Billboard Hot 100 で 1 位、さらに 14 か国でチャート 1 位を獲得し、国際的に認知されていた。

1990 年生まれ、10 代より友人とグループを結成し活動。15 歳のときにはラッパーの Naeto C に弟子入りするような形で修行。また、既に Hip Hop 界隈でポジションを固めていた M.I Abaga、2 Baba とも知遇を得て、後の躍進に必要な環境および人脈に恵まれた。そんな彼であるが、2022 年の『Premium Times Nigeria』でのインタビューでは「ラップは聴かない」と発言している。自分のスタイルを追求したいが故の発言と思われる。2011 年、1st アルバム『Superstar』をドロップ。2nd アルバム『Ayo』（2014）では Femi Kuti、Phyno ほか、さらに豪華なゲストをフィーチャーし、Naija シーンで不動の地位を確立した。2020 年の『Made in Lagos』は翌年 Deluxe Edition をリリース。新たにレコーディングされた Justin Bieber がゲスト参加した「Essence」を含む 4 トラックが追加され、話題となった。

大物ラッパーがアンバサダー、謎のスマホ Tecno

Tecno の広告に Wizkid 登場 (Facebook)

アフリカ各地の都市部で見られるケータイショップ Tecno。青いイメージカラーはアフリカの大空を意識したものだろうか。日本をはじめ先進国、スマホ大国の中国でも見かけない名前だ。じつはこの Tecno、中国は深圳の传音科技（Transsion）が展開する上位クラスのブランドである。他にローエンドの Itel、ハイテクの Infinix ブランドを有する。

中国の株式情報サービス「e 公司」によれば、传音科技を創業した竺兆江 (Zhu Zhaojiang) は、Xiaomi の創業者、雷軍 (Lei Jun) に続く人物と目されている。1996 年大学卒業後、当時国営企業であった通信機器メーカー波导（BIRD）へ入社。わずか 3 年で華北地区のトップに就任、その後海外事業の責任者となる。海外事業といえば先進国をターゲットとするのが定石マーケティングであったが、竺兆江はアフリカを徹底的にベンチマーク。会社にアフリカ攻略を提案したものの却下され、スピンアウト。传音科技を創業し裸一貫での挑戦を開始した。

传音科技がアフリカで躍進した理由は、徹底したローカライズだといわれる。狭い地域内で通信キャリアが乱立しているためダブル SIM スロット機、さらにはクアッド SIM スロット機まで投入。停電が頻発するため、「ミサイル高速充電」機能や大容量バッテリー搭載。カメラは暗部描写の弱さに対応、人物写真に嬉しい裸白ならぬ「美黒」機能搭載。これらのアフリカならではの機能が評価され、トップシェアを占めるまでとなった。アフリカ市場の占有率は 50％ほどあり、二人に一人は使っている計算となる。

また、Tecno、Itel、Infinix のアンバサダーとなったミュージシャンにも注目だ。以下に代表的なアンバサダーを一覧にしてみた。本書に登場する名前が何人か見受けられる。特に市場の大きいナイジェリアでは、高額ギャラ必須の大物アーティストを採用。また、人気のリアリティ番組『Big Brother Naija All Stars』のメインスポンサーになるなど、広告宣伝にも大きく資源を投入していることが分かる。

街中の Tecno ショップ、隣は Itel(Google ストリートビュー)

ナイジェリア	Wizkid、Davido、Olamide、Tiwa Savage、KS1 Malaika、Ada Ehi
ケニア	Nyashinsk、Khaligraph Jones、Octopizzo、Otile Brown
ザンビア	Macky2、Chef 187
エチオピア	Selam Tesfaye
タンザニア	Zuchu

© Facebook

YBNL
Ⓐ 2012

自身のレーベルと同名タイトルとした 2nd、全 20 トラック収録の 79 分。「Fuji House」はその名の通り伝統音楽 Fuji をベースとしたビート。また「Panumo」では Davido、「International Local」では Tiwa Savage といった Afrobeats の大物がゲスト。「Jesu 'O' Kola」は Gospel ラップと、全方位抜け目ない多彩な仕上がりとなっている。

Olamide

Ⓟ 国：ナイジェリア　Ⓟ 出身地：ラゴス　Ⓢ 拠点：ラゴス　Ⓜ 生年：1989　Ⓝ 活動期間：2010-
Ⓜ 本名：Olamide Gbenga Adedeji　▶ Ⓒ 64319

ストリート出身の本格派、レーベル名の
由来は「ナイジェリアからの手紙」！

　1980 年代半ばに登場した「ナイジェリアからの手紙」。おもにナイジェリアが発信元の詐欺である。時代が変わり、近年では E メール、マッチングアプリなどの DM が主戦場となっている。この詐欺に加担している若者は、いつしか使用するメールサービスから Yahoo Boy と呼ばれるようになった。ナイジェリアにおいて Yahoo Boy 逮捕のニュースは、風物詩となっており、いまだ跋扈している状況である。

　Olamide は自身のレーベルを YBNL Nation（Yahoo Boy No Laptop の略）と命名した。詐欺師なのにメール送信するラップトップ PC はナシ、というパラドックスに満ちたネーミングだ。その意味は、並外れた奴、あるいはケータイで手っ取り早く稼ぐといったところであろうか。Olamide は、2010 年にシングル「Eni Duro」でデビュー。これで

いきなり Hip Hop World Awards に出演した。2011 年、1st アルバム『Rapsodi』そして 2012 年、前述の YBNL Nation より、『YBNL』をリリースした。基本 Hip Hop の人なのだが、EDM、Dancehall、R&B など柔軟に対応した結果、Afrobeats 寄りとなる。初期作品と近年のアルバム『Carpe Diem』（2020）をぜひ聴き比べ、その違いを感じ取ってみてはいかがだろうか。臨機応変に対応した取り組みが功を奏し、国外まで影響力を及ぼすアーティストとなった。

　また、敬虔なクリスチャンでもあるため Gospel ラップも時折ドロップする。ストリート育ちのヨルバ語と英語のミックスであるため、Yahoo Boy にも Olamide のメッセージは届いているはずなのだが、こればかりはナイジェリア社会全体の貧困問題の解決が待たれる。

No Guts No Glory

🅐 2014

Igbo Rap 第一人者のデビューアルバム。全 19 トラック。先行シングルカットの Olamide をゲストに迎えた「Ghost Mode」は The Headies Awards、Nigeria Entertainment Awards にて Best Collabo を受賞した。このアルバム以降も何かと Olamide とコラボしている。

Phyno

©：Facebook

📷 国：ナイジェリア　📍 出身地：エヌグ　📌 拠点：ラゴス　📅 生年：1986　〰 活動期間：2003-
📷 本名：Chibuzor Nelson Azubuike　▶ 🟢 ⓒ 8213

ナイジェリア南東部エヌグ州出身
Igbo Rap の第一人者！

人口 2 億人以上、世界有数の産油国でもあり、アフリカの巨人と称されるナイジェリア。250 以上の民族・部族、そして方言を含め 500 以上の言語があるとされる。イギリスの植民地だったこともあり、公用語は英語である。民族人口構成によりハウサ語（北部）、ヨルバ語（南西部）、イボ語（南東部）の話者が多い。

Phyno は南東部エヌグ州出身。カレッジ卒業までは州都エヌグ在住、2003 年よりプロデューサーとして音楽活動を開始。2010 年、さらなる飛躍を求めラゴスに拠点を移した。

2014 年、イボ語とピジン英語ラップ満載の 1st アルバム『No Guts No Glory』をドロップ。このアルバムでは Olamide、M.I Abaga、Ice Prince、Runtown といった Hip Hop 界の有名人をゲストに迎えた。『The Play Maker』『Deal with It』『Something to Live For』と 2 年のペースでアルバムをリリース。多くのアーティストが Afrobeats 寄りの歌モノになっていくのに対し、一貫して Igbo Rap のスタイルに拘っている。その背景には自身のルーツ、ローカルの文化へのリスペクトがあるためだ。

また、2015 年 か ら 2018 年 ま で、Phynofest と名付けたフェスを企画。ヨルバ語が主流のラゴスではある意味アウェイであるため、南東部の都市中心に開催した。これまでコラボした Olamide や Burna Boy ら多数の大物ゲストも出演、数万人収容のアリーナ級フェスである。

© : Facebook

Ghetto University
Ⓐ 2015

このアルバムからシングルカットされた「Gallardo」「The Banger」「Bend Down Pause」は、それぞれDavido、Wizkid、Uhuruがゲスト出演し大ヒットとなった。タイトルチューン「Ghetto University」はジャジーなAfrobeatsチューン、後半のホーンが盛り上げる。Runtownの音楽的ルーツが垣間見えるナンバーだ。

Runtown

Ⓟ 国：ナイジェリア ◆ 出身地：エヌグ ⓧ 拠点：ラゴス ◼ 生年：1989 ⦿ 活動期間：2010-
Ⓟ 本名：Douglas Jack Agu ▶ ◎ ⊚ 24449

要注意人物のレーベルと契約し、殺されかけ、泥沼裁判になったヒットメイカー！

2Pac、Snoop Dogg ら稀代のMCたちを世に輩出したレーベル Death Row Records。その総帥 Suge Knight のワルぶりは伝説的ともいえる。あまりのワルさに共同設立者の Dr. Dre も逃げ出すほど。2015年にはひき逃げ事件を起こし、懲役28年の判決を受け、収監中である。

Runtown が2018年まで契約していた Eric Manny Entertainment のオーナー Dilly はナイジェリア版 Suge Knight みたいな人物だ。このオーナーの経歴がかなり香ばしいとのこと。アメリカアラバマ州で詐欺で有罪となるも、仲間を売る司法取引で懲役を免れ、送還された。ラゴスの単なるカーディーラーなのに、いったいどこからそんなカネが湧いてくるのか謎とされている。

ナイジェリアのカルチャーメディア『Pulse』の長期取材記事によれば、実際 Runtown は銃を向けられ脅迫されている。ほかにもギャラの不払い、海外ツアー中にツアー差し止め訴訟など様々な手段で苦しめられたようだ。

肝心の経歴であるが、2008年、同郷の Phyno とレーベル Penthauz を設立、一緒にシングル2枚を出した、年齢でいえば20歳ぐらいの頃だ。2014年、前述の Eric Manny Entertainment とサインし Davido とのコラボ「Gallardo」リリース。続いてアルバム『Ghetto University』をドロップ。そして2016年の「Mad Over You」が Billboard Twitter Top Tracks にランクインする大ヒットとなった。この作品はガーナの Azonto の Alkayida スタイルの影響ではとメディアに評価されたが、本人は「アフリカの美しさにインスピレーションを得た」と語っている。オーナーはアレだが、レーベル移籍で飛躍したのも事実だ。

2018年、Eric Manny Entertainment との裁判に勝ち、自身のレーベル Soundgod Music Group 設立。これで厄介ごととはオサラバできたようだ。

Love Damini

Ⓐ 2022

こちら６枚目のアルバムは全 19 トラック、本人のファーストネームに因んだタイトルだ。「Rollercoaster」の J Balvin をはじめ、Kehlani、Ed Sheeran、Khalid ほか豪華ゲストをフィーチャー。そのおかげか、チャートの方も Billboard 200 で 14 位、Billboard World Albums とイギリス OCC の R&B Albums で 1 位を獲得した。そのほか欧米諸国のチャート上位に食い込んだのはもちろんである。まさに世界の巨人へと成長した。

© : Facebook

Burna Boy

🏳 国：ナイジェリア　◎ 出身地：ポートハーコート　⊕ 拠点：ラゴス　🎂 生年：1991
〜 活動期間：2010-　🎤 本名：Damini Ebunoluwa Ogulu　▶ 🎵 ⊛ 422026

そのスタイルは Afro Fusion、アフリカの巨人から世界の巨人へ！

　ナイジェリアを中心に音楽事情を掘っていると、やたら登場するのが Fela Kuti。さすが Afrobeat のパイオニアは偉大だ。その Fela Kuti の初代バンドマネージャーを務めていた Benson Idonije は、ナイジェリアを代表する音楽ジャーナリストである。Benson Idonije の娘 Bose Ogulu は大学で教鞭をとる文学者であったが、父親同様大物ミュージシャンのマネージャーへ転身した。その大物ミュージシャンとは、Damini Ebunoluwa Ogulu こと彼女の息子 Burna Boy である。そしてそのニックネームはズバリ Mama Burna、いわゆるステージママだ。中断した時期もあったが 2014 年から Burna Boy を支えている。

　小学生の頃から FL Studio でビート制作していたという Burna Boy。イギリスのサセックス大学及びオックスフォード・ブルックス大学に留学後、帰国し音楽のキャリアをスタートさせた。2013 年の 1st アルバム『Life』を皮切りに、すでに 7 枚のフルアルバムを発表。2015 年には、Mama Burna と Spaceship Entertainment を設立、映像作家兼シンガーソングライターの妹 Nissi も同じレーベルに合流した。2018 年頃から本格的に世界進出、4th アルバム『African Giant』のツアーでは北米、ヨーロッパを巡回した。また、Youssou N'Dour、Justin Bieber、Beyoncé、J Balvin、Chris Martin（Coldplay）、Damian Marley ら地域、ジャンルを超えたアーティストとの仕事も注目だ。

　Burna Boy は自分の音楽スタイルを Afro Fusion と定義している。アメリカのカルチャーメディア『Complex』の取材では「Afrobeats や Hip Hop などの枠に収まりたくない、ジャンルはナンセンス」と発言。十把一絡げにはされたくないようだ。

165

Western Africa

Cheque

Trap と融合、808 系 ドラム & ベースが唸る Afrobeats ！

Ⓒ：MV「Zoom」

■ Ⓟ 国：ナイジェリア　◉ 出身地：オンド　🄢 拠点：ラゴス　🄑 生年：1995　💬 活動期間：2015-
🄐 本名：Akanbi Bamidele Brett　▶️ 🄢 ⓒ 16682

　リズムマシンの名機 Roland の TR-808。
1980 年からわずか 2 年間で 12000 台の
み発売のレア機である。1990 年代以降、
House、Hip Hop といったジャンルのミュー
ジシャンに再評価された。また、TR-808 の
特徴的な Decay を伸ばしたキックを初めて
使ったのは、Def Jam 時代の Rick Rubin と
もいわれている。近年の Trap/Drill Music に
おいては TR-808 のあの音なしではビートメ
イキングは考えられないほどとなった。

　Cheque は大胆にも Afrobeats と Trap サ
ウンドを融合させたパイオニアだ。808 系ド
ラム & ベースサウンドが唸る Afrobeats は、
消化の悪い食べ合わせの「ウナギと梅干し」か
と思いきや、プリンと醤油でウニという味わ
い深さがある。1995 年生まれ、ラゴスより
100km 程離れたオンド州出身。大学時代 Kyle
B と名乗り、Gospel Hip Hop の活動を開始。
学園内フリースタイル大会などで人気となり、
コンピレーション EP の制作にも取り組んだ。

　転機となったのは 2019 年。Phyno に
スカウトされたことだ。そのまま Phyno の

Bravo

Ⓐ 2021

ヒット曲「LOML」も
収録されているので、
Afrobeats 新時代を象徴
する Cheque 入門に最適
なアルバムだ。Z 世代の
歌姫 Ayra Starr とのデュ
エット「Dangerous」
のフックへの盛り上がり
など、聴きどころは多
い。全編 808 系のズシンと来る Trap サウンドだが、
Cheque の甘い声もあって R&B スローバラードを聴
いているような雰囲気だ。

レーベル Penthauze Music と契約。いき
なりレーベル所属新人ミュージシャン共同の
「Nyem Space」がリリース。続いてシング
ル「Jekasoro」「Pain Away」「Abundance」
をドロップ。2020 年、Olamide のアルバム
『999』の「Warlord」にゲスト参加、逆に
2021 年のシングル「LOML」では Olamide
をゲストに迎えた。

Afrobeats 呼称問題、そして Street Hop

　しばしば話題となる Afrobeats の呼称問題。あまりにも主語が大きいため、アーティスト自身も困惑している場合があるようだ。Wizkid、Burna Boy、Davido らは Afro Fusion または Afro Pop を使い、Reggie Rockstone は「一緒にされるのは勘弁」と ENews Ghana のインタビューに答えている。また、1960 年代末に勃興したジャンル Afrobeat とスペルが 1 字違いのため、混同される。そのため Fela Kuti の娘 Yeni Kuti に至っては明らかな嫌悪感を表明している。

　そもそも「s」なしの Afrobeat は 1960 年代後半、Fela Kuti そして盟友 Tony Allen による実験から誕生したジャンル。Highlife、Fuji、Jùjú そしてヨルバの伝統音楽、さらに Funk、Jazz といった当時隆盛を極めていたジャンルとの融合である。じつはこれには伏線があり、1950 年代後半、Fela Kuti はロンドンに音楽留学し Jazz を学び、ラゴスに帰ってからは Highlife を融合した即興演奏をしていた。1969 年、Fela Kuti はバンドメンバーとともにアメリカへ。元ブラックパンサーの Sandra Smith との知遇を得て、音楽の方向性は政治的となり、バンドは Africa '70 へと改名。また、カラクタ共和国なるコミューンを設立し独立を宣言するなど、当時の政権と敵対する姿勢を示した。1970 年代の Roy Ayers から 1990 年代 Branford Marsalis の Buckshot LeFonque まで、Afrobeat は多くの Jazz ミュージシャンに影響を与えた。Brian Eno、David Byrne といった全く違うジャンルのアーティストも Afrobeat の功績を認めている。現在もシーンは脈々と続いており、Fela Kuti の息子である Femi Kuti、Seun Kuti は代表的アーティストである。また、Ezra Collective、Blue Lab Beats が認める通り、現代 UK Jazz シーンへの影響は計り知れない。

　そして「s」あり複数形の Afrobeats は、現代西アフリカ及びそのディアスポラのポピュラー音楽の総称。ジャンルというよりは用語といってもいいほど主語が大きい。2000 年代以降ナイジェリア、ガーナ、そして両国出身者が多いイギリスで発展した。元祖 Afrobeat、Highlife、House、Jùjú、Dancehall、R&B、Hip Hop など様々なジャンルの融合である。西アフリカのポピュラーミュージック躍進の要因として、2005 年の MTV Base Africa 放映開始がある。このプラットフォームは M.I Abaga、Naeto C の躍進を支えた。この頃から、P-Square ら伝統的なメロディーやリズムを採用するアーティストが増え始め、ローカルシーンに活気が生まれた。Afrobeats という言葉が急浮上したのは 2011 年である。イギリスのラジオ局 Choice FM にてガーナ系の DJ Abrantee による『New Afrobeats Radio Show』がイギリス全土に向けオンエア開始となった。これにより、ナイジェリアやガーナのアーティストがイギリスチャートを賑わせることとなる。Afrobeats というキーワードはマーケティングから生まれ、予想以上に大きく育っていった。2010 年代半ばともなると、Rick Ross、Kanye West、Drake といった北米 Hip Hop 界の大物が Afrobeats に接近。また、Beyoncé によるディズニー映画サントラ『The Lion King: The Gift』で Afrobeats はワールドワイドとなった。

　いっぽうでナイジェリア独自の Hip Hop ジャンルはどうなっているのか？という課題は以前から議論されていた。理由は、クソデカキーワード Afrobeats に呑み込まれ、シーンが見えにくくなっているためだ。とはいうものの、アンダーグラウンドシーンでは政治や社会問題をテーマとする勢力も存在していた。古くは 1990 年代の Danfo Drivers、Daddy Showkey から始まり、2000 年代中盤の Dagrin、9ice、そして 2010 年代の Olamide に連なるストリート出自の系譜である。アングラシーンの中心がアゲゲ地区となった 2010 年代末、この勢力は Street Hop(あるいは Street Pop) と呼ばれるようになりサブジャンル化した。代表的アーティストはメール詐欺を題材とした曲で逮捕された Zlatan、Naira Marley をはじめ、Zinoleesky、Asake ら。

ABIDJAN CITY BREAKERS

ACB Rap

Ⓢ 1985

コートジボワール初の12インチ Hip Hop シングル。日本国内の中古レコード店でも極少量流通しているようだが、レアグループ故高価な部類。録音自体はロンドンであるが、ミックスはアビジャンの JBZ スタジオとのこと。ジャケットの B-Boy ファッションが当時を物語る。A 面はフランス語中心に英語とミックスの Disco Rap。B 面は「ACB Rap」と同じメロディラインでの Funk ナンバー「Break Dance Disco」、後半の盛り上がるサックスソロも聴きどころ。

© : ACB Rap ジャケット

Abidjan City Breakers

🏴 国：コートジボワール　◆出身地：アビジャン　💬拠点：アビジャン　〜活動期間：1985-1986
ⓘ グループ中心人物：Junior、Ziké、Shalamar　🔊 💿 ◎ 28

80年代各地で発生した○○
シティブレーカーズがアビジャンにも！

　Hip Hop 史において重要な B-Boy チーム、New York City Breakers。1982 年、ニューヨークシティはブロンクスのブレイクダンスチーム Floor Masters が、有能なマネージャー Michael Holman に見いだされ頭角を現す。その後、世界初の Hip HopTV ショーなどに出演。1984 年にはレーガン大統領の前でブレイクダンスを披露するまでになるという偉業を達成した。

　同じころ、コートジボワールにもブレイクダンスに熱中する若者たちがちらほら現れた。1985 年、コートジボワールラジオ・テレビ局（RTI）にて、フランスから帰国した Yves Zogbo Junior が人気ラジオ番組『Zim Zim Flash』のホストとなったことが起点となる。同年夏、Yves Zogbo Junior を中心としてブレイクダンスチーム Abidjan City Breakers（略して ACB）が誕生。グループ名は前述の New York City Breakers を意識してのことだろう。そしてコートジボワール初のラップによる 12 インチシングル「ACB Rap」がリリースされた。Junior、Ziké、Shalamar、Franky、Pacôme からなる Abidjan City Breakers はたちまち人気を博し、コートジボワールの Hip Hop シーンを盛り上げ、ブームを呼び起こした。

　残念ながら、その後 Abidjan City Breakers の活動は途絶え、前述の「ACB Rap」が唯一の音源となる。Yves Zogbo Junior は 1986 年の映画出演を筆頭に、その後も多方面のメディアで活躍。アニメ作品制作などコートジボワールを代表する映像作家ともなり、メディア界に君臨している。

Y en a pour les oreilles

 Ⓐ 2006

それまで「踊る音楽」ばかりだったコートジボワールの音楽シーンに「語る音楽」として殴り込みをかけた問題作。アビジャンのリアリティを語るためスラング「Nouchi」を積極的に採用。スペルが微妙に変なタイトルのトラックがあるのはそのためだ。実験的なサウンドで始まる 1 曲目の「Intro」はコートジボワールの New School ならでは。

Garba 50

© : Music in Africa

🇨🇮 ▶ 国：コートジボワール ◀ 出身地：アビジャン ◉ 拠点：アビジャン 〜 活動期間：2004-
👥 グループ中心人物：Sooh、Oli ▶️ 🟢 ⊚ 62

ストリートスラング「Nouchi」使用、
ユニット名はアビジャン名物屋台メシ！

　2006年、コートジボワールの Hip Hop シーンにおいて、グループ Garba 50 の登場は大きなターニングポイントとなった。というのも、2000 年代初頭、パリからもたらされたダンスミュージック Coupé-décalé が大人気となり、Hip Hop シーンは隅に追いやられてしまったのだ。第一次コートジボワール内戦のさなか、夜間外出禁止令にもかかわらず、多くの若者が Coupé-décalé で気を紛らわした。Garba 50 の出現は Coupé-décalé 第二次ブームがピークにさしかかるあたり。この頃になると Coupé-décalé をレパートリーにするラッパーも現れ始めた時期である。

　グループ名の由来はコートジボワール名物のストリートフード Garba だ。アチェケという発酵させたキャッサバのクスクスに、マグロのから揚げと刻んだ野菜を添えた料理である。1990 年代から流行りだしたということ

で、意外と歴史は新しい食べ物だ。当地ではこれらを混ぜながら食す。相場は 1 食あたり 50CFA フラン（日本円で 10 円強）で、庶民の味方である。

　法学部生 Sooh と物理学部生 Oli が、2004年にアビジャンで開催された Hip Hop イベントで出会い、お互いの音楽性が一致したためグループを結成。それまでのシーンであまり使われなかったストリートスラング「Nouchi」を多用し、低迷するコートジボワールの Hip Hop シーンに変革をもたらした。2006 年、1st アルバム『Y'en A Pour Les Oreilles』をリリース。特にシングルの「Survivor」「Abidjanais」のヒットで、アルバムは大成功。Garba 50 は人気アイコンとなった。

　2008 年ミックステープ『Échauffement vol.1』発表。2010 年にアルバム『Édition spéciale』リリースの後、一旦解散している。

© : Facebook

Renaissance

Ⓐ 2018

アルバムとしては最後となってしまった11th。コンセプトは2003年のデビューシングル「Tribute to Jonathan」への原点回帰。「Hommage A Jonathan」ではフランスのラッパー Maître Gims とのリミックス。ほかに Naza、Niska といった大物フランス人ラッパー、コンゴ共和国 Rumba の王 Faly Ipupa もゲスト参加。

DJ Arafat

🅿 国：コートジボワール　◆出身地：ヨプゴン　🧭 拠点：アビジャン　🕐 生没年：1986-2019
⏱ 活動期間：2001-2019　👤 本名：Ange Didier Houon　▶ 🟢 ∞ 7607

キングオブ Coupé-décalé、シーンを
作った第 1 世代！

　ここで、コートジボワールの Hip Hop シーンに隣接する Coupé-décalé を少し掘り下げてみたい。発祥の地はパリ北東部のクラブ Atlantis。2002 年頃、コートジボワール人の DJ グループ Jetset が始めたとされる。これがフランス語圏西アフリカ諸国に伝搬した。1990 年代に流行した Zouglou、Ndombolo を踏襲し、ミニマルなフレーズのリフレイン、パーカッシブなスタイルを特徴とする。打ち込み、シンセ、ターンテーブル、そして時事問題の lyrics と、Hip Hop との共通点も多い。実際ボーカルはラップに近い。

　故アラファト PLO 議長から名前を拝借した DJ Arafat は、Jetset と同じく Coupé-décalé 第 1 世代である。2003 年の 1st 『Goudron Noir』を筆頭に 11 枚のアルバム、45 枚のシングル・EP を残した。シングル、

アルバムのヒットで 2009 年には Coupé-décalé の王との評価を得る。フランス、ベルギーをはじめとしたヨーロッパツアー、そしてアメリカでのツアーを行った。彼のファンはその多さから「China」と呼ばれる。2014 年、Universal Music France とサインした。

　2019 年 8 月、バイク事故により 33 歳という若さで亡くなる。文化大臣が哀悼のメッセージを発表する一方で、暴徒化したファンが墓荒らしをするなど、ショッキングな死であった。2022 年には伝記『Arafat DJ Histoire et légende d'une comète』が出版された。現在も DJ Arafat がペイントされた乗り合いバス、T シャツが街にあふれ、商店やクラブで彼の曲が流れ、コートジボワールのアイコンとなっている。

© : Facebook

Au nom de quel amour

Ⓢ 2016

Coupé-décalé の 人気アーティスト Bebi Philip とのコラボ2作目。典型的な Coupé-décalé のコラボ1作目「Demain t'appartient」とは打って変わってスローなバラードナンバー。もちろんラップ担当である。バラードなのに「Demain t'appartient」よりも前に出てきている印象だ。Bebi Philip の影響か Suspect 95 の他作品には、いかにもな Coupé-décalé っぽいトラックが見受けられる。

Suspect95

🇨🇮 ●国：コートジボワール ◆出身地：アビジャン ⑧拠点：アビジャン ●生年：1995
◉活動期間：2014- ●本名：Guy Ange Emmanuel ▶️ ◎ 🅢 521

ネットゲームのハンドルネーム由来
コートジボワール Rap Game のボス！

　Suspect（容疑者）と中二病っぽい芸名である。それもそのはず、中高生時代に対戦ネットゲームで名乗っていたハンドルネームが由来だ。95 は彼が生まれた 1995 年を意味する。高校在学中より Hip Hop に傾倒。当初は女子にモテるためという不純な動機ながらも、マジにテキストを書くようになり、アンダーグラウンドシーンで名を売っていく。転機は 2012 年。人気音楽ジャンル Coupé-décalé の大物アーティスト Bebi Philip の目に留まり、シングル「Demain t'appartient」にゲスト参加。しかしながら、母親にせめてバカロレアぐらいは取得せよと学業専念の命を受け、一旦シーンを離れる。2016 年、ふたたび Bebi Philip と「Au nom de quel amour」でコラボ。こ

れが大ヒットし、一気にメジャーに躍り出る。
　以降、シングルヒットをコンスタントに飛ばしコートジボワールを代表するラッパーとなる。アフリカ大陸で人気のオーディション番組『La Dernière Voix』のメンター、CM キャラクターなど国外でも知られる顔となった。
　イマドキのアーティストらしく、ナイジェリア発の Boomplay をはじめとする音楽ストリーミングサービスやソーシャルメディアを主戦場としている。2020 年には発足したばかりの Def Jam Africa とコートジボワール初の契約を勝ち取る。また、各種ミュージックアワードの常連ともなり、地元コートジボワールはもとより、MTV Africa Music Awards の Best Hip Hop、Best Francophone へのノミネートと活躍の場が広がっている。

Boomplay 等アフリカ発ストリーミングサービス

　アフリカ大陸、特にサブサハラ地域は非常に多様な文化、言語を持つ。それぞれの国や地域には独自の音楽スタイルがある。近年グローバルな影響力も向上し、Afrobeats などのジャンルが世界的に知られるようになり、欧米のアーティストとのコラボも盛んになってきた。

　また、いわゆるリープフロッグ現象により、急速な経済成長を遂げている点も注目したい。音楽関係では、人口の 60％といわれる若年層が多いため、スマホと相性のいい音楽のデジタル配信が拡大中だ。いっぽうで既に消えたサービスもある。多くは、利用者を無視したような UI、肝心の音質が悪い、機能改修されずに放置といったことが原因である。試しに Boomplay を使ってみたのだが、やたら広告が多く Spotify の UI には及ばない。また、ミュージシャン側からは、Apple Music や Spotify に代表される国際的なプラットフォームと比較すると、ギャラが少なくあまり稼げない点が不満のようだ。このように問題を抱えながらも成長を続けるストリーミングサービスをいくつか紹介してみよう。アフリカにおける音楽産業躍進の要素でもある。

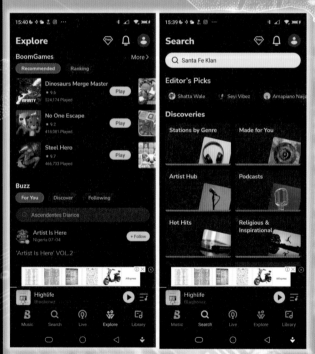

Boomplay（ナイジェリア）
運営会社：
Transsnet Music Limited
創業年：2015 年
サービス料金：無料、有料版
（月額 2.99 USD 初月無料）
ユーザー数：1 億弱
中国系テック大企業 Transsion（传音科技）と Netease（网易）の合弁会社である Transnet によるサービス。アフリカで圧倒的シェアを誇る Tecno をはじめとする Transsion のスマートフォンにプリインストールするなど一気に拡大した。提供する楽曲はアフリカ及びワールドワイドだが、すぐに課金に誘導する UI、やたら多い広告（しかも 30 秒とか）は中華アプリそのものだ。

Boomplay の UI。ゲームがあるなど Netease の技術が反映されている。

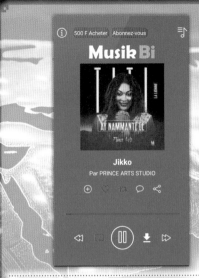

MusikBi（セネガル）

運営会社：Informatique Solid SA
創業年：2016 年
サービス料金：300 ～ 500CFA

サブスクリプション方式ではなく、SMS による
リクエストからダウンロードするサービスでロー
ンチした。この方式はアフリカ初である。よっ
て決済は電話料金からの引き落とし。アーティ
ストへの還元は 60％と業界水準以上の好待遇。
Youssou N'Dour や Baaba Maal らが MusikBi
の理念に共感し、スタートアップ時 200 人の登
録アーティストとなった。2017 年には Akon が
株式の 50％を取得し、筆頭株主となる。

MTN Music+（南アフリカ）

運営会社：MTN Group Limited
創業年：1994 年
サービス料金：10 ランド～ 49 ランド、初月
無料

MTN は 3 億人に迫る加入者を有するアフリ
カ最大の通信キャリアだ。2000 年代後半、
中国の Huawei（华为技术）から Caller Ring
Back Tone（着うた）を導入するなど、通信
キャリアらしい取り組みを続けてきた。スマ
ホ時代の 2015 年になって登場したのが MTN
Music+ である。2018 年あたりまで Sony
Music Entertainment と提携するなど動きは
あったが、近年はサービスが稼働しているか
も不明だ。時間制サブスクリプション Music
Time とのアライアンスで MTN Music Time
のサービスを導入するなど迷走気味であった。

Simfy Africa（南アフリカ）

運営会社：Simfy Africa Holdings (Pty) Ltd
創業年：2013 年

ケープタウン発、2013 年ローンチと類似サー
ビス激戦のなか登場した。ユーザー数も伸びず
2018 年 MTN グループに買収された。その後
業態転換を模索。2020 年、メッセージング、
決済、そして動画、音楽をオールインワンにし
た新サービス Ayoba をローンチした。

Mdundo（ケニア）

運営会社：Mdundo Limited
創業年：2013 年
サービス料金：無料、月額 199 ケニアシリング
ユーザー数：2600 万

成長を続けるナイロビ発のサービス。ユーザー
数は 2000 年 500 万人、2022 年 2000 万人、
そして 2024 年には 3500 万人を目指すという
イケイケぶりだ。著名 DJ をキュレーターとし
た Mdundo DJ Mixes というサービスも立ち
上げ、課金ユーザーを獲得、その結果として収
益は前年比 161％達成とプレスリリースを出
している。

Spinlet（ナイジェリア）

運営会社：Spinlet Limited
創業年：2011 年

フィンランドの若者 2 人が創業、2011 年、ナ
イジェリアの投資家が買収し、サブサハラ地域
初の音楽ストリーミングサービスとしてローン
チした。ところが極端に低いクレジットカード
普及率に加え、手軽な決済システムがナイジェ
リアに存在しない時代であったため、ユーザー
課金問題に直面。そのほかの要因も相まって
2017 年に破綻した。

©：Facebook

Cadeau de Noël

Ⓐ 2010

コートジボワールシーン
の超新星爆発ともいえる
1stアルバム。ジャケッ
トの写真が示す通り、メ
ンバー全員若い。このア
ルバムの翌年には Côte
d'Ivoire Music Awards
に て Best Rap/Hip
Hop Group を受賞。メ
ンバーの多様なバックグラウンドから、Hip Hop を
軸に R&B、Dancehall、Afropop まで幅広い音楽性
をこのアルバムでも覗かせている。ある意味聴きやす
いともいえる。

Kiff No Beat

Ⓟ 国：コートジボワール　Ⓓ 出身地：アビジャン　Ⓖ 拠点：アビジャン　〜 活動期間：2009-
Ⓗ グループ中心人物：Black K、Elow'n、Didi B　▶ ⓢ ⓒ 2563

時代を作った5人組、Dirty South と
Coupé-Décalé で Dirty Décalé！

　Abidjan City Breaker以降、コートジボワー
ルの Hip Hop シーンは、Almighty（Authentik
Ministry）、Stezo（Flotte Impériale） の
1990年代の2大巨頭をはじめとするアー
ティストが出現した。しかしながら、2Pac や
The Notorious B.I.G. などのアメリカのラッ
パーに影響された、というよりも物真似に近い
スタイルからは脱却できずシーンも盛り上が
りに欠けた。さらに2000年代初頭のダンス
ミュージック Coupé-décalé の登場が大打撃
となる。

　コートジボワールのシーンをさらに進化させ
たのがこの Kiff No Beat である。5人のメン
バーで構成されたこのグループは2009年に
結成。グループ KNB の Black K、Elow'n、
Didi B と、 デュオ Jekboy の Joochar、

El Jay が合流した。1stアルバム『Cadeau
de Noël』が2010年に完成。ところがちょ
うど大統領選挙のゴタゴタで、二人の大統領
が4ヶ月以上にわたり存在する異常事態とな
り、事実上内戦状態のコートジボワール危機
に突入。そのあおりを受けアルバムの発表は
2011年8月となった。以降、コートジボワー
ルはもとよりアフリカ大陸の Hip Hop シーン
でポジションを確立。さらに2017年3月、
Kiff No Beat はアフリカのアーティスト初の
Universal Music Africa とサイン。

　この契約はさらに彼らを飛躍させ、カンヌ音
楽祭といった大イベントにも呼ばれるように
なった。本人たちは自身のサウンドをアメリカ
の Dirty South と Coupé-décalé を折衷した
ジャンル、Dirty-décalé と称している。

ⓒ : Facebook

No Puedo Olvidarte

Ⓐ 2020

全7トラック27分。これまでシングルしかリリースしていなかったMC One、フルではないが初となるアルバムだ。「Enamorado de Tus Mentiras」をはじめ全編静かなピアノとストリングスによるビート。普段のシングルで Coupé-décalé やアフリカを意識した音作りをしているのとは対照的な作品である。

MC One

🅿 国：コートジボワール　🅞 出身地：アビジャン　🅡 拠点：アビジャン　■ 生年：2002
◈ 活動期間：2014-　▣ 本名：Marc Kabore　▶ ※一部　© 508

自ら売り込み 13 歳デビュー、
　　　　アイボリアン ラップの神童！

　2014 年のある日、父親に御使いを頼まれ街中に出た 13 歳の少年。オープンテラスの定食屋にて、スタッフとランチ中の DJ Kedjevara を発見した。DJ Kedjevara はそれなりに有名な Coupé-décalé の歌手である。少年は DJ Kedjevara に近づき、いきなり「ミュージシャンになりたい」と宣言。DJ Kedjevara としては、格闘家ミルコ・クロコップの名言「お前は何を言ってるんだ？」状態だ。マネージャーに追い払われるもしつこく食い下がり、ケータイからビートを鳴らしラップし始めた。面白がった DJ Kedjevara はフリースタイルを命じた。これが刺さったのか、少年をスタジオに招待し、ヒット曲「Poutou Banier」の Remix を一緒にレコーディングした。

　この中二病の万能感でチャンスを得た少年

が MC One だ。DJ Kedjevara の支援の下、2017 年についに「Opi Onaka Faikoi?」がヒット。これにより、チャートで Kiff No Beat とタメを張り、フランスの Black M に注視されるほどとなった。「Anitche」ではパリで知り合った Rumba/Soukous のレジェンド Zao の「Ancien Combattant」をサンプリング、アフリカというルーツに拘った作品となった。

　そして 2020 年、初のアルバム『No Puedo Olvidarte』をリリース。パリのレコーディングでは 4Keus, Jok'air といったフレンチラッパーと知遇を得た。また Sony France と契約。音楽メディア『PAM』の 2020 年インタビューではコートジボワールを超え、フランスのヘッズをターゲットに飛躍したいと語っている。

© : Afrisson

📍 国：ベナン　🎯 出身地：コトヌー　📍 拠点：コトヌー　〰 活動期間：1994-
ℹ グループ中心人物：Olivier B、Ubano B、Ludovic　▶ 　💿 11

-呪-ベナン初のヒップホップアルバムは
ブードゥーラップ！

かつて奴隷海岸と呼ばれていたエリアに属している。ダホメ共和国として独立以来、民族主義、社会主義を経て 1990 年に民主化された。他のアフリカ諸国に比べ、内戦となるような事態にはならず国造りを進めてきた。Hip Hop の上陸も 1980 年代、急速にシーンが広がったのは 1990 年以降である。1990 年代中盤ともなると、Diamant Noir、CTN、Ardiess Posse、Afafa といったアーティストが人気となった。

割と初期に登場したアーティストに Sakpata Boys がいる。1994 年、弱冠 16 歳の Olivier B、Ubano B、Ludovic 3 人により結成された。「Sakpata」とはベナンとトーゴでは大地の神だが、元々ヨルバ族の天然痘など伝染病の神である。この大地の神「vodun」はブードゥー教のルーツだ。民族服にスナップバック、あるいは上半身裸とハズしたファッションも特徴であった。

1995 年、コートジボワールで録音した 1st アルバム『Amen』をリリース。ベナン初

Hip Hop From Voodoo Land
🅰 1999

グループとしての最後のアルバムだが、ベナンでは Sakpata Boys のベストアルバムとの評価である。「Milè」「Vodounvi」「Adjoua」は当地でよく知られた曲だ。「Ziboté」は往年のレジスタンス闘士を讃えるトラック。レコーディングはセネガルの Xippi スタジオ、そしてプロデュースはあの Youssou N'dour だ。

の Hip Hop アルバムでもあり、初のブードゥー風味の Afro Rap であった。1997 年には、『Africa Party』をレコーディング。そして 1999 年、Youssou N'dour のプロデュースにより、『Hip Hop From Voodoo Land』をリリース。2000 年、それぞれソロ活動のためユニットは解散。

Ubano B は 2005 年に、アメリカへ拠点を移した Ludovic は 2003 年と 2014 年にアルバムを発表している。

W.A.R

Ⓐ 2017

元々は 2007 年のコンピレーション、現在配信サイトなどに登録されているものはリイシュー。当時無料ダウンロードという大盤振る舞いで、瞬時に 8 万ダウンロードを記録。周辺国のファンも巻き込んだとはいえ、首都コトヌーの人口が 67.9 万（2013 年）ということを考えれば、十分に評価できる実績である。『W.A.R Vol.2』（2018）もあるように二部作である。

Cotonou City Crew

Ⓒ：Facebook

🔲 **📍** 国：ベナン **◎** 出身地：コトヌー **📍** 拠点：コトヌー **〰** 活動期間：2007-
ⓘ グループ中心人物：Bsyd、Nasty、Nesta ▶ ◉ ∞ 33

ベナンのヒップホップレジェンド
Diamant Noir の系譜！

Cotonou City Crew、その歴史は長い。1996 年、4 人の高校生が結成した Shaolin Clan まで遡る。ベナンでも少林寺は有名のようだ。1999 年、グループ名を Shaolin Clan から Diamant Noir に変更。最終的にメンバーの脱退を経て Anouar Damala と Amir Alli のデュオとなる。2005 年 9 月にリリースされた 1st アルバム『Faux frères, Vrais Jumeaux』の成功により、西アフリカの Hip Hop シーンにて注目される。ここまでが前置き。

2007 年、この Diamant Noir が中心となり、ベナンの才能あふれるラッパー Bsyd、Nasty、Nesta、Dac が合流したグループが Cotonou City Crew である。そして、あの Jay Z がレーベル Roc-A-Fella を立ち上げたことに倣い、グループと同名のレーベルをス

タートさせた。同レーベル所属アーティストもベナン人とは限らない。アメリカ在住のディアスポラである Bsyd をはじめ、トーゴ、ナイジェリア、セネガル、カメルーン出身と多彩である。レーベルの汎アフリカ主義のビジョンを反映したものだ。

スーパーグループであるが故、Benin R & R Awards と Benin Urban Music Awards では最多のノミネートと受賞数を誇る。1st アルバム『Parti D'1 Rêve』（2013）リリース後は最終地パリに至るアフリカ諸国でツアーを敢行。以降定期的にアルバムをリリースし、確実にヒットを飛ばしている。ベナンにおいて、最もアウトバウンドの可能性のあるアーティスト集団だ。また、Cotonou City Crew 名義だけではなく、クルーそれぞれのソロ活動も注目である。

♪：Facebook

Diamonds
Ⓐ 2019

スイスの奇才 Simon Grab との共同名義。ミニマルだが変幻自在のノイズ＆インダストリアルミュージックに乗る Yao Bobby のラップは、もはやジャンルレス。タイトルチューン「Diamonds」はクラブバンガーなキックが心地よい Dhangsha リミックスバージョンも収録。全 8 トラック、ブリストルのインディーレーベル Lavalava からのリリース。

Yao Bobby

🇹🇬 国：トーゴ　⚡ 活動期間：1996-　▶ 🔵 💿 339

ノイズインダストリアルに接近する
トーゴのシーンを築いた精神の扇動者！

　トーゴでもやはり MC Solaar。1992 年、ロメ貿易センターで行われた MC Solaar のギグがブレイクダンス一辺倒だったシーンに変化を与えた。この時、前座を務めた Force One Posse らが最初期のアーティストである。クーデターでしばらく混乱したのち、1994 年、初の民放ラジオ局が開設され、1996 年には大統領府後援の Hip Hop コンテストが開催されるなどシーンが拡大した。

　このコンテストに参加したユニット、Welsn'ne と Yack More が合体したグループが、トーゴのレジェンドともいえる Djanta Kan である。Yao Bobby、Daflag、Ametek、Agama Flo を中心に、DJ、B-Boy、ライター、ラジオ MC を集め Clan を形成。「ライオンの杖」を意味するグループ名の通り、lyrics はエウェ語とフランス語を駆使する。伝統楽器とリズムを採用したスタイルは Djanta Hip と定義された。

　2004 年、1st アルバム『Agbeadzezo』、2005 年『Doto!』リリース。また、Angélique Kidjo、Youssou N'Dour とのコンピレーションにも参加した。2009 年、Didier Awadi、Smockey、Degg J Force 3 らの面々とヨーロッパツアー敢行。2011 年、RFI から『Histoires d'uncontinent』をソロ名義でリリース。2019 年と 2022 年にはスイスのノイズメイカー Simon Grab と共に『Diamonds』『Wum』をリリース。ノイズインダストリアル＆ Hip Hop という新境地を開いた。また、画家としても活動している。

© : Facebook

Légitime Défense

Ⓐ 2010

ELOM 20CE

LÉGITIME DÉFENSE

翌年の1stアルバム『Analgézik』に先駆けてリリースされた6トラックデビューEP。汎アフリカ主義を掲げているものの、アフリカらしさはあまりない。タイトルチューン「Légitime Défense」に至ってはなぜか中国風メロディである。さすがに2020年の『Amewuga』では伝統楽器採用などアフリカらしくなっている。

Elom 20ce

★ ▇ 🅟 国：トーゴ 🌐 出身地：ロメ 📍拠点：ロメ 📅 生年：1982 💬 活動期間：2009-
🎤 本名：Elom Kossi Vinceslas Khaunbiow 📹📀 ※一部 💿 208

掲げるコンセプトは「Arctivism」
見えない敵と闘う活動家！

　見えない敵と戦うのは、ヒーローごっこに明け暮れる小学校低学年ぐらいまでの男児。あるいは、電磁波攻撃と戦っていたりする向こう側に行ってしまった大人だ。1982年トーゴの首都ロメ生まれのElom 20ceは、自らを「見えない敵と戦う活動家」と定義している。しかし、彼の戦う見えない敵は巨大である。

　大学はベナンのコトヌーに留学、2回生のときラップを始めた。帰国後の2009年、アートによる社会・政治的な活動「Arctivism」というコンセプトを掲げたメディアミックス戦略を発表した。ラップ、スラム（ポエトリーリーディングのバトル）、お話会、絵画、ダンス、そしてアフリカの偉人に関するドキュメンタリー映画上映の巡回プロジェクトにより、汎ア

フリカ主義の啓蒙を目的とする。ちなみにこれらのイベントは全て無料とのことだ。このArctivismのために、雑誌『Asrafozine』、アパレルブランドAsrafobawu、レーベルAsrafo Records、さらに映画製作へと活動の幅を広げた。

　肝心のディスコグラフィだが、2010年のEP『Légitime Défense』を皮切りに、2012年に1stアルバム『Analgézik』、2015年『Indigo』、2020年『Amewuga』をリリースしている。また、『Kossi, le garçon du dimanche』をはじめとするドキュメンタリー映画を多数製作した。シングル「Aux Impossibles Imminents」（2019）は、6本のミニドキュメンタリーと組み合わせたメディアミックスである。

© : Facebook

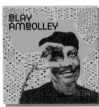

Ketan

自称世界初のラップ曲「Simigwa Do」収録のアルバム。彼は James Brown、Ray Charles、Sam Cook といった Funk、R&B に多大な影響を受けたと語っている。これがのちに Highlife、Funk、Jazz を融合させ、オリジナルのダンスミュージック Simigwa を生み出した。このアルバムではそのあたりをおさらいできる。盟友 Ebo Taylor と共同プロデュースで 1975 年にリリースされた『Simigwa』、2018 年の『Simi Rapp』と併せて聴いてみたい。いくつかのシャウトで始まる収録曲はまさに James Brown。

Gyedu-Blay Ambolley

🅿 国：ガーナ　🔴出身地：タコラディ　📍拠点：ロサンゼルス　🔵生年：1947　💬 活動期間：1969-

▶ 🔵 © 21737

1973 年ハイライフ大物歌手による
ラップ、果たして世界初なのか !?

1979 年、それまでパーティーの添え物だったラップがビルボードチャートに初登場、レコードとして商業的に成功することが証明された。この Sugarhill Gang の「Rapper's Delight」は世界初のラップレコードとされている。

それをさかのぼる 1973 年、大西洋の向こう側のガーナでのこと。Highlife の大御所 Gyedu-Blay Ambolley がラップ曲「Simigwa Do」をリリースしていた。録音はその前年、Kool Herc がブロンクスでパーティーを開いた日よりも、若干早い時期である。本人も「自分が世界初では？」とインタビューなどで話しているが、同じ Highlife ミュージシャンの Nana Kwame Ampadu も 1967 年のヒット曲「Ebi Te Yie」が世界初のラップ曲と譲らない。ガーナで Hip Hop 以前のラップ曲が

生まれた背景には、ラップの起源の一つとされる西アフリカ地域の口頭伝承グリオとの関係性を押さえておきたい。もともとベースとサックス奏者である Gyedu-Blay Ambolley は、Highlife レジェンドの Ebo Taylor や Pat Thomas の盟友でもある。Ebo Taylor の Uhuru Dance Band のメンバーでもあった。

その後、自身のバンドを結成、1960 年代より西アフリカ、ヨーロッパ、北米ツアーを敢行。ナイジェリアでは一時期 Highlife に傾倒していた Afrobeat の祖 Fela Kuti と共演するほどの大物。1980 年代アメリカに移住し、アポロシアターなどを活動の拠点としたが、1997 年ガーナに帰国。

1947 年生まれの高齢にもかかわらず Highlife ミュージシャン、ソングライター、プロデューサーとして今も活躍している。

ヒップホップの祖先、西アフリカのグリオ

　グリオ（jeliya、géwal といった現地語がフランス語 griot に転化したもの）とは西アフリカ、マンディンカ社会における口頭伝承を担う者である。歴史家、語り部、詩人、音楽家の顔を持つ。現代でも結婚式で新郎新婦の両家の先祖を称え、繁栄を祈る祝詞を捧げる。乱暴にたとえてしまえば中世ヨーロッパの吟遊詩人をイメージすると分かりやすい。

　植民地化以前は文字を持たなかったアフリカ社会、言葉で歴史を記録するグリオは社会基盤の一部であったともいえる。この伝統はマリ帝国（13 ～ 16 世紀）を中心に広がったとされる。グリオは王や貴族に仕え、音楽や言葉を通じて系図や歴史を伝えることであったと、当時のフランス人は記述している。また村落のグリオは隣村と紛争があれば、調停役として働くこともあった。このように多くの人々から頼られる存在だったが、身分としては低いカーストに所属していた。

　列強進出以降、カリブ海交易が盛んになるとグリオもカリブの島々へ渡った。もちろん、奴隷として売られた者もいる。プランテーションなどで仲間と歌い、時にはフリースタイルのようなことをしながら、アフロ・カリピアン文化が醸成されていく。Mento や Calypso のコール＆レスポンスのボーカルスタイルはグリオからの影響といえよう。

　その Mento から生まれたのが Ska、Rocksteady そして Reggae である。Count Matchuki、U-Roy らは、サウンドシステム、クラッシュ、トーストといった独自文化を編み出した。ニューヨークシティのブロンクスにおいて、これらを素養として受け継いだジャマイカ系移民 Kool Herc によるブロックパーティーへと繋がっていく。以上のように、奴隷貿易以前からアフリカ人はラップをしていたともいえる。実際、過去に Afrika Bambaataa はラッパーを「ポストモダン・グリオ」と呼んでいる。Hip Hop のルーツは西アフリカとグリオに遡るといえよう。また、西アフリカとジャマイカの青写真がなければ、ラップや DJ などの Hip Hop カルチャーは誕生しなかったことは明白だ。

　1990 年代にブレイクしたセネガルの Positive Black Soul。1st アルバム『Salaam』の 2 曲目「Return of da Djelly」はまさにグリオの帰還をテーマとしたトラックである。「Djelly」はマンディング諸語でグリオの意味だ。折しも、アメリカの Hip Hop 界隈では、アフロセントリズムが話題となっていた直後である。当初はアメリカのモノマネであったアフリカ諸国の Hip Hop は、Positive Black Soul のような先駆者により昇華され、アフリカ独自のものとなった。Daara J の Faada Freddy や Positive Black Soul の Didier Awadi は「元々アフリカにあったものが還ってきた」という主旨の発言をしている。またエチオピアの Teddy Yo はインタビューにおいてグリオに相当するエチオピア高原の吟遊詩人アズマリに言及し、同様の発言をしていることを付け加えておく。

Deejay のハシリ U-Roy
『Version Galore』（1971）

Mento の歌姫 Louise Bennett
『Jamaican Folk Songs』（1954）

: Red Bull Music Academy ドキュメンタリー「Time Bomb」

Obaa Sima

Ⓐ 2015 リイシュー

オリジナルは 1994 年。それにしても全体的に 1980 年前後の Disco Rap 風味で古臭い。タイトルチューンをはじめ、変に甲高い声でのハイスピードラップや Highlife 風リフレインはクセになる魅力がある。特に「Yemmpa Aba」のヴァース間ソロは脱力必至。また、初のトゥイ語ラップとの説もある。収録は全 7 トラック。

Ata Kak

Ⓟ 国：ガーナ　◉ 出身地：クマシ　🜨 拠点：クマシ　◉ 生年：1960　◐ 活動期間：1985-
Ⓐ 本名：Yaw Atta-Owusu　▶　∞ 46843

2015 年発掘再評価、90 年代
超チープな宅録初トゥイ語ラップ！

Awesome Tapes From Africa というインディーレーベルがある。もともとガーナで奨学金を受けながら Hiplife 研究をしていたアメリカ人 Brian Shimkovitz がオーナー。彼がガーナでのフィールドワーク中に市場で見つけたカセット音源を投稿していたブログが始まりであったが、いつしか現地のアーティストを支援するため 2011 年に事業化した変わり種レーベルだ。

Brian Shimkovitz がいつものように露店で古い音源を漁っていた 2002 年、偶然 Ata Kak のカセットテープ『Obaa Sima』に出会う。ガーナの現地語であるトゥイ語の超個性的な Disco Rap に魅了された彼は、アメリカに戻った 2006 年より大捜索を始める。しかし、手掛かりはカセットテープのみ、ガーナに帰国していた Ata Kak にたどり着くまで数年を要した。

1960 年、ガーナ第 2 の都市クマシに生まれた Ata Kak。地元高校を卒業後ゴルフ場内のバーテンダーに就職、その後 1985 年西ドイツに出稼ぎに出る。行先はハンブルク。Burger-Highlife なる当地の Highlife シーンを指す言葉があるほどコミュニティが形成されていた。そこで Reggae バンドに参加、そのうち作曲もするようになる。1989 年カナダはトロントに移住、Highlife バンドに参加。

1991 年、中古機材を集め全くの我流で宅録開始、しばらくして『Obaa Sima』が完成。しかし周りにはプロデューサー不在、故郷ガーナの兄に音源を送りプロデュースを依頼するものの 1994 年、テープ 50 本が発売されただけに終わってしまった。そして 20 年以上の時を経て Brian Shimkovitz により 2015 年『Obaa Sima』リイシューがリリースされ、世界の辺境音楽マニアを唸らせた。

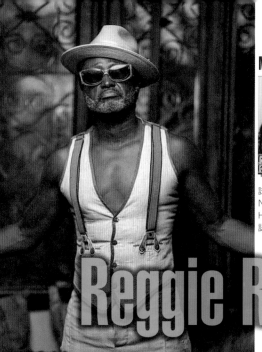

© : Facebook

Makaa Maka!!

Ⓐ 1997

記念すべき 1st アルバム。全 17 トラック。アルバム及びトラックタイトルからわかる通り、lyrics はガーナのトゥィ語と公用語である英語のミックス。この時点ではまだ Hip Hop 色の方が優勢。いろいろな試みが見て取れる。1999 年の 2nd アルバム『Me Na Me Kae』ではリフレインのバックコーラスなど Highlife 色が増す。Hiplife ムーブメントの成長を確認する意味で、併せて聴いてみたい。

Reggie Rockstone

🇬🇭⭐ 🌐 国：ガーナ ◈ 出身地：ロンドン 📍 拠点：アクラ 🎂 生年：1964 〜 活動期間：1990-
👤 本名：Reginald Yaw Asante Ossei ▶ 🔴 © 1277

Highlife とヒップホップを融合した
ガーナ独自ジャンル Hiplife の父！

　Hip Hop、そしてガーナの歌謡曲ともいえる人気の Highlife が融合したジャンルが Hiplife。その Hiplife の歴史を語るうえで欠かせない人物がこの Reggie Rockstone である。

　1964 年 4 月 11 日イギリスはロンドンにて生まれるも、幼少期に帰国。ガーナの大都市アクラ、クマシで過ごす。1980 年代初頭より Hip Hop に傾倒、ブレイクダンサーとして地元アクラはもとより、ロンドン、ニューヨークシティに B-Boy 修行の旅に出る。1991 年ついにラップを始める。ロンドンで PLZ という西アフリカ人中心のラップグループに参加。インディーズデビューし、いくつかヒットを放つも当地のシーンでやりがいを得られず、1994 年故国ガーナへ戻る。トゥィ語の歌詞、Highlife を取り入れたスタイルを模索。そしてついに 1997 年、現地語であるトゥィ語に

溢れたデビューアルバム『Makaa Maka!!』がリリース。このアルバムのサウンドは世界各地のガーナ人コミュニティにも波及し、これ以降彼はガーナで「Hiplife の父」の称号を得る。彼が始めたムーブメントは、さらには Dancehall、R&B をも飲み込んでいき、ガーナの多くのミュージシャンに影響を与えていく。こうして、Hiplife というジャンルはわずか数年で確立された。

　その後は西アフリカ地域を筆頭にヨーロッパ、北米ツアーを敢行。オーディション番組の審査員、イメージキャラクターといった企業案件も多数受け、重鎮ぶりを発揮。2013 年には Reggie Rockstone オリジナルコンドーム発売、また食品会社のオーナーというビジネスマンの顔も持つ。何度か引退宣言を行い、世間を騒がすものの一応現役である。芸能人の辞める辞める詐欺は世界共通のようだ。

© : Facebook

Sarkology

Ⓐ 2014

Ghana Music Awards にて Album of the Year 受賞。あえて Hiplife との境界線を曖昧にしたとの本人談。「Special Someone」はナイジェリアの Burna Boy、南アフリカの AKA という超大物が参加。もちろん Stonebwoy や Obrafour らガーナのミュージシャンも多数絡んでいる。収録は全 30 トラックという大盤振る舞い、大満足な 1 枚である。

Sarkodie

🏴 ●国：ガーナ　◉出身地：テマ　⚲拠点：アクラ　▣生年：1988　◔活動期間：2005-
⦿本名：Michael Owusu Addo　▶ ⓢ ∞ 23243

無名ながら大物プロデューサーに
自ら売り込み、超大物に成長！

Sarkodie を紹介する前に、Hammer of the Last Two というプロデューサーについて触れておきたい。ガーナ Hip Hop 史における重要人物だ。1999 年の Obrafour、ラップとしては初ガ語の Tinny、初ファンテ語の Kwaw Kese といった新才能を発掘してきた。2009 年 Edem の『The Volta Regime』のレコーディング中に、無名の若手ラッパーが売り込みに来た。早速オーディションし、気に入った Hammer of the Last Two は、『The Volta Regime』の「You Dey Kraze」のレコーディングに彼を参加させた。

この若者こそ、後にガーナの代表的ラッパーとなる Sarkodie である。当時はまだ専門学校生。実績といえばローカル FM 局のラップコンテストに出たぐらいだ。2009 年、デビューアルバム『Makye』をドロップし、Busta Rhymes の前座を務める。2012 年 2nd『Rapperholic』リリースでは、カナダ、アメリカツアーを敢行。

以降『Sarkology』ほか 4 枚のアルバムを発表。国内の Ghana Music Awards をはじめ、BET Awards、MTV Europe Music Award といった海外でも賞を獲得している。有名どころでは Wizkid、Ice Prince、Cassper Nyovest といったアフリカ大陸を代表するミュージシャンをレコーディングにゲストとして迎えている。もちろん逆も然り、国内外の大物とのコラボをチェックするだけでも満腹だ。

© : Facebook

Nowhere Cool

2016

ガーナの詩人Ama Ata Aidoo の短編小説と同じタイトルを採用。コンセプチュアルな全14トラック。ガーナのWorlasi、Cina Soul、ナイジェリアのBrymo、南アフリカのTumi Molekane ら多才なミュージシャンをゲストに迎えた。ラストの「Now Here Cool」から「Good-Bye」へのリエゾンは極上のChill。ぜひともトラック1「Nowhere Cool」から順番に聴きたいところだ。

M.anifest

● 国：ガーナ　◆ 出身地：アクラ　⚲ 拠点：アクラ　🏛 生年：1982　〜 活動期間：2005-
🕓 本名：Kwame Ametepee Tsikata　📺 ▶ ♪ ∞ 10076

英『ザ・ガーディアン』紙によれば
「アフリカ大陸で最も重要なラッパー」！

「beefは誰もが食べる新しい通貨」

2022年、BBC World News にてM.Anifest のコメントである。Hip Hop シーンにおける beef は、注目を集める最も簡単なマーケティング方法であると M.Anifest は指摘している。2016年に Sarkodie と beef 状態となった M.Anifest、経験者は語る、である。たしかに炎上商法といわれても違和感はない。

1982年生まれの M.Anifest、祖父はアフリカで最も著名な民族音楽学者 JH Kwabena Nketia、両親は弁護士と良家の出だ。大学はアメリカミネソタ州へ留学、2011年まで拠点とする。2007年 1st アルバム『Manifestations』をリリース。ミネアポリスの新聞『Star Tribune』から Top 5 Albums of the Year を受賞した。2010年

フランスとスペイン、そして翌年にはイギリスツアーを敢行。2012年、ガーナに帰国。南アフリカの Channel O Music Awards にノミネート、ついでに Channel O の番組 Hip-Hopera の仕事を請け負う。アフリカ大陸全体をターゲットに見据える。2016年、3rd アルバム『Nowhere Cool』をリリース。そして前述の Sarkodie との矛盾を抱えるが、2018年ステージ上で和解、2020年には共同で「Brown Paper Bag」をリリースした。

2021年には4枚目となるスタジオフルアルバム『Madina to the Universe』をドロップ。Blur の Damon Albarn、Red Hot Chili Peppers の Flea、そして Tony Allen によるスーパーグループ Rocket Juice & the Moon 唯一のアルバムにゲスト参加するなど、ジャンルを超えた音楽性も魅力である。

© : Facebook

Yaa Asantewaa

Ⓐ 2018

1st アルバムのタイトル
は 1900 年イギリスに
対する「黄金の床几戦争」
を率いたアシャンティ王
国の王母の名前である。
後に低レベル beef の当
事者となる Sista Afia 参
加の「D33d3w」、そし
て「King of Queens」
に Medical が参加している点が感慨深い。Shatta
Wale、Stonebwoy も参加した本アルバムは 16 ト
ラック収録。

Eno Barony

⚑ 国：ガーナ ●出身地：テマ 📍拠点：アクラ 🏛生年：1991 〰活動期間：2012-
🎤本名：Ruth Eno Adjoa Amankwah Nyame Adom ▶ ⬡ 📀 247

女同士の低レベルおまゆう beef に
巻き込まれた Rap Goddess!

　古今東西、ヘッズの話題となる beef。もと
もと Hip Hop そのものが、誰が一番イケてる
かを競う勝負ごとの性質を持っているので、致
し方ない。諏訪の御柱祭りやスペインの牛追い
祭りが「漢」を決める祭りであるのと同じよう
なものだ。割とホモソーシャルな Hip Ho 界隈
だが、beef は女性同士でも起こる。2020 年、
ガーナで巻き起こった女性同士の beef は、あ
まりのレベルの低さにファンやメディアの失笑
を買った。

　2012 年デビュー、2014 年「Tonga」
でメジャーとなった Eno Barony。ガーナの
女性ラッパーとしては 1 世代前の Mzbel、
Abrewa Nana に続くトップクラスのポジショ
ンである。

　2020 年 4 月、Highlife シンガーの Sista
Afia がラップ転向宣言し、先輩女性ラッパー
を dis ったところから始まった。反応したのが

Freda Rhymz、そして Eno Barony。ここで
Sista Afia がベテラン男性ラッパー Medical
を担ぎ出し泥沼化。ついには「ウシ」「ハンバー
ガー（低身長を揶揄）」「Yokozuna（横綱）」
とお互いのルックスを dis トラックで貶しあう
ようになった。ちなみに二人とも背は低くデブ
である。「おまいう」状態の喧嘩だ。

　そして翌年 Sista Afia が爆弾発言を投
下。じつはこの beef、Sista Afia が Freda
Rhymz と Eno Barony に持ちかけた筋書き通
りのプロレスだったというのだ。しかもバズっ
たのに「二人とも私に感謝していない」とつい
でに dis。Sista Afia の本領発揮だ。普段の言
行からあまり信用されず、逆に疑問を呈するメ
ディアも出て、Eno Barony は無傷どころか
株を上げた。

　2021 年 に は African Muzik Magazine
Awards、3Music Awards、VGMA のラッ
プ部門で受賞した。

© : Facebook

Da Revolution 2009

全17トラックのアルバム『Da Revolution』をリリースした。前年に発売された「YawaGirl」「I dey Mad」といったシングルヒット曲を収録。さらに新録音を追加した構成だ。硬派な Hip Hop から Reggae チューンまで幅広い。Sarkodie 参加の「TEMA」、Samini 参加の「Run da City」など、Hiplife 界隈のゲストにも注目したい。

R2Bees

🏴 国：ガーナ　📍出身地：テマ　拠点：アクラ　活動期間：2007-
👥グループ中心人物：Paedae、Mugeez　▶ 🎵 ⊚ 15002

酒禁止のイスラム教徒なのに
ビール会社の広告塔になり炎上！

ガーナ Kumawood 映画のジャンルに神様映画がある。キリスト教っぽい神様や土着宗教の神様が出てきて戦ったりする筋書きだ。ガーナにおいてキリスト教の信徒数は国民の約70%。よって呪術師に召喚された土着宗教の神様を、キリスト教の神様や牧師がやっつけるパターンが多い。また、信徒数第2位はイスラム教の約17%だ。こちらはイスラム原理主義者の攻撃を恐れてか神様映画には登場しない。

R2Bees は港町テマ出身。Paedae と Mugeez の従兄弟同士によるデュオである。本名はそれぞれ Faisal Hakeem と Rashid Mugeez。イスラム風だ。子供のころから一緒の家に住み、同じ学校に通学、もはや従兄弟というよりも兄弟である。2008年シングル「I Dey Mad」がヒットしたことにより有名となる。2009年、1st アルバム『Da Revolution』をリリース。ピジン英語とトゥイ語のラップを Highlife や Reggae のビートに乗せ、これぞ Hiplife というスタイルが人気となった。2枚目のアルバム『Refuse to Be Broke – Da Revolution II』は、2013年にリリース。こちらは Ghana Music Awards にて多数の賞を受賞。BET Awards、The Headies にもノミネートされた。

この功績により、Star Beer のブランドアンバサダーの契約を結ぶ。ところが、「イスラム教徒がビール会社の片棒を担ぐとはいかがなものか」と議論を呼ぶこととなる。これに対し R2Bees のマネージャーは「メンバーは誰もイスラム教徒ではない」と苦しい言い逃れをした。果たして実際のところはどうなのだろうか？　謎である。

© : Facebook

Return of Okomfo Anokye  Ⓐ 2021

全 10 トラック収録。ピジン英語とトゥイ語の逆さ言葉（Akasaa）を多用しているので、並みのヒアリング能力では聴きとることは不可能。ここは言葉のグルーブ感に身を任せよう。ゲスト出演している Asakaa Boys メンバー及び、Yaw Tog、Black Sherif らシーン周辺人物のソロもついでにチェック。

Jay Bahd

★ 🔴 国：ガーナ ⬤ 出身地：クマシ 📍拠点：クマシ 🎂 生年：1999 〰 活動期間：2020-
⬤ 本名：Jackson Kwadwo Bawuah ▶️ ◎ 📷 3386

「ザギンでシースー」逆さ言葉を駆使
しまくる、第二の都市クマシ発独自 Drill!

アシャンティ王国（1670-1902）かつての都クマシ、現在は首都アクラに次ぐ第二の都市だ。チープな CG や看板絵で有名なガーナ映画制作基地 Kumawood の地としても知られている。2020 年 2 月、Brooklyn Drill のラッパー Pop Smoke が、ロサンゼルスで射殺されるという痛ましい事件が起きた。その影響でガーナ第 2 の都市クマシで独自の Drill シーンが前年比 300%ぐらいで急拡大。シーンを象徴するキーワード、クマシとアメリカの造語「Kumerica」が爆誕した。

Jay Bahd は Kumerica Drill シーンを牽引する Asakaa Boys の一人。Asakaa とはトゥイ語の「話す」という意味の「Kasa」を逆さ言葉にしたもの。「ザギンでチャンネーとシースー」といったような使い方で lyrics に多用される。2020 年、バイラルヒットした「Akatafoo」にハリウッドの有名人が反応。Asakaa Boys のメンバーらとゲスト出演した Yaw Tog の「Sore」でも世界の注目を集めた。また Dancehall の大物 Shatta Wale が「Ahodwo Las Vegas」にて Kumerica ラッパーと共演。2021 年夏、Asakaa Boys はヨーロッパツアー、秋にアメリカツアーを敢行。Jay Bahd ソロとしては 2020 年 11 月のヒットシングル「Condemn」をはじめほぼ月イチのペースでシングルを発表。

2021 年 6 月には 1st アルバム『Return of Okomfo Anokye』をリリースした。急に大きくなった企業が急に業績悪化を招くように、あまりにも急激なシーンの盛り上がりが数年で終わらないか気になるところだ。

シカゴ、ロンドン、そしてアフリカン Drill シーン

UK Drill シーンを築いた 67「Take It There」（2015）

ソマリア系 Mali Strip の Baby Mane

2010 年代初頭のシカゴから派生した Drill Music。Chief Keef、Lil Durk らの成功によってメジャーシーンに躍り出た。この勢いを受けニューヨークシティでは Brooklyn Drill が登場。2019 年には故 Pop Smoke が人気となる。Brooklyn Drill 登場の少し前の 2012 年頃、サウスロンドンのブリクストンで、イギリス版 Gangsta Rap ともいえる Road Rap と Chicago Drill が融合して UK Drill が誕生。UK Drill は、Grime や UK Garage のエッセンスを吸収し、イギリスにて独自進化を遂げた。2010 年代後半の Brooklyn Drill は、逆に UK Drill からの影響を受けている。また、UK Drill の熱気はアイルランド、オランダなどヨーロッパ及びイギリス連邦各国まで及びシーンが形成された。警察との応酬から生まれた目出し帽やバンダナで顔を隠すのは、UK Drill ならでは。このスタイルも各国に飛び火した。シーンを作っていったのはストリートギャングだが、その多くはアフリカやカリブからの移民である。Digga D ら 1011（CGM）はジャマイカ系、OFB の Headie One はガーナ系、Mali Strip の面々はソマリア系という具合だ。

ガーナ、セネガル、ケニアはアフリカでも特に独自の Drill シーンがアツい地域だ。いずれも UK Drill の影響を大きく受けている。本書でもこれらの地域の代表的 Drill アーティストを紹介しているので、参考にしていただきたい。また、コンゴ民主共和国では Rumba Drill が出現し、ますますローカルシーンとの融合が進んでいるようだ。この勢いは当分止みそうになく、アフリカ諸国で独自の Drill Music が生まれてくると思われる。ウガンダの暴走族 Boda Boda Gang、コンゴ民主共和国のチンピラ Kuluna といった、ホンモノの不良アーティストのデビューを期待したい。

Drill Galsen から 2 枚、Mist Cash「Metiwolēn」（2021）

One Lyrical「Hypocrite」（2021）

© : Music in Africa

La voix du Ténéré
Ⓐ 1999

présente le Groupe LAKAL KANEY
LA VOIX DU TÉNÉRÉ

タイトルにある Ténéré とはニジェール北東からチャド西部に広がる砂漠を指す。その砂漠の声をテーマとしたのがこのアルバムだ。基本的に聴きやすい歌モノラップ。特に彼らの代表曲ともいえる「Soul Tamashek」は、辺境コンピレーション『Music from Saharan Cellphones: Vol.2』(2013) にも収録され、世界観は砂漠の遊牧民そのもの。ハウサ語やタマシェク語などを駆使するので響きも心地よい。

Lakal Kaney

🇳🇪 ▶ 国：ニジェール　📍 出身地：ブキ　📌 拠点：ブキ　💬 活動期間：1997-
👤 グループ中心人物：Captain Djaff、ND One　📺 ※一部　🔄 1130

CD2 枚を残し行方不明、
1990 年代末ニジェールのレジェンド！

　ニジェールの首都ニアメのストリートでPossee、Gang と呼ばれる若者のグループがHip Hop を始めたのが 1992 年ごろ。しばらくアングラムーブメントであったが、1996年、CCFN（文化センター・フランコ・ニジェール）にて、ニジェール初の Hip Hop ライブが開催された。このステージでベルギーの Tod One、 地元グループ Wassika の演奏がニジェールの Hip Hop シーンをメジャーに押し上げた。ちなみに CCFN のライブは、現在も定期的に開催されている由緒あるイベントだ。その Nigerap のオールドスクールを代表するグループが Lakal Kaney である。

　1997 年 6 月 15 日にニアメで生まれたこのグループは、当初 4 人でスタート。ラジオ局 Radio Ténéré が強力にバックアップしたことにより、瞬く間に当時のトップアーティストとなり、ニジェール全土を席巻した。ラップ担当は Captain Djaff と ND One の二人。ニジェールの伝統楽器をフィーチャーした独特のトラックに、ハウサ語、ザルマ語、タマシェク語、フラニ語、カヌリ語、フランス語、英語と、多彩な言語がオーバーレイする。人口の85%以上がムスリムのお国柄か、メロディーはどことなくイスラム教の祈り「アザーン」を連想させ、異国感タップリだ。

　1999 年、1st ア ル バ ム『La voix du Ténéré』をリリース。2nd アルバム『L'esprit ne meurt jamais』は 2002 年の終わりにリリースされた。その後、メンバーはニジェールを離れアメリカに移住。新天地での活動で苦労したのか、消息は不明となった。「実はニジェールに戻っている」「アメリカにまだいる」「日本に行った」など様々な噂が流れた。再びCCFN で Lakal Kaney の雄姿を拝みたいものである

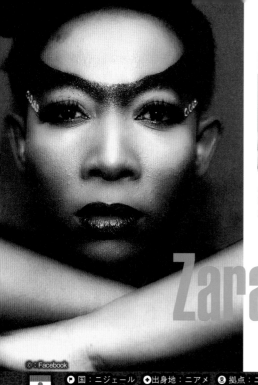

© : Facebook

Ma Rage

🅐 2012

1st『Kirari』は自主制作であった。その収録トラックと新録音で再編成されたCD版アルバムだ。Lyricsを聴きとれなくても、タイトル通り怒りが伝わってくる。「Tout va de travers」「Violence」はサヘルの異国情緒にあふれる。ロンドンでの最終的なミックスはRobert Plant、Peter Gabriel らのレコーディングを担当したMarco Migliariと、意外と豪華。

Zara Moussa

🏳 国：ニジェール　◉出身地：ニアメ　⊛ 拠点：ニアメ　▤ 生年：1980　〜 活動期間：2002-
💬 別名義：ZM　▶ 🔘 ⊙ 93

ニジェール初の女性ラッパー
声なき人々のスポークスマン！

　サハラ砂漠の南縁、サヘル帯に位置するニジェール。ギニア・モンスーンの影響により少ないながらも降雨があるため、南部はステップ・サバンナ気候となり、人口が集中している。首都ニアメ、第2の都市ザンデールも南端部だ。そして、砂漠化、食料不足、急激な人口増加、イスラム過激派と多くの課題を抱えた最貧国の一つである。

　Zara Moussaはザンデールを拠点とする女性ラッパー。1980年ニアメ生まれ、2002年にフランス大使館主催のHip Hopコンテストで優勝、シングル「Femme objet」をリリースし有名となった。年代的には、西アフリカでレコード契約を結んだ女性ラッパーのパイオニアであり、ニジェールでは初である。2005年、ハウサ語で「叫び」を意味するタイトルを冠した1stアルバム『Kirari』をリリース。このアルバムはアフリカの新しい音楽的才能発掘を目的としたRFIディスカバリー賞2006のベスト30に選出された。声なき人々のスポークスマンになるという使命感を持ち、あらゆる不条理に対して怒りをタブーなしで表明する。女性の権利、DV、公衆衛生といった社会問題をテーマとするコンシャスラッパーである。

　フローはフランス語をメインに、ザルマ語、ハウサ語を繰り出す。そして、ヘヴィーなリズムにアフリカンメロディーをミックスしたビートが特徴だ。トラックそしてレコーディングは夫との共同制作。周辺国に比べ、女性ラッパーが少ないニジェールでは頼もしい味方である。また、ヨーロッパ各地で開催されるイベントWorld Music Expo（WOMEX）にも出演した。

© : Facebook

Patriote

🅔 2021

全6トラックだが、22分間怒涛の高速ビートとラップが押し寄せる。実験音楽を思わせるようなミニマルなループがひたすら続く。それはインストナンバー「Guilgijin Goriba」でピークを迎える。「Takkai」「Kagani Kagani」をはじめ、lyrics はすべてニジェールの社会問題にコミットしたものだ。

Mamaki Boys

🇳🇪 📍国：ニジェール ◆出身地：ニアメ ⦿拠点：ニアメ 〜活動期間：2002-
👤グループ中心人物：Aziz Tony、Bachou Issouf ▶️ 🅢 ⊛728

2021年発掘、14年ぶりに蘇った
村のお祭り超高速サヘルビート！

速さは正義。クルマ、飛行機、スポーツ、スマホや PC の処理速度など、速ければ速いほど高く評価される。速いとカッコイイのだ。まぁ 1980年代末の速弾きメタルムーブメントでは、速さだけという人もいたので、カッコよさの一要素でしかないことはアタマに入れておきたい。結局は総合力なのだ。

ニジェールの首都ニアメにて 2002年、Aziz Tony、Bachou Issouf、Salif André により結成された Mamaki Boys。ローカルのアンダーグラウンドシーンに埋もれていた超マイナーミュージシャンである。しかし 2021年、サヘル地域の音楽に特化したインディーレーベル Sahel Sounds が発掘。12インチレコードとカセットで復刻発売したことにより、辺境音楽マニアを唸らせた。元は

2007年、3.63US ドルでリリースされたアルバム『Patriote』、しかも CD-R に焼いた完全セルフプロデュースである。地元の年配のミュージシャンをスタジオに招き、ドゥーマやカランゴなど伝統楽器からサンプルとループを作成。Aziz Tony の説明では、「祖父母が村でやっていたような伝統的な踊りをラップに取り入れたかった」とのことだ。

Hip Hop と伝統音楽の融合に取り組むアーティストは各地で散見されるが、Mamaki Boys の特徴はとにかく「速い」こと。ビートの BPM は 140以上、それに合わせてのマシンガンのようなラップが繰り出される。伝統文化、自国資源の保護を訴える Mamaki Boys のスタイルは、民族復興運動「tradi-moderne」と自称している。

© : Facebook

Wanted

Ⓐ 2017

シーンへカムバックを果たした 1st アルバム。ホラー映画ファンの Akeem Eking はファンをゾンビと呼ぶ。ライブではゾンビメイクのファンも。とはいえ Horrorcore とは全く関係ないコンシャスラップを旨とする。「VDNP」「Balayer」などクラブバンガーな Coupé-décalé 風味なトラックがいくつか収録。

Akeem Eking

🏳 国：ニジェール　◉ 出身地：ザンデール　◉ 拠点：ニアメ
👤 本名：Abdoul Karim Ekawel　🔴 別名義：Master P

ファンをゾンビと呼ぶ、30 代で
カムバックした遅咲きのラッパー！

　Akeem Eking は、2016 年から第二の都市ザンデールにて活動開始。ザンデール大学卒業後、マーケティング関係の会社に勤めていた。しかし、一念発起し会社を辞め音楽の道へ進む。じつは 2000 年代、Plan B というグループで Master P として活動しており、30 代でのカムバックとなった。フランス・ベルギー合作のアニメ映画『Zombillenium』から着想を得たスタジオ Zombillenium Prod を開設した。Akeem Eking のファンは愛をこめてゾンビと呼ばれる。2017 年、デビューアルバム『Wanted』をリリース。たちまち人気者となり、ニジェールではトップクラスのスターとなる。翌年には『Dernier survivant』、以降『Enfant du Charbon』、コンセプトを引き継いだ『EDC II』と合計 4 枚のアルバムを発表している。

　基本はフランス語を使用。愛、平和、社会的結束などの価値観を軸としたコンシャスラップである。フランスのアフリカ専門ニュースメディア『Afrik.com』の取材によれば、「ラップはパーティーのものではなく、人々にメッセージを伝えるもの」だと語っている。2020 年より始まった 227 Chilling チャリティーコンサートでは、ヘッドライナーを務め、12 人のアーティストとともに、孤児院を支援する資金を調達した。2021 年にはニジェールで最も権威のあるスポーツ・エンタメの祭典 Tarmamun Mu Awards にノミネートされた。

　今では、ニジェールのスターとなった Akeem Eking であるが、彼もまた、音楽の道に進むことを両親に猛反対されたという。今では母親は Akeem Eking の曲を全て暗記して歌い、父親は毎朝テーブルにアルバムを並べ、一日中聴いているとのことだ。

c：Facebook

Pre'volution - Le Président, Ma Moto Et Moi Ⓐ 2015

ブルキナファソ反政府運動中に制作したトラックの集大成。『On Passe à L'attaque』を筆頭に政府の腐敗、貧困そしてサンカラへ捧げるトラックなど内容は多彩。ピアノをバックにポエトリーリーディング風、民族楽器、メロディアスなラップバラードなど変幻自在なスタイルは魅力である。当事者によるリアルなレベルミュージックといえる。

Smockey

🏴 国：ブルキナファソ　⊕出身地：ワガドゥグー　⊛拠点：ワガドゥグー　🎂生年：1971
🎤活動期間：1999-　⚓本名：Serge Bambara　▶️　💿305

スタジオが砲撃、コンパオレ大統領派の
怒りを買った反政府ラップ！

　1950年代以降、アフリカ諸国は旧宗主国からの独立を勝ち取った。しかし、政情不安はつきもので、クーデターは「いつも通りのアフリカの風景」ともいわれる。そして、アフリカ大陸内でも、特に西アフリカ諸国でのクーデターは全体の60%ほどになる。ブルキナファソも例外ではなく、旧国名オートボルタ時代からのクーデター回数はトップクラス。2020年代に突入しても、クーデターが発生したことは記憶に新しい。

　ここで紹介するSmockeyは、2014年ブルキナファソ反政府運動及びクーデターにおけるキーマンでもある。1971年首都ワガドゥグー生まれのSmockeyは、1991年にフランスに留学。1999年にEMIと契約を結び、当時売り出し中のチュニジア系女性シンガーLââmをゲストにシングルリリース。2001年にブルキナファソに帰国し、スタジオ Abazon を設立、アルバム『Epitaphe』『Zamana』をリリース。2006年にブルキナファソの全国音楽賞であるKunde Awardsの Best Artist of the Year 部門を受賞、プレゼンテーターはコンパオレ大統領夫人であった。

　その後、国内のミュージックアワードの常連となり、俳優として映画出演も果たした。2013年、彼は Reggae ミュージシャンの Sams'K Le Jah とともに、政治団体 Le Balai Citoyen を共同設立し、本格的に反政府運動に身を投じた。2014年10月31日、ついにコンパオレ政権崩壊、軍部を軸に暫定政権が発足。

　ところが翌年9月コンパオレ大統領派の残党によるクーデターが発生。Smockey のスタジオ Abazon も砲撃された。ギャングスタラップの世界観とは別の意味で過酷である。

c : Facebook

Moogho
Ⓐ 2015

2014年ブルキナファソ反政府運動がテーマのアルバム。2022年にも国軍がクーデターを起こすなど、なかなか政情が安定しないようだ。ホーンが印象的なトラック「Karong Korogo」「Ki Kanga」、重苦しい「YaN-Targoama」「Wakat Songo」など実験的な音作りのトラックなど、アルバム全体を通してダウナー系だ。ある意味リスナーに重圧を与える全12トラックは、Art Melodyのメッセージを伝えるに相応しい暗さを持つ。

Art Melody

Ⓟ 国：ブルキナファソ ◉出身地：ボボ・ディウラッソ 🗺拠点：ボボ・ディウラッソ
🅑 生年：1978 ◉活動期間：2003- ▶ 🅒 728

環境問題解決、農業者と遊牧民の融和を目指す農家ラッパー！

昼は農夫、夜はラッパーとスローライフを地で行くのが Art Melody。と言いたいところだが、当然このようなライフスタイルとなったバックグラウンドがある。ブルキナファソのラッパーにありがちだが、紆余曲折を経てのライフスタイルだ。若かりし頃、目的地のスペインに向けマリ、セネガル、アルジェリアを放浪。各地で多くのラッパーに出会い、刺激を受ける。ところが、スペインへはたどり着けず、結局アルジェリアで強制送還になる。

2003年、仲間とIBM（Ideal Black Movement）を結成、本格的に活動を開始する。2009年2月、1stアルバム『Art Melody』をリリース。以降、間が空くときがあるものの、2年ペースでアルバムを発表し続けている。また、Joey le Soldat とユニット WAGA 3000 を結成した。

もともとブルキナファソ第2の都市ボボ・ディウラッソの農家出身。深刻な砂漠化により、ここ数十年の間で放棄された村をいくつも見てきた Art Melody。帰農し、野菜や家畜を首都ワガドゥグー郊外で生産をしている。

そのようなこともあり、2nd『Zound Zandé』のように気候変動、農業者と遊牧民の対立といった農業を取り巻く問題もテーマとして採り上げる。また、Art Melody もコンパオレ政権を批判し続け、クーデターから1年後、この混乱をテーマとしたアルバム『Moogho』をリリース。一貫して、アクティビストとしてのメッセージをラップに乗せ、ブルキナファソの民衆に届けている。

そのため、Art Melody は、ブルキナファソの公用語のムーレ語及びジュラ語、そして時にはフランス語ラップで民衆に問いかける。本人曰く「音楽は教育のための真のツールになり得る」とのことだ。

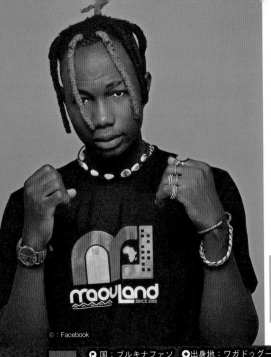

© : Facebook

Maouland Ⓐ 2021

ドバイで豪華な MV を撮影した「Toongo」、というか MV はほとんどドバイで、ブルキナファソのラッパーとしては桁違いなカネのかけ方。また、子供のころから聴いていたという憧れの Smockey をゲストに迎えた「Ayo」など聴きどころは多い。「Vinoogo」はカメルーンの Tenor による別バージョンもあり。全15 トラック。

Kayawoto

🏴 国：ブルキナファソ　➕出身地：ワガドゥグー　◉ 拠点：ワガドゥグー　▬ 生年：1995
Ⓝ 活動期間：2018-　▶ ⓒ 19

ブルキナファソに出現したルーキー、
架空の国 MauLand の王！

サハラ砂漠の南縁、いわゆるサヘル地域に位置するブルキナファソ。ほとんど降水量のない国土のため、近年も干ばつに見舞われている。そのため、ブルキナファソの農民は伝統的に南隣にあるコートジボワールへ出稼ぎに出たり移住し、収入を得てきた。また、干ばつに加えイスラム過激派のテロにより、直近でも 70 万人の難民が発生というダブルパンチを受けた。

Kayawoto の両親もコートジボワール出稼ぎ組。二度のコートジボワール内戦で多くのブルキナファソ出身者が帰国したのと同様、2008 年に母親と祖国に戻った。ちょうど Smockey、Faso Kombat といった面々によりシーンがピークとなった頃だ。この帰国により 12 歳で学校を中退、以後ガーナ、トーゴへの出稼ぎで転々とした苦労人である。

趣味のフリースタイルが実を結び、2018年、若手ラッパーを集めたコンピレーションアルバム『Sang Neuf』のレコーディングに参加。このアルバムの「Wagdré」「Taabi Yonsé」は、フランスの MTV に相当する Trace TV にてベスト 10 入りを果たした。2021 年には、待望の 1st アルバム『Maouland』をドロップ。Maouland は Kayawoto が考えた架空の王国、ファンは Maouland 国民とのことだ。ファンを「China」と呼ぶ DJ Arafat と通じるものがある。基本は現地語であるモシ語ラップ。オーセンティックなビートのほか、Coupé-décalé、Afrobeats の要素もあるリズムは、ブルキナファソの New School と評されている。

MV「Rakanra Biiga」に登場する和服女性は日本人で、彼のガールフレンドとのこと。ブルキナファソへダンス留学の傍ら、外タレとして現地のテレビ番組に出演するなど活躍中だ。お互いの Facebook や Instagram で仲睦まじいところを見せている。

© : Facebook

Niokala so

Ⓐ 2003

ソロとしての 1st アルバム。Mali Music Awards を受賞した。ゲストは夫人の Aminata Doumbia（Salif Keïta の バックコーラス）、Tata Pound、Fatoumata Diawara。そして大御所 Salif Keïta の名曲「Anana min」ではなんと本人とデュエットと力の入った作品だ。シングルカット「Babayo」はマリ全土で大ヒットした。

Lassy King Massassy

📺 国：マリ　📍拠点：バマコ　⊘ 活動期間：1989-　📷 🔊※一部　📀 13

マリの全学連書記長から
ラップの盟主、そして写真家に！

　1968 年から 1991 年の長きにわたって独裁政権の座にあったムーサ・トラオレ。1991 年 3 月の民衆蜂起をきっかけとする軍事クーデターにより、政権の座を追われることとなった。これにより、ようやく民主化となったが、2012 年、2018 年、2020 年と相次ぎ軍事クーデターが発生し、再び軍政になるなど一筋縄ではいかないのがアフリカあるあるだ。

　Lassy King Massassy は 1971 年生まれ。1989 年、マリの Hip Hop 史では極めて初期の段階から活動を始める。当時 Hip Hop に触れることができたのは、やはり高学歴の若者や欧米に親戚がいる裕福な層が中心であった。Master.T（当時は Tidiane Traoré）とマリ初の Hip Hop アルバムをレコーディング。そして、1991 年民衆蜂起のときに

は、マリの全学連ともいえる学生生徒連合（AEEM）の書記長として、バマコ郊外カティの国軍駐屯地で最前線に立った。

　1992 年、Lassy King Massassy、Master.T、Ousmane Maï Diallo の 3 人によりグループ Sopha を結成するも Master.T の死により解散。1997 年、グループ King Da Dja を結成しアルバム『Tugna』を残した。ソロでは 2003 年、1st アルバム『Niokala so』をリリース。このアルバムのプロデュースがきっかけで、Salif Keïta パリオリンピア劇場ライブのオープニングアクトに指名された。2007 年『Ne (Moi)』をドロップ。また、2001 年から俳優として舞台、テレビドラマに出演、コミカルな演技が評判となった。

　近年はマリの市井の人々をテーマとする写真家として活躍中だ。

Révolution

Ⓐ 2006

汚職、サッカー危機、若者の雇用、健康、貧困などを扱ったコンシャスアルバム。「Monsieur le Maire」「Yèlèma」では、不透明な政府の不動産取引、国営企業民営化に対し鋭く切り込んでいる。リリースの妨害、マスコミによるネガティブキャンペーンを受けた本作は、ある意味名盤のお墨付きともいえる。

Tata Pound

Ⓟ 国：マリ　◉ 出身地：バマコ　◉ 拠点：バマコ　◉ 活動期間：1995-
Ⓘ グループ中心人物：Djo Dama、Ramses、Dixon　▶ ● ● ♂ 913

社会派ラップが評価、大統領の前で
演奏するも手のひら返しで弾圧！

　1991年のクーデターを率いたアマドゥ・トゥマニ・トゥーレ、現地では通称ATTだ。翌年には民主化を実現し、大統領選挙が行われてコナレ政権が誕生。2002年には任期満了で退任したコナレに代わり、ATTが大統領に選出され、2012年にクーデターで失脚するまで民主化路線を維持した。

　幼馴染Djo Dama、Ramses、Dixonのグループ Tata Pound は、1995年ローカルのラップコンテストで優勝。2000年に、アルバム『Rien Ne Va Plus』、翌年『Ni Allah Sonama』がリリースされメジャーとなる。2002年大統領府に招待され、ATTの前でライブを行った。大統領へのメッセージをラップしたシングル「Cikan」がもたらした御前試合である。しかし、2006年にアルバム『Révolution』をリリースすると、事態は悪化。このアルバムは、大統領をはじめ、政府当局に対する批判をテーマとしたため、ラジオ、テレビからのBan、スポンサー撤退などのいやがらせを受けた。御前試合で勝ったにもかかわらず、柳生一族に追われた子連れ狼のようだ。いやはや、公儀介錯人が斬っただけなのに、民主化路線といえどもなかなか厳しい、冥府魔道である。

　2007年以降アルバム『10 ans déjà』『Chi kan koura』をリリース。2011年シングル「Lekece」を区切りに一旦活動休止、それぞれソロ活動へと進む。2020年には、20周年を記念し、多くのゲストを迎え再結成コンサートを行い、健在ぶりを示した。

© : MV「Sabali」

🔴 国：マリ　🔴 出身地：バマコ　🔴 拠点：バマコ　🔴 生年：1989　🔴 活動期間：2003-
🔴 本名：Ibrahim Mahamadou Fily Sissoko　🔴 　🔴 1299

革新的な Mandingues ラップを
生み出した The Gladiator!

　グラディエーター。古代ローマにおいて見世物として闘技会で戦った剣闘士。その出自の多くは古代ローマの領土拡大とともに獲得した戦争捕虜の奴隷だ。ラッセル・クロウ主演の映画『グラディエーター』（原題：Gladiator）は、アカデミー賞およびゴールデングローブ賞を受賞し大ヒットとなった。The Gladiatorのニックネームを持つ Iba One はさしずめマリ Hip Hop 界の剣闘士といったところであろうか。アルバムや MV のアートワークにマリ帝国の皇帝やキングチェアといったイメージを採用している。これは、14 世紀にマリ帝国の全盛時代を築いた皇帝カンコウ・ムーサを象徴しているとのことだ。そのため L'Empereur Kankou Moussa という別のニックネームも持つ。映画『グラディエーター』に出てきた悪役皇帝とは違うようだ。

　1989 年、地方都市カイの生まれ。経営学を学んだ後、国立芸術大学（INA）に入学し直した。マンデ語を採用した 2010 年の 1st アルバム『The First』のヒットにより一躍有名

Mon empire Vol.1 & Vol.2　🔺 2020

Vol.1 が 16 トラック、Vol.2 が 17 トラックの 2 枚組アルバム。2013 年のアルバムも 2 枚同時発売だったので、もはや彼の芸風ともいえる。ナイジェリアの All Africa Music Awards（AFRIMA）ほか、多数の賞を受賞した作品だ。「Bi Mogoya」などコラ奏者の Sidiki Diabaté がゲスト参加、マリの伝統音楽へのこだわりを見せる。

となり、同年 Mali Hip Hop Awards などで複数の賞を受賞した。2013 年に 2 枚のアルバム『Dondo Temena』『Rap champion』をリリース。2020 年には 2 枚組アルバム『Mon empire Vol.1 & Vol.2』 をリリースした。シングルは数えるのも面倒になるほど多数発表している。前述の Mali Hiphop Awards のほかコートジボワール、ガーナ、フランスといった国外のアワードでも多数の賞を受賞。デビュー以来、申し分ない音楽キャリアを築いてきた。

Album One ⓐ 2012

アルバムらしいアルバムが見当たらない Ewlad Leblad であるが、2012年あたりまでにリリースされたナンバーを収録したコンピレーションみたいなアルバム。とはいえ、一貫して社会問題に切り込んでいるためテーマ性は十分である。なぜか主要なストリーミングサービスでも配信されていないので幻の盤となっている。ゲスト参加しているアーティストが、逮捕や逃亡騒ぎに巻き込まれていないか気になるところだ。

Ewlad Leblad

ⓒ：Facebook

● 国：モーリタニア　◆ 出身地：ヌアクショット　⑧ 拠点：ヌアクショット　〜 活動期間：2009-
⑧ グループ中心人物：Hamada、Izak、Mohamed　▶ ※一部　⑥ 2

大統領を讃える曲を作れと当局から圧力、
拒否したらデッチ上げ逮捕に襲撃！

「100万人の詩人の国」と呼ばれるモーリタニアでの Hip Hop の歴史は、Diaman Teki、Minen Teye の 1990 年代に遡る。当初は他のアフリカ地域と同じく、アメリカの Hip Hop のモノマネであったが、イスラム、マグレブ文化と融合し、Rap Rim スタイルが確立された。そして、Hamada、Izak、Mohamed の 3 人による Ewlad Leblad は、2000 年代に現れた極めて政治的で民族的なグループである。扱うテーマは政府の腐敗、貧困、奴隷制といったモーリタニアに山積みとなった社会問題である。

2010 年代に突入し、Ewlad Leblad の人気と影響力が増すと、モーリタニア政府は過剰な干渉を仕掛けてくる。とりわけ、2013 年以降あからさまに目を付けられるようになる。政府はフランスのニースで開催される芸術祭参加への渡航費を Ewlad Leblad だけ支出拒否。またアブデルアズィーズ大統領を讃えるナンバーを歌えと圧力をかけた。2014 年には大統領の息子に呼び出され逮捕、ステージ上での謝罪を強要される。が、これも拒否。結果、官憲の襲撃を受け、Hamada が性的暴行と麻薬所持の罪をデッチ上げられ収監された。

さらに Hamada 釈放の条件として、またもや大統領賛歌を書けと Izak に強要。結局、時間稼ぎの末、Izak はセネガルのダカールに逃亡し、当地より「Libérez Hamada」をリリース。結局国際的な圧力に直面して、Hamada は保釈され、ダカールの Izak と合流。新たな闘争として大統領を dis る「Vabraka」をリリース。ところが 2016 年、武装したモーリタニア人と見られる集団が Izak 宅を襲撃、幸いにも不在だったため難を逃れた。ガチ反政府ラッパーならではのエピソードだ。

© : Facebook

PIB

Ⓐ 2018

タイトルは「Produto Interno Bruto」の略、ポルトガル語で国内総生産を意味する。ヨーロッパとアメリカを先行ツアー、後日故郷アソマダにて凱旋リリースとなった。シングルカットされた「Nem Nem」「Preparado」はポルトガルでもトップ 20 達成。カーボヴェルデならでは全 11 トラックのクレオールラップ。

Rapaz 100 Juiz

🏳 国：カーボヴェルデ　●出身地：アソマダ　◉拠点：アソマダ　〜 活動期間：2006-
👤 グループ中心人物：PnC、Cmc　▶ 🎧 ◷ 639

大西洋辺境、海外在住者の方が多い、
限界島国クレオールラップ！

　大航海時代、サントメプリンシペと同じくポルトガルに「発見」されたカーボヴェルデ。セネガル沖に浮かぶいくつかの島々は海運、そして現代では空運の要衝である。が、それ以外漁業ぐらいしか目立った産業もなく、気候も厳しいため、国外の移民人口の方が本国の人口より多いという状況だ。辺境らしいコロニアル建築と荒涼とした大自然といった見どころはあるのだが、限界集落ならぬ、限界島国である。

　そんな限界島国でも、しっかり Hip Hop シーンは存在する。カーボヴェルデを代表する Rapaz 100 Juiz は、2006 年にサンティアゴ島アソマダのローカルコンテストで優勝した PnC と Cmc が結成したグループである。デビュー当初は 3 人、現在は中年 2 人である。

　2006 年から 2009 年にかけて、5 本のミックステープを作成し、地元ラジオ、ストリートで人気を博した。2010 年、1st アルバム『Claridade』が、国内外で成功。これを受けてポルトガル、スイス、フランス、ルクセンブルクを巡るヨーロッパツアーを敢行した。

　『Voz di Vozis』（2014）、『PIB』（2018）とアルバムをリリース。Cabo Verde Music Awards を受賞するも、地元だけでは厳しいので、やはりヨーロッパ、北米、そしてポルトガル語圏諸国を巡業。Rapaz 100 Juiz は若者を取り巻く社会問題に対し、メッセージを送り続けている。クレオールラップを通じ、カーボヴェルデの課題を解決したい、というのが彼らの思いだ。2022 年には 4 枚目となるアルバム『16 Veron』がリリースされた。

© : Facebook

New York-Paris-Dakar

Ⓐ 1997

Positive Black Soul を ワールドワイドにした出 世作。KRS-One がフィー チャーされているのはト ラック２の「PBS」。さ らに、アルバムタイトル となったトラック「New York-Paris-Dakar」 も 多くのゲストが参加して おり必聴である。あわせて、あの Bob Marley の息 子 Ky-Mani Marley が参加しているアルバム『Run Cool』（2000 年）も推薦しておきたい。

Positive Black Soul

Ⓟ 国：セネガル　◈ 出身地：ダカール　⊛ 拠点：ダカール　⌒ 活動期間：1989-
ⓘ グループ中心人物：Didier Awadi、Duggy-Tee　▶ ⓒ 10561

あの KRS-One も絡んだ
90 年代セネガルのレジェンド！

　セネガルの Hip Hop を語るうえで、絶対外 せないのが 1989 年結成の Positive Black Soul（PBS）。Didier Awadi と Duggy-Tee によるデュオグループである。初期セネガル Hip Hop シーンのキーパーソンであると同時 に現在も活動継続中だ。英語、フランス語、ウォ ロフ語を使用し、セネガルの伝統楽器をフィー チャーする。テーマは政治、HIV、貧困といっ た社会問題が中心だ。

　転機は 1992 年。首都ダカールのフランス 文化センターが主催するフェス出演中、フラン スのセネガル系ラッパー MC Solaar よりパリ でのライブの機会を得た。1994 年、1st ア ルバム『Boul Falé』をリリース。フランスを 筆頭にヨーロッパツアーも敢行。同年、セネガ ルの大御所ミュージシャン Baaba Maal のア ルバムにゲスト参加。1997 年には 130 回 の公演を含むツアーを敢行。また、ダカールで

のコンサートのプロモートや、後輩の Daara J らのプロデュースと活動はマルチに展開して いく。そして 1997 年といえば記念碑的アル バム『New York-Paris-Dakar』。もともとセ ネガルでは数年前にカセットでリリースされて いたこの作品、ワールドワイドにリリースと なり、その名を知らしめた。Positive Black Soul の汎アフリカ主義に賛同したあの KRS- One も絡んでいる。

　2000 年代以降はそれぞれがソロプロジェ クトを進め、解散が噂された。2009 年結 成 20 周年を記念してダカールで Youssou N'Dour、Ismaël Lô といったアフロポップ界 の超大物と公演を行った。結成 25 周年には 記念アルバム『25 Years』をリリース。現在 第一線から少し遠ざかってはいるが、セネガル のレジェンドであることはゆるぎない事実であ る。

Boomerang Ⓐ 2003

リリース時、イギリスの『The Guardian』紙にて Positive Black Soul『Run Cool』、Djoloff『Lawane』と並ぶセネガル 3 大 Hip Hop 作品と評されたアルバム。Sergent Garcia をゲストに迎えたラテンテイスト溢れる「Esperanza」、マシンガンのような高速ラップ「Bopp sa Bopp」など、聴きごたえのあるトラックが収録された傑作アルバムである。

© : MV「Senegal」

Daara J Family

🎙 国：セネガル ◉ 出身地：ダカール ◉ 拠点：ダカール 〰 活動期間：1993-
ℹ グループ中心人物：N'Dongo D、Faada Freddy ▶ 1973

ルーツは 1994 年結成の現役、
ウォロフ語ラップのパイオニア！

セネガルの Hip Hop シーンは、現地で Rap Galsen あるいは Hip Hop Galsen と称される。Hip Hop、R&B、セネガル独自のダンスミュージック Mbalax、Reggae の影響を受け、ピジンフランス語、ウォロフ語のスタイルは 1990 年代初頭の Daara J、Positive Black Soul の時代に確立された。

1994 年に高校生だった N'Dongo D、Faada Freddy、Lord Alajiiman がグループを結成したのが Daara J の始まりだ。1997 年、イギリス在住の著名 Reggae ミュージシャン Mad Professor プロデュースにより 1st アルバム『Daara J』をリリース。続く 2nd アルバム『Xalima』(1999) では大きくカラーを変え、コラやバラフォンといった伝統楽器をフィーチャー。ゲストに民族音楽の大御所を呼ぶなど伝統回帰、そして政治的なテーマのアルバムとなった。2000 年のセネガル総選挙では、志を同じくする政治家への応援、汚職撲滅運動の先頭に立った。そして、3rd アルバム『Boomerang』(2003) ではさらに社会問題や政治にコミット。セネガルはもとより、ヨーロッパの音楽チャートでそれなりの成功を収めた。2003 年度 BBC World Awards でベストアルバム賞の栄誉に輝いた。タイトルは Hip Hop がアフリカで生まれ、世界中に広まり、そしてアフリカ大陸に帰ってきたことを暗喩している。

2008 年に Lord Alajiiman がグループ脱退、Daara J から Daara J Family へ新しいプロジェクトとなる。以降数年おきにアルバムをコンスタントにリリースしている。いずれも環境、貧困、青少年、政治といったテーマを扱うのは Daara J 時代からの伝統芸である。神様の啓示を受けたのか、Faada Freddy は Gospel シンガーのソロ活動もしている。

Tay Leu Kagn
Ⓐ 2016

アフリカ初のストリーミングサービス Musik Bi の売上で 30% を占めたというほど、セネガルで売れたアルバム。Marema との「Ymym」、Titi と の「Nimala beugé」はバラードだが、変化に富んだトラックだ。フリースタイルが得意とする Dip Doundou Guiss の本領発揮だ。Dancehall、Mbalax、Trap 風味もある全方位 16 トラック収録。

Dip Doundou Guiss

© : Facebook

🇸🇳 ▶ 国：セネガル ◈ 出身地：ダカール 🧭 拠点：ダカール ☀ 生年：1991 〰 活動期間：2010-
▶ 📷 ⑥ 1973

2010 年代に現れた
Rap Galsen の超新星！

Positive Black Soul、Daara J に次ぐ世代が台頭したミレニアム前後、カオラックやサンルイなどの地方都市にまで Rap Galsen の熱波は到達した。2000 年代には、レコーディングスタジオ、フェス、レーベルといったインフラが充実。メディアミックスも進んだ。この背景にはセネガルの比較的安定した政治体制と堅調な経済成長もある。

2010 年代半ば、Rap Galsen でトップクラスのポジションを確立した Dip Doundou Guiss。彼がフリースタイルを始めたのが 2009 年。2011 年、友人の Sawzi とグループ Doundou Guiss を結成。しかし、シーンの環境が整ったなかでのスタートとはいえ、わずか数か月でグループは解散してしまう。ソロ Dip Doundou Guiss として再出発した。

Dip は本名の Dominique と英語の Deep を掛け合わせたとのこと。ストリートに根ざしながらも、彼の人生観を象徴する哲学的なネーミングだと現地メディアは伝えている。シングル「Hors Norme」「Yakarouma si kénn」などが成功。

これを受けて、2014 年 Idrissa Sow との共同アルバム『Beus Niki Tay』、2016 年にデビューアルバム『Tay Leu Kagn』をリリース。2019 年、2nd アルバム『LNN (Loo Ñeme Ñàkk)』をリリースした。ちなみに最も尊敬するミュージシャンは Youssou N'Dour。2016 年にはトリビュートシングル「Youssou Ndour」を発表した。また、Rap Galsen をワールドワイドレベルに押し上げることを目標としている。

© : Instagram

P.A. Universal

Ⓐ 2021

小気味よい Drill ビートが全 16 トラック。さすが日本のポップカルチャーが大好きな彼ら、「Edo Tenseï」「Tekki」といった日本語タイトルのトラックもあり。テーマは貧困や政府の腐敗といった社会批判にも及ぶ。ボーナストラックとして収録された大ヒット「Weredi」「Drill Galsen」は必聴。

Akatsuki SN

🟦 🌐 国：セネガル　◉出身地：ダカール　⊛拠点：ダカール　～活動期間：2019-
👤 グループ中心人物：Xhalil、LMN Xél Niar、Sory　▶ ⬤ ⊙ 105

MV に怪レい日本語登場、
日本マンガに影響されたセネガル Drill!

　我が国のクールジャパン戦略が功を奏したのか、アフリカ諸国でもアニメ＆コミックイベントが開催されている。ナイジェリアの Lagos Comic Con をはじめ、南アフリカの Comic-Con Africa、ジンバブエの Comexposed といったアフリカンオタク歓喜のフェスが各国にある。ガーナでは女性だけの Ms. Geek Ghana Competition があり、アフリカン腐女子にも配慮されている。ダカールで開催される Senegal Manga Festival は駐セネガル日本大使館による貴重な日本語レポートもあるのでご参考に。

　Akatsuki SN は 2019 年に Xhalil、LMN Xél Niar、Sory、TaallaMist Cash（脱退済み）によって結成。グループ名は『NARUTO - ナルト -』に登場する敵キャラ暁の組織名か

らだ。もちろんステージ衣装は暁マント、Tシャツにも暁マークがプリントされている。2020年のデビューシングル「Weredi」は リリース数か月で YouTube 100 万回再生を達成。MV に「ボイズをデムします」などハオい日本語が登場するのもご愛敬。Booba や Black M といったフレンチラップの大御所もヤベぇ奴らが現れたとばかりに反応した。

　2nd「Drill Galsen」の通り、彼らのやっていることは Drill Music。日本ではオタク文化と相性の悪い Hip Hop、さらに Drill Music という最悪の組み合わせがセネガルでは成立してしまう。また、日本のポップカルチャーに関して、駐セネガル日本大使館からもインタビューされている。

Akatsuki SN インタビュー

日本アニメに影響されたセネガルの新星、Akatsuki SN へのインタビューが成功。2022年5月に在セネガル日本国大使館がインタビューしているため、2番手となってしまったが、日本本土からは初のインタビューとなる。インタビュー申し込みからの即時レスポンスにより、翌々日には記事原稿着手というハイスピード進行が実現。彼らはいわゆる「アフリカ時間」とは無縁のようだ。日本のポップカルチャーと接点もあり、大物フレンチラッパーを唸らせた実力の Akatsuki SN。気になる点をいろいろ尋ねてみた。

——どうもインタビュー対応してくれてありがとう。まずはグループについて教えてください。メンバーの紹介をお願いします。

オレたちは4人グループなんだ。Sory l'officier、Lmn Xel Niar、Talla Btb、Xhalil でやってる。

——Akatsuki SN 結成までのいきさつはどんな感じでした？ デビュー前は、何をしていました？

基本的にオレたちは学生だった。メンバーのうち何人かはバカロレアを取得したばかりでね。それまで、それぞれソロで音楽活動をしていたんだ。ローカルのパルセル（ダカール郊外レ・パルセル・アセニー地区）に、地区のラッパーを集めていろいろなプロジェクトを準備している Felipe Dasylva というサウンドエンジニアがいてね。その関係で知り合った。そのプロジェクトがカタチになる前に「Weredi」でデビューしたというわけ。おかげで Universal Music 系列の Neegrap Music と契約できた。Felipe のプロジェクトはデビュー後に初イベントが出来てよかったよ。

——あれ？「Weredi」ではクルー5人だったような気がしますが、「Drill Galsen」ではクルー4人。メンバー変更があったのですか？

ああ、Mist Cash は「Weredi」ヒット後、自分のキャリアを追求したいということでグループとレーベルから去った。

——フロントマンは誰ですか？

オレたちはファミリーなんだ。全員フロントマンそしてスタッフ兼任。

——グループの音楽について質問します。まずは定番の影響を受けたミュージシャンについてお願いします。

やはり、Meek Mill、2Pac といったところ。セネガルのミュージシャンでは Positive Black Soul の Duggy Tee、Didier Awadi。そして Xuman、Fuk n Kuk、Nitdoff Killer、Pleins d'autres かな。まあいずれも Old School だけど。

——Drill Music の影響は UK Drill？ それとも Chicago Drill ですか？

UK Drill と言いたいところだけど……。うん、やはりそれ以上にダカール発祥の Drill Galsen だね（笑）。

——テキストについてお聞きします。ウォロフ語とフランス語では作詞の難易度は違いますか？

ウォロフ語もフランス語も大して変わらないよ。英語でも余裕で書ける。

——ビート制作はどのような体制でしょうか？

Pharmacist、Jeuxs など多くのビートメーカーの協力もある。

——セネガルの Drill / Trap シーンはどんな感じですか？

オレたちのシーンはひと言で超 Cool！ このシーンをさらに進化、発展させるため Akatsuki SN の責任も大きいかなと感じている。まだ道半ばだよ。

——西アフリカの Drill Music といえば、近くの国ガーナの Kumerica ムーブメントが有名ですよね。対抗意識とかあります？ 交流とかされていますか？

まあ、彼らは彼らなりにいい仕事してると思うよ。しかし……Drill Galsen も忘れないで（笑）。もちろん彼らとの交流はあるよ。Kumerica アーティストとのプロジェクトも

進行中なんだ。

——Drill Music はその成り立ちから、かつての Gangsta Rap 以上にストリートライフを象徴しています。ダカールのストリートライフは過酷ですか？

その通り、ハードすぎる。首都ダカールを離れれば、より一層厳しい貧困、失業問題がセネガル全土に山積みとなってるんだ。殺人、強盗などの重大犯罪は、元をたどれば貧困によるものがほとんど……。Akatsuki SN として、少しでも暴力の連鎖を止めたい、みんなの意識を高めて欲しい思いから、シングル「Jaxasso」をリリースしたんだ。YouTube に置いてあるのでぜひチェックして欲しい。

——ありがとう、最後にセネガルやアニメ諸々について質問しますね。セネガルでは、アニメ、コミックといった日本のポップカルチャーが人気ですか？

結構スゴイよ。大人気。

——グループ名は『NARUTO - ナルト -』の敵キャラ由来ですよね、ほかに好きな作品とかあれば教えてください。

今注目しているのは『進撃の巨人』だね。

——ダカールの日本大使館から取材されましたよね？

これには驚いたね。すごく嬉しかった、夢が叶ったような気持ち。光栄だね。

——日本旅行で行ってみたいところはありますか？

そうだね、たとえば『NARUTO - ナルト -』の聖地鳴門市とか。あと東京はゼッタイに外せない。

——ダカール観光のお勧めはありますか？

ダカール観光は乗り合いバス Ndiaga Ndiaye で廻るのがいいよ。ダカール駅前の黒人文明博物館は必見。オレたちの地元レ・パルセル・アセニーのアカペス周辺も賑わっててオススメだね。

——では、日本のヘッズにホットなメッセージをお願いします。

Yoh Aisatsu！ 愛してくれてありがとう、親愛なるジャポネーゼ。皆さんといつか日本で会える日を楽しみにしてるぜ！

© : Facebook

Fu 4 Life

Ⓐ 1998

ガンビア Hip Hop 史における記念碑的作品。約3か月で完成したこのアルバム、セネガルはダカールにて、メンバーが昼も夜もなく集中してレコーディングしたとのこと。ユニット名を冠した「Fugitivz」は生涯逃亡者であるという所信表明演説。政府を dis った「Kepp Kui Bangh」は Da Fugitivz でもっとも有名なトラックである。

Da Fugitivz

Ⓟ 国：ガンビア　Ⓝ 出身地：バンジュール　Ⓠ 拠点：バンジュール　～ 活動期間：1997-
Ⓘ グループ中心人物：Tazman、Mo-Hawk、Seabreeze　▶ ⊙ ∞ 347

ガンビア発ミレニアムのレジェンド、
ヨーロッパでもチャートイン！

　ガンビア川河口部以外はセネガルに取り囲まれた国ガンビア。こちらの旧宗主国はイギリスで、公用語は英語である。ガンビア川流域に広がる国土はアフリカ大陸最小の面積、ウナギの寝床のような形をしている。このウナギの寝床で Hip Hop シーンが生まれたのは 1990 年代初め。隣国セネガルの影響を受け、1990 年代半ばから発展した。2000 年代以降、魔女狩り、同性愛者の弾圧と悪名高いジャメ政権下において、シーンは抑圧され停滞した。

　Da Fugitivz は 1997 年、4 人の高校生 Tazman、Mo-Hawk、Seabreeze、DJ Graduate により結成された。Tazman は Dancehall 系、Mo-Hawk がラップ系というバランスだ。「Ndongo Dara」でデビュー。Mbalax や Salsa のエッセンスを採り入れた

ビートは人気となった。1998 年、1st アルバム『Fu 4 Life』をドロップ。このアルバムの成功により、ドイツの音楽祭 Pop Com Musical Festival に招待された。2000 年には、6 か月にわたりアメリカ横断ツアーを敢行。Sony Music 傘下の Atoll Music との契約を得て、2nd アルバム『Escaped』をリリースした。2005 年、ストックホルムの Double Dogs Records と 3 年間の契約を結び、スウェーデンに移住。「It's All Good It's Alright」がスウェーデンのチャートに登場するなど、新天地でも活躍した。

　ジャメ政権がメチャクチャになりだす頃なので、Da Fugitivz としては、安住の地であっただろう。その後グループとしての活動は停止、メンバーはソロへと進んだ。

© : MV「Roleta Russa」

🏳 国：ギニアビサウ　📍 出身地：ビサウ　📌 拠点：ビサウ　🌐 活動期間：2005-
👤 グループ中心人物：Mario Maxposs、Cientista Realista　🎵 ⏺ 📻 1

一大麻薬中継地ギニアビサウで
Narco Rap がサブジャンル化！

　メキシコの麻薬戦争が生んだサブジャンル Narco Rap。ヒットマン、ディーラー、当局との戦闘をテーマとした lyrics を特徴とする。その起源は Trap/Drill Music ではなく、19世紀末の盗賊を讃えた Corridos にたどり着く。組織犯罪のシノギが麻薬に変わり、1970年代には Narco Corridos として人気を博した。さらに現代風に進化したのが Narco Rap だ。ギャングから依頼を受けたラッパーは、犯罪を讃えるトラックを制作。何かあればラッパーも殺されるという究極の Gangsta Rap である。

　2000 年代より南米ヨーロッパルートの中継地となった西アフリカ沿岸諸国。特に深刻なのは、政府と麻薬カルテルがズブズブで取引量が桁外れのギニアビサウだ。ギニアビサウでも Narco Rap が 2009/2010 年の麻薬密売に関連する政治危機に突入したときにサブジャンル化した。もっともこちらはメキシコと違い、アンチ麻薬だ。2005 年に Mario Maxposs、Cientista Realista、

Bo Obi Mas
🅢 2010

南米からの麻薬中継地となったギニアビサウ国家を強烈 dis。国軍が麻薬カルテルのお先棒を担ぐ描写など、いろいろヤバい。Baloberos は Big Up GB という Clan に所属。16 のグループで構成された Big Up GB のミュージシャンが手を取り合いミックステープ、シングルをリリースした。

FBMJP、Zaino Zavadare により結成された Baloberos は、その筆頭である。デビューシングル「Nó Estado」が全国のラジオ局でパワープレイされ人気となった。2006 年、1st アルバムレコーディング。Didier Awadí らも参加したがこちらはお蔵入りとなったようだ。

　2009 年、公然と麻薬問題を批判した「7 Minutos de Bardadi」が問題化し、当局に拘束された。他の Narco ラッパー同様、Zaino Zavad はポルトガルに拠点を移した。

Kill Point

© : Sita News

🄿 国：ギニア 👤出身地：コナクリ 📍拠点：コナクリ 〰活動期間：1989-
👤 グループ中心人物：Aizeck'O、Prophet-Gee ▶ ∞ 548

1989年結成のゴッドファーザー、
ヒップホップ武器にギニア政府批判！

ギニアHip Hop史のレジェンドKill Point。Aizeck'OとProphet-Geeによって、1989年首都コナクリにて結成と歴史は古い。その後、Mooz BeeとKébéが加入、4人組のグループとして1990年代のギニアシーンを席巻する。Kill Pointも政治的に不安定なアフリカ諸国のラッパー同様、Hip Hopを武器に政府を激しく攻撃した。2006年に民放解禁になるまで、Kill Pointの楽曲は国民的人気があるにもかかわらず、国営メディアで検閲対象であった。1996年、待望の1stアルバム『Böma』をリリース。以降1997年『MRK/Rap Koulé』から、2002年『Featuring 2』まで、ほぼ毎年コンスタントにアルバムをリリースした。

ところが、首都コナクリから辺境のヨムーまで若者を熱狂させたKill Pointは、空中分解を迎えてしまう。政府の検閲によりコンサートの禁止など、活動がままならなくなったため、Prophet GeeとMooz Beeはフランスに活路を見出し、出国。2003年、彼らはKill Point名義で『Ghetto Propheetie』をフランスにてリリース。

Foré Böma

🄰 1996

ギニア全土の若者が熱狂し、シーンを躍進させた1stアルバム『Foré Böma』。当時の基準で聴いてみても、いろいろ古臭いのはご愛嬌。伝統楽器及びリズムの採用、キャッチーなタイトルチューン「Foré Böma」、Highlife風味の女性コーラスが印象的な「Des Liens」など聴きどころは多い。キャッチーなナンバーが多いが、lyricsは政府の検閲対象になるほど過激であることもお忘れなく。

その後ソロ活動へ。結成当初からのオリジナルメンバーであったAizeck'Oは、2006年を最後に音楽の世界と袂を分かち、グラフィックデザイナーへと転身した。Aizeck'Oの起こしたデザイン会社Köwöは、いまやギニアにおいてトップクラスのデザイン会社となっている。Kill Pointのマネージャー役でもあったKébéは、その経験を活かしプロモーター、ディレクター業へ転身。後進のアーティストが必ず名をあげるKill Point、ギニアに残した遺産は大きなものである。

Dynastie Ⓐ 2017

「Gnakry Kingdom」のように Hip Hop らしいトラックもあるのだが、「Mr la bêtise」のような Hip Hop というより、もはや Dancehall にしか聴こえないトラックばかりだ。それでもギニアではアーバン Hip Hop として認識されている。さらにマンディンカギター、コラといった民族楽器と現代的な電子サウンドのコラボは、まさにアフリカ風味の Hip Hop といえよう。

Degg J Force 3

Ⓜ 国：ギニア　◉ 出身地：コナクリ　🎤 拠点：コナクリ　🗘 活動期間：1997-
👤 グループ中心人物：Moussa、Ablaye　▶ 🎵 ∞ 171

正義・善・真実、三つのチカラを合わせ
　　　　真理を問うラップ戦隊！

　大西洋に面した首都コナクリ郊外の漁村の若者、Moussa と Ablaye (a.k.a Skandal) の M'baye 兄弟が 1997 年に結成。Digg はウォロフ語で「真理」という意味がある。1999 年には新人発掘を目的とする Kabako Promotion 主催の大会にて、Meilleure Chanson de Hip Hop Guinéen を獲得した。セネガルのダカールに滞在中、Daara J のメンバー Faada Freddy の力を借り、1st アルバム『Mach Allah』をレコーディング。2002 年のリリース時にはカセットテープ 8 万本近くと、好調なセールスを記録した。

　この成功により、ダカールやマリの首都バマコなど、西アフリカ地域でのフェスに参加。一躍人気者となる。ちょうどギニアでは、Kill Point がグループ空中分解を迎え、代わりに Degg J Force 3 がシーンの盟主となっていった。2nd アルバム『Reste indépendant』までは Moussa Camara (a.k.a Tupac) を加えたトリオであったが、2012 年の 3rd アルバム『Debrouillard』以降は再び M'baye 兄弟のデュオとして活動している。西アフリカ以外でもフランス、カナダ、アメリカといった地域でのレコーディング、ライブも行う。ギニアから最もワールドワイドに飛躍したグループのハシリといえよう。

　2004 年には、自らのレーベル Meurs Libre Prod (MLP) を設立、SARL Degg J Force 3 Bankhi として法人化。コナクリに Mach Allah Studios を構え、サウンドエンジニアリング、映像制作事業のほか、フェスの企画やアーティストのプロデュース、慈善事業への参加と多忙なビジネスマンの顔も持つようになった。

© : Facebook

Djanii Alfa

🅜 国：ギニア ●出身地：クンダラ ⓧ 拠点：コナクリ 🏛 生年：1985 ～ 活動期間：2002-
🎤 本名：Alpha Midiaou Bah ⏺ 別名義：Sicario ▶ ⬤ ⒸⒻ 75

護憲国民戦線幹部、クーデターで
亡命先から帰国！

　2019 年、ギニアで市民団体 FNDC（護憲国民戦線）のデモが活発化。コンデ大統領が憲法で規定される 3 選禁止に違反して大統領選に出馬、当選し権力の座に居座ったことが発端だ。2021 年 9 月には、ついにクーデターが発生。コンデ大統領は失脚、憲法は停止され軍事政権による暫定政府が発足した。このクーデター後、国外の逃亡先から帰国した 4 人の FNDC 幹部はコナクリの大群衆から英雄として迎えられた。そのうちの一人が Djanii Alfa である。

　1985 年、ギニア中部の街クンダラ生まれ。スペイン語で殺し屋を意味する Sicario のニックネームを持つ Djanii Alfa。初レコーディングは 1998 年だ。2004 年、留学先のダ

カールで友人と Katendecha を結成。Didier Awadi 監修の下、『Vueou Vécu』をレコーディングまで漕ぎつけるが、結局ボツとなった。帰国後の 2012 年、ソロとして『G 4 Life』をリリース。こちらは Guinée Music Awards にて Best Album & Best Rapper をダブル受賞した。2015 年『Rêvesd'Afrik』、2018 年『Sicario Schizo & Phrenie』、2022 年『Chef rebel』とアルバムをコンスタントにリリース。また、『Les 7 Jours De Bagdad』は、2021 年の Vol.1 を皮切りに Vol.3 までシリーズ化された。

　2022 年 7 月には SNS の書き込みが法廷侮辱罪として、司法長官直々の指令の下、逮捕起訴された。政権が代わっても弾圧されるのは理不尽としか言いようがない。

© : Facebook

Fina Fiino

Ⓐ 2018

全16トラック。当初CDはダカールのみでしか入手できなかった。2019年故郷のイベントに出演した際、メディア関係者に渡したCDがラジオでヘビロテとなり注目された。2019年にはYouTubeで全タイトル公開。ディアスポラのギニア人にも届いた。もっとも再生数が多いのは「Posson Doomi」だ。全編オーセンティックな手堅い路線。

Hezbo Rap

🏴 国：ギニア　📍出身地：レルマ　📍拠点：ダカール　💬 活動期間：2012-
👤 グループ中心人物：Muslim、Rebel Mic　📺 🔵 👥15

セネガルかぶれと批評される
ギニアを代表するラップ連合兄弟！

　Hezbo Rapは、ギニア中西部レルマ地方にルーツを持つギニア人のユニットである。里親兄弟であるMuslimとRebel Mic、そして2016年に亡くなった友人と共に、セネガルはダカールにて2012年結成。Hezboとはアラビア語で「連合」を意味する。じつはセネガルのギニア人移民は、一説には20万人程度で最大人口とされる。ただし、ECOWAS（西アフリカ諸国経済共同体）加盟国同士でパスポートやビザ不要で陸路入国可能なことと、IDカードの不法取得が横行しているため、実態はそれ以上と推測されている。

　2018年ミックステープ『Fina Fiino』をセネガルでリリースした。ギニアの首都コナクリでも評判となり、故郷のLabé Arts and Laughter Festivalに出演した。最初はRap Galsen標準のウォロフ語を採用していた。ギニアのプール語でラップしたところセネガルでも思いのほか受けたため、以降オーセンティックなビートとともに定番スタイルとなった。

　このため、音作りが古臭いと言われることもあるが、Generations224.comのインタビューでは「俺たちはトレンドに従わない、逆にトレンドを作る」と強気である。また、ギニアのシーンに対し、時折上から目線のコメントをするため、セネガルかぶれ、出羽守との批評もされる。

　2022年2月、アルバム『Nowawi Wondai』をドロップ。このアルバムを引っ提げ、ようやくコナクリのCanal Olympia Tomboliaにて初ライブ。長年待ち焦がれたコナクリのヘッズと喜びの瞬間を共有した。

📷: Facebook

Palava

Ⓐ 2003

全8トラック。内戦終結に際し、暴力の連鎖を止め、国土に平和をもたらすべく書かれたテキスト。このアルバムのヒットにより、名実ともにシエラレオネ Hip Hop の盟主となる。前年の『Paradise Records Compilation Vol.1』に収録された大ヒット「A-Bo」も収録されている。「A-Bo」はシエラレオネ初のクレオール語ラップ。

Yok 7

🏳 Ⓟ 国：シエラレオネ　◆出身地：フリータウン　◈拠点：フリータウン　💬活動期間：1998-
Ⓜ 本名：Yusif Osaio Kamara　▶️ ●※一部　◉ 1

シエラレオネの盟主、2002年 国内初クレオールラップ！

　シエラレオネの Hip Hop 史は少々特殊だ。1980年代より LL Cool J や Run D.M.C. といった名前は知られていたが、全く人気はなかった。ところが、1991年からの内戦で一変する。1990年代半ばまでに、多くの若者が 2Pac、Puff Daddy などの lyrics を暗記するほどとなっていた。反政府組織の革命統一戦線（RUF）でも、Hip Hop がツールとして使用された。2002年の終戦により、Hip Hop シーンも新時代を迎え、さらに拡大した。

　この年代に登場したのが、シエラレオネのゴッドファーザーと称され Da Snipper の異名を持つ Yok7 である。Yok は「Your Obelus Kaleidoscope」を、数字の7は一週間の曜日を意味する。フリータウン出身の Yok7 は内戦中ギニアに疎開、クラブやバーで演奏を始める。1999年にコンピレーション『Planet Sound Compilation』に参加。その後いくつかのシングルを発表し2003年、キャリアのターニングポイントとなるアルバム『Palava』をリリース。『Life and Death』『Pack N'Go』『Bobor for U Mot』『True Love』をリリース後、さらなる飛躍を求めアメリカに移住。新天地で2016年に『Face to Face』をドロップ。

　2017年には National Entertainment Awards にて Best Rap Artist を受賞。ナイジェリアの女性シンガー Teni との「Go Study Me Fine」、ジャマイカの Dancehall アーティスト Demarco との「Wine n Twerk」といった国際的なコラボレーションにも取り組んでいる。

©：Facebook

Greenlight

Ⓐ 2015

オーセンティックな「Feminine Era」、クラブバンガーな「Boom Bam Boom」はぜひ MV もチェックしたい。また、シエラレオネの大御所ラッパー Kao Denero のほか、R&B、Dancehall アーティストがゲスト参加。全 10 トラックと少な目ながら、非常にバラエティに富んだ構成となっている。

🏳 国：シエラレオネ　📍出身地：フリータウン　📍拠点：フリータウン　⏱ 活動期間：2010-
👤 本名：Philka Tenneh Kamara　▶ 　🎵　🆑 29

「おしっこ女帝」ではないと信じたい
奇抜ヘアスタイルの女ラッパー！

シエラレオネ内戦も終結すると、女性ラッパーの活躍も目立ってきた。この年代で最も注目を集めたのが Star Zero と Sisters with Attitude（SWA）。その後 SWA は解散。元メンバーの Willie Jay と Star Zero は 2013 年に女同士の激しい beef 合戦を演じ、裁判沙汰に。Star Zero が名誉毀損で勾留される騒ぎとなった。

Empress Pee はその beef 騒ぎの頃、レーベル REEMS Entertainment に見いだされデビューした。Pee は本名 Philka のイニシャルだと思われる。決してお下劣キーワードで出オチを狙ったわけではないと信じたい。重鎮ラッパー Kao Denero との「Comot Pan Dem Bad」をはじめ、「Boom Bam Boom」「Shout Out」「Watch Me」とヒットを飛ばし、人気者となった。2015 年、上記のヒット曲ほかを収録した 1st アルバム『Greenlight』をドロップ。このアルバム以降のシングル「Shout Out」「Small Girl Big God」など、売れ線狙いの R&B、Afrobeats 寄りとなった。しかし、YouTube や Facebook を参照する限り、キレのあるフリースタイルは健在だ。

またカラフルなヘアスタイルにも注目したい。デビュー当初は女子プロレスラーのアジャコングみたいなパンチパーマであったが、『Greenlight』あたりからはモヒカンヘア、そしてドレッドへと変化。次はどんなヘアスタイルでファンを驚かせるか見ものである。

© : Instagram

My Way　　　　　　　　Ⓐ 2012

2ndアルバム、厳しい首都モンロビアでの生活をテーマとした作品。ハイBPMのEDM、ReggaeトラックとHip Hopの枠を超えた音作りとなっている。このあたりはジャンルが混然一体となったアフリカらしい。前作よりもさらに政府の腐敗と怠慢を掘り下げている点にも注目。また、このアルバム以降に発表され、社会問題に切り込んだ「A Song for Hawa」「Gbagba is Corruption」も聴いておきたい。

Takun J

🇱🇷　📍 国：リベリア　◆出身地：モンロビア　🏠 拠点：モンロビア　🗓 生年：1981　〜 活動期間：2005-
👤 本名：Jonathan Koffa　▶️ 🎬※一部　💿 91

Hipco 第一人者、国会議員に
フルボッコされたユニセフ音楽大使！

　リベリアで独自に発展したHip Hopジャンル、Hipco。1980年代、アメリカからHip Hopが伝搬すると同時に首都モンロビアのゲットーで芽吹き、1990年代の内戦を経て、今日ではリベリア文化のスタンダードとなっている。そして非常に社会的政治的な内容を扱う。「Hipco」の「co」は、当地のピジン語であるコロクワ（Colloqua）の略だ。その名の通りピジン語で社会問題をラップする。「King of Hipco」として、リベリアで第一人者とされるのがここで紹介するTakun Jである。

　1981年生まれのTakun Jは、1989年から2003年まで続いたリベリアの第一次および第二次内戦を生き延びた。内戦が終結した高校生の頃、仲間とグループを結成したのが音楽キャリアのスタートである。2007年に1stアルバム『The Time』をリリース。アルバムのリードシングル「Policeman」は、リベリア国家警察の汚職警官をテーマとしている。アルバムお披露目ライブの際、いきなり乱入した警官に拉致され、フルボッコにされる事件が発生。穏便に済ませたい警察上層部により、即時釈放、実行犯を処分。傷だらけでライブ会場に戻ったという伝説を打ち立てた。

　Takun Jの影響力を重視したリベリア政府は、ジェンダー省のレイプ防止キャンペーンアンバサダー、教育省の児童向け腐敗防止ガイドブック執筆など重要な仕事を彼に与えた。さらにユニセフの音楽大使を務めるなど、活躍の幅を広げた。いずれもTakun Jの作品テーマと連動している。

　2013年、またもフルボッコにされる事件が発生。相手は国会議員のエドウィン・スノウだ。政府庁舎付近での些細な交通トラブルが原因ではあるが、政府の仕事を受けているとはいえ、扱うテーマがテーマだけに敵は多いようだ。

© : Facebook

CS2

🅰 2018

Bucky Raw の個人的な生活と引き換えに、彼をスーパースターに変えたアルバム。トラックのタイトルには前述のコロクワが目立つ。たとえば「Woomi」 は "Oh My" といった感じだ。また、Takun J をゲストに迎えた「Pro Poor Agenda」をはじめ、Trap Music から Reggae に至る収録曲は聴いていて飽きない。まさに、このバラエティさが Hipco を進化させた Trapco だ。

Bucky Raw

🏴 国：リベリア　📍出身地：モンロビア　📌拠点：モンロビア　📅生年：1984　⏱活動期間：2016-
👤本名：Karwoudou Cole　▶️ 🅰 ⓒ 188

リベリア独自ジャンル Hipco +Trap Music で Trapco 爆誕！

1984 年リベリアの首都モンロビアに生まれる。しかし、9 歳の時、家族とともに内戦に荒れる国を離れ、アメリカはフィラデルフィアに移住した。多くのリベリア人にとって苦難の時代である。ちなみに Bucky Raw が設立したレーベルは Child Soldier Entertainment だ。成人し家族もでき、このままフィラデルフィアで一生過ごすと思われた。ところが 2018 年、夫人に対する DV の容疑で逮捕、リベリアに強制送還されてしまう。この強制送還が Bucky Raw の音楽キャリアに大きな影響を与えた。

2016 年 の Liberian Entertainment Awards に出演。2017 年、在米中にミックステープ『Country Soda』をリリース。そしてリベリアに強制送還後、続編ともいえるミックステープ『CS2』をリリースした。この『CS2』、Takun J ら、リベリアのアー

ティストがゲスト参加。過激な lyrics が物議をかもしたものの、Billboard World Album Charts 10 位にランクインの快挙を成し遂げた。Bucky Raw はリベリアに戻ってからわずか 1 年で西アフリカのスターとなった。

2019 年の MTN Liberia Music Awards で は Artist of the Year と Video of the Year を受賞した。Bucky Raw のスタイルはリベリア独自の Hip Hop Hipco を拡張したものだ。長年暮らしたフィラデルフィア仕込みの Trap Music と併せて、自ら Trapco と呼んでいる。さらに、有名アクションスターにちなみ Trapco Chuck Norris を自称している。

Reggeton や Grime にインスパイアされたビートに、英語とコロクワで言葉を紡ぐスタイルは唯一無二である。政治的な lyrics 満載とはいえ、従来の Hipco よりも踊れるトラックが多いのも特徴だ。

偉大なる一発屋

Emphasis
📍 ナイジェリア ▶️

Big Deal!
🅐 1988

ストリートで使われる現地語をミックスしたピジン英語を採用。のちに Nollywood の著名映画監督となる Kingsley Ogoro がプロデュース。全6トラック、ローカル風味満載のアフロシンセファンク。代表的なトラック「Which One You Dey」で70年代アフリカンサイケの片鱗を感じ取ってみてはいかがだろうか。あわせて Junior & Pretty、Pretty Busy Boys もチェックだ。

アメリカから来襲

Sound On Sound
📍 ナイジェリア ▶️ 💿 2899

From Africa From Scratch
🅐 1991

ナイジェリア初の Hip Hop フルアルバム。全7トラック。シングルカットされた「I'm African」は Ron "Scratch" McBean と呼ばれていただけあり、スクラッチが光る。「Stand Up」ではレゲエの Ras Kimono がゲストだ。2018年に Premier Records よりリイシューされ、ストリーミングサービスで公開されている、こちらは「Give Me Your Love」抜きの6トラックとなる。

空中分解した双子のデュオ

P-Square
📍 ナイジェリア 🎧 💿 53096

Game Over
🅐 2007

双子の兄弟からなる R&B 系デュオ。P-Square 史上最も売れたのが、この 3rd アルバム。全世界で800万枚のセールスを記録したという。キャッチーな Pop アルバムに仕上がっている。2011年には Akon のレーベルと契約、Rick Ross とレコーディングするなど、Hip Hop に寄ってきた。しかし、2016年にマネジメントを巡る意見の相違で解散。2021年にこの兄弟げんかはようやく和解を迎えた。

ヨルバ語の高速連射

9ice
📍 ナイジェリア 🗓 1980 ▶️ 🎧 💿 12670

Gongo Aso
🅐 2008

2000年代よりヨルバ語の lyrics を自由自在、パワフルにビートの上で捌きまくると評判の9ice。1996年自主制作のデモを録音、こちらは日の目を見ることはなかった。公式デビューは2000年の「Little Money」まで待たなければならなかった。2008年にリリースされたこのアルバム。タイトルチューンのヒットによりロンドンで開催されたネルソン・マンデラ生誕90周年記念コンサートに出演を果たした。

イモ州知事よりラゴス連絡担当特別補佐官任命

Naeto C
📍 ナイジェリア 🗓 1982 💿 6401

U Know My P
🅐 2008

リリース後の10年間（2008-2017）、ナイジェリアにて最高傑作と評されるアルバム。そのセールスは100万枚以上の記録を誇る。1980年代 AOR 風のイントロからハードな Verse に変化する「Sitting on Top」はデビューシングルでもある。Naeto C はアメリカのジョージワシントン大学卒業 (2004)、スコットランドのダンディー大学大学院修士課程修了 (2020) と、活動の傍ら勉学に励んだインテリでもある。

ヨルバ&ピジン英語採用も夭折

Dagrin
📍 ナイジェリア 🗓 1984-2010 🎧 💿 1620

C.E.O
🅐 2009

ナイジェリアにおけるヨルバ語とピジン語 Rap のパイオニア。そんな彼の 2nd アルバムだ。アルバムタイトルは最高経営責任者を意味する CEO ではなく、Chief Executive Omota の略。Omota とはヨルバ語で「Thug」の意味である。このアルバムのリリース翌年、交通事故にて25歳の若さで没。トラック1「Ghetto Dream」と同名の伝記映画が没後の2011年に公開された。

最も影響力のあるアフリカ人 100 人選出
Davido　🏴 ナイジェリア　📅 1992　▶ 🎵 ♾ 142414

Omo Baba Olowo　Ⓐ 2011

OO1 of Afrobeats と評される Davido の 1st アルバム。タイトルはヨルバ語で「金持ちの息子」の意である。Hip Hop と Afrobeats を融合したものの、概ね批評家からは dis られ、なかでも『Hip Hop World Magazine』では星 1 個と酷評であった。とはいえ、The Headies では Best R&B/Pop Album を受賞している。先行シングルは「Back When」など 4 枚。

大物ゲスト 1st アルバムでブレイク
Ice Prince　🏴 ナイジェリア　📅 1984　▶ 🎵 ♾ 19119

Everybody Loves Ice Prince　Ⓐ 2011

ELI という略称もある Ice Prince のデビューアルバム。既にシングルヒットで人気者となっていた頃、母親の死に際し多くのファンから暖かいメッセージを受け取ったことから、このタイトルに決定した。「ただのラッパー」と見られることを避けるため、意図的に R&B、Dancehall に寄せたとのこと。結果、典型的な Afrobeats サウンドとなった。批評家から売れ線狙いとの批判を受けたが、セールスは爆発的であった。

『Time』誌「会いたい世界のラッパー」掲載
Reminisce　🏴 ナイジェリア　📅 1981　🎵 ♾ 8839

Alaga Ibile　Ⓐ 2013

2008 年、大学卒業と同時に音楽の道に進む。9ice のアルバム『Gongo Aso』レコーディングへの参加がキャリアのスタートとなる。2014 年、『Time』誌は Reminisce を「会いたい世界のラッパー」7 人のうちの 1 人に挙げた。こちらの 2nd アルバム『Alaga Ibile』には Wizkid、Naeto C、Davido、Olamide といった重鎮がゲスト。リリースから 1 年で推定 100 万枚のセールスを記録した。

00 年代 Afrobeats の女王
Tiwa Savage　🏴 ナイジェリア　📅 1980　▶ 🎵 ♾ 126969

Once Upon a Time　Ⓐ 2013

毒舌 Simon Cowell で有名なイギリスのオーディション番組『The X Factor』出身。今では Afrobeats の女王と称される彼女だが、この番組では決勝まで進むも敗退。この経験は重要だったと語る。こちらは彼女の 1st アルバム、ボーナス含む全 21 トラック収録。凡庸との指摘もあったが、概ね批評家にも好評であった。Sarkodie、Iceberg Slim、General Pype がゲスト参加している

2010 年代を代表する美女ラッパー
Eva Alordiah　🏴 ナイジェリア　📅 1989　▶ 🎵 ♾ 271

1960　Ⓐ 2013

高校生の頃、古着を販売したりモデルの仕事に就くなどして、学費とレコーディング費用を稼いだという。そんな彼女の人生を決定づけたアルバムだ。Femi Kuti、Yemi Alade、Olamide、Sarkodie といった重鎮をゲストに迎えた。「Deaf」「War Coming」は先行リリース、さらに MV も制作され、ルックスの良さもテレビ受けしヒットした。婚約者との破局などでうつ病となり、表舞台から消え、活動はごく控えめとなってしまった。

詐欺メールトラックでタイーホ
Naira Marley　🏴 ナイジェリア　📅 1991　▶ 🎵 ♾ 20105

Issa Goal　Ⓐ 2017

カンのいい読者ならお気づきだろうが、ステージ名はあの Bob Marley から拝借。Street Hop 新世代である、国際ロマンス詐欺をテーマとした「Am I a Yahoo Boy」リリース日に、経済金融犯罪委員会 (EFCC) によって逮捕された逸話の持ち主だ。「Issa Goal」は、2018 FIFA ワールドカップにてナイジェリアナショナルチームのテーマソング。Olamide と Lil Kesh のスーパーアシストで大ヒットした。

自称「アフリカで最高のラッパー」

Blaqbonez
📍 ナイジェリア 🎂 1996
▶ 🎵 💿 15207

Bad Boy Blaq
Ⓐ 2018

「アフリカで最高のラッパー」イキリ宣言は disトラックへの返答であり、ナイジェリアシーンを目覚めさせる必要があると『The Punch』紙とのインタビューで答えている。田原俊彦の「ビッグ発言」を思わせるが、これで干された様子はない。こちらのアルバムはそのイキリ宣言に関連し、ナイジェリアの Hip Hop を再認識させようとするシリーズ、L.A.M.B プロジェクトの一環として M.I Abaga が製作総指揮にてリリースされた。

Davido の子分

Dremo
📍 ナイジェリア 🎂 1993
▶ 🎵 💿 2842

Codename, Vol. 1
Ⓐ 2018

2016 年、大学を中退し Davido が設立したレーベル DMW と契約。Davido が彼に電話した日は 4 月 1 日だったので、エイプリルフールで騙されたと思ったとのこと。こちらは初の EP。ラッパーを標榜しながら Afrobeats ナンバーばかりのナイジェリアだが、この EP の Hip Hop 度は高い方だ。収録の Davido を ft した「KPA」がスマッシュヒット。女の子にモテモテになったそうだ。

子供時代は路上でプッシャー

Erigga
📍 ナイジェリア 🎂 1987
▶ 🎵 💿 773

The Erigma II
Ⓐ 2019

デルタ州ワリのストリート出身。この地は誘拐、石油泥棒、武装強盗、麻薬など修羅の国。Erigga も少年時代よりそのすべてにさらされ、最終的には逮捕され、刑務所行きとなった。出所後は音楽に専念、ニジェール・デルタの若者の葛藤を伝えている。全 18 トラックの『The Erigma II』では Victor AD、Zlatan、Magnito、M.I Abaga、Ice Prince、Vector などがゲスト参加した 。

Olamide のリミックス参加で出世

Ycee
📍 ナイジェリア 🎂 1993
▶ 🎵 💿 35744

Ycee vs Zaheer
Ⓐ 2019

2015 年、Patoranking をゲストに迎えた「Condo」で頭角を現し、Olamide の目に留まった Ycee の 1st アルバム。2017 年のデビュー EP『First Wave』と、2018 年の Bella Alubo とのコラボ EP『Late Night Vibrations』のフォローアップでもある。Afrobeats 度は少々高いながらも、Trap ナンバー「Cheque」も収録。トレンドもしっかり押さえている。

FC バイエルン・ミュンヘンのテーマ曲に採用

Fireboy DML
📍 ナイジェリア 🎂 1996
▶ 🎵 💿 219467

Laughter, Tears and Goosebumps
Ⓐ 2019

Burna Boy に続く注目株と評される Fireboy DML。Olamide のレーベル YBNL に所属している。こちらは彼の 3rd アルバム。大ヒット「Peru」はオリジナルに加え、グラミー賞 4 回受賞の Ed Sheeran バージョンも収録。こちらはアメリカの Billboard にチャートイン。イギリスのチャートでは 2 位まで上昇した。多様なジャンルを良質な Afrobeats に昇華している見本のようなアルバム。

Apple Music で記録破り

Asake
📍 ナイジェリア 🎂 1995
▶ 🎵 💿 71907

Mr. Money with the Vibe.
Ⓐ 2022

2020 年デビュー。2022 年には Olamide の YBNL Records にサイン。このアルバム、リリースと同時に Apple Music アフリカ系最大オープニングデイ記録を破った。Billboard 200 でもいきなり 66 位に登場し、ナイジェリア発のデビューアルバムとしては同チャート史上最高位を記録した。Audiomack からは 3 億 3000 万回以上のストリーミングにより Artist of the Year を贈られた。

スウィングの神様

Almighty
📍 コートジボワール
📅 1973-2014
🎵

Le dieu du swing
🅐 1995

1990 年代、コートジボワール Hip Hop シーンの覇権を争った二人の神がいた。La Flotte Impériale（帝国艦隊！）を率いた Stezo と Ministère Authentik を率いた Almighty のことだ。この二人、コートジボワールでは Notorious B.I.G. と 2Pac の東西戦争にたとえられる。この二人の競争により、シーンのレベルは格段に向上した。このアルバムはまさにスウィングの神様を体現している。

Fante Rap の神

Kofi Kinaata
📍 ガーナ
📅 1990
🎵 1455

Things Fall Apart
🅐 2019

西部州の州都セコンディ・タコラディ出身の Kofi Kinaata。その出自が示す通り、ファンティ語によるユニークな rhyme スキームとファンティ伝統のことわざを取り入れた lyrics を身の上だ。また、ガーナナショナルサッカーチーム Ghana Black Stars にも気に入られ、AFCON 2017 ではゴールが決まるたび選手は「Confession」を踊った。こちらは 2019 年の大ヒット作品。絵に描いたような Hiplife。

Hiplife 普及に貢献

Jay Q
📍 ガーナ
📅 1977
🎵 740

Jama & Hiplife King
🅐 2020

Hiplife 初期シーンから活躍するプロデューサー。手掛けたのは 4x4、Buk Bak、Mzbel、Obrafour らミレニアム近辺ではお馴染みの Hiplife アーティスト達だ。Jay Q 最大の功績は Jama と Kpanlogo といったガーナ伝統のリズムを採用したことである。こちらはそんな彼の集大成ともいえるコンピレーションアルバム。Hiplife を知る上では必須の 1 枚ともいえる。

Drill で国民的ヒット

Black Sherif
📍 ガーナ
📅 2002
🎵 23650

The Villain I Never Was
🅐 2022

世界的に評価されているガーナの Drill。2022 年 3 月のシングル「Kwaku the Traveler」がガーナとナイジェリアの Apple Music チャートで 1 位を獲得。MV は 1900 万回以上 YouTube で再生された。こちらはデビューアルバム、もちろん「Kwaku the Traveler」も収録。同じく大ヒットの「Second Sermon」は Burna Boy をゲストに迎えたリミックス版収録となっている。

マリで最も影響力のあるラッパー

Amkoullel
📍 マリ
📅 1979
🎵 271

Infaculté Mali Kalan Ko!
🅐 2002

1993 年より活動、マリの偉大な作家 Amadou Hampâté Bâ(1901-1991) の子孫でもある。そのせいか、非常に社会問題や政治にコミットしている。2012 年の軍事クーデターの際には「SOS」が政府により検閲、度重なる殺害予告を受けるなど、コンシャスラッパーに降りかかる災難は一通り経験している。こちらは初のソロアルバム。マリの人口の 60% は 25 歳以下であるため、若者へのメッセージだ。

人民宮殿の路上から登場

Straiker
📍 ギニア
📅 1998
🎵 25

Poullosophie
🅐 2022

2018 年大学デビュー。コナクリの人民宮殿前の歩道を皮切りに、ギニア各地でコンサート。2021 年には初の海外遠征としてシェラレオネのフリータウンのフェスに出演。このアルバムの収録曲「M'badjo（一人息子）」は、実際起きた事件をヒントにし、ギニアとアフリカ全土の政治デモの犠牲者たちに捧げるものだ。現在のギニアの社会政治状況を切り取ったものとして共感を呼び、アルバム中最大のヒットを記録した。

あとがき

　本書を発行する出版社パブリブの記念すべき第一弾書籍は『デスメタルアフリカ』（2015）である。発刊時には話題となり、人気TV番組『タモリ倶楽部』でも特集され著者のハマザキカク氏も出演した。また、ハマザキカク氏は、同社刊、平井ナタリア恵美著『ヒップホップ東欧』（2017）の対談コーナーにて「いつか『ヒップホップアフリカ』をやってみたい」と発言、同時に「無尽蔵に出てきそうで」と不安感も語っていた。

　その不安感は大当たり、と言いたい。早くは1980年代からシーンが形成されたアフリカのHip Hop、そしてサブサハラ地域だけで49か国のシーンが存在する計算となる。都市ごとのシーンともなれば気が遠くなりそうだ。そのため、限られたページ数を考慮しチョイスに苦労した。じつは、得意なガーナから執筆を始めたところ、本当に無尽蔵に出てくるアーティストを積み上げていったら、2000ページを超える計算となった。そうなると店頭で手に取ってもらえる価格の実現は不可能だし、執筆時間もとてつもなくなるため、編集会議で208ページで収まるように逆算。それでも224ページに膨れ上がってしまった。なので網羅しきれない部分に関しては平にご容赦いただきたいと思う。有名人だけ載せるのであればネットで事足りてしまうので、バランスを考えガチ勢からネタ系まで年代ごとに揃えた。また、ジャンルの境界が曖昧なため、周辺ジャンルが混在している点は『デスメタルアフリカ』と同様だ。この点に関しては元々Hip Hop界隈に生息していたが、別ジャンルに転向したアーティストにも当てはまる。各国のシーンを知る上で重要な人脈や影響力などを鑑み敢えて掲載している点も御承知おきいただきたい。

　筆者は、リアルタイムにHip Hop Golden Ageを経験した世代ではある。当時同じくGolden Ageであったメタルを聴いていたので、Run D.M.C.とAerosmithによる「Walk This Way」に新時代の到来を感じた。初めて買ったHip HopのCDはLL Cool Jの『Bigger and Deffer』だった記憶がある。アフリカンHip Hopとの出会いはいつだっただろうか、あまりよく覚えていない。何かのコメディ映画のBGMに流れる不思議なビートのラップに魅了されたのが最初だった気がする。それがガーナで独自進化したHiplifeと知り、そのルーツであるHighlifeまで掘りまくり、周辺国に手を出し、さらに周辺ジャンルまで、といった具合でネタを蓄えた。そうこうしているうちにパブリブのハマザキカク氏からオファーがあったという次第である。

　そして、多忙にもかかわらずインタビューに対応していただいたアーティストの方々には、感謝の気持ちでいっぱいだ。シーン創成期から活躍のレジェンドともいえる南アフリカのEmile YX?とケニアのColloの両氏。そして日本のポップカルチャーを愛するAkatsuki SN、祖国を脱出したMartial Pa'nucci、モンバサの盟主Kaa La Motoの各氏、本当に感謝。そして、毎回オモシロ企画を振ってくるハマザキカク氏に感謝、また一緒にお仕事しましょう。感謝の気持ちを書いていたら、ありがちな日本語ラップみたいになってしまった（笑）。

参考になる国内サイトなど

名前	（敬称略）	URL
after you	『ポップ・アフリカ800　アフリカン・ミュージック・ディスク・ガイド』など著作の多い荻原和也のブログ	https://bunboni58.blog.ss-blog.jp
El Sur Records	東京渋谷のWorld Music Disc Shop	http://elsurrecords.com
Metal Butterfly	アオキシゲユキ（アフリカ音楽キュレーター）	https://note.com/metal_butterfly/
@hidesumix	吉本秀純 music journalist『アフロ・ポップ・ディスク・ガイド』など著作多数	https://twitter.com/hidesumix
@9jaGambare	音楽をはじめ政治経済文化に詳しいナイジェリア専門家	https://twitter.com/9jaGambare
Global Beats 〜 00年代以降の民族音楽	平林住職（ex: 三毛猫坊）ワールドミュージックブログ	http://blog.livedoor.jp/mikenekobo/
@mitokon	アフリカの音楽事情を発信するTYO GQOMのクルー	https://twitter.com/mitokon
JET SET	アフリカにも強い京都のレコードショップ	https://www.jetsetrecords.net
DESERT JAZZ	アフリカのレアグループ情報満載	https://desertjazz.exblog.jp
Black Beauty	ポルトガル語圏アフリカの音楽情報アリ	https://hisashitoshima.cocolog-nifty.com

参考文献

Eric Charry, *Hip Hop Africa: New African Music in a Globalizing World (African Expressive Cultures)*, (Indiana University Pres, 2012.

Issac Akrong, *Hip life music: re-defining Ghanaian culture (1990-2012)*, York University, 2012.

Redy Wilson Lima, *Rappers Cabo-Verdianos e Participação Política Juvenil*, Revista TOMO, 2012.

Mickie Mwanzia Koster, *The Hip Hop Revolution in Kenya:Ukoo Flani Mau Mau, Youth Politics and Memory, 1990-2012*, The Journal of Pan African Studies, 2013.

Innocent Bora Uzima, *Innovation de la musique rap sur la jeunesse de la RD Congo: Du nouveau style à une nouvelle culture*, Presses Académiques Francophones, 2013.

Boima Tucker, *Musical Violence. Gangsta Rap and Politics in Sierra Leone*, Nordic Africa Institute, 2013.

Andrea Grant, *kigali boyz Living under "quiet insecurity" Religion and popular culture in postgenocide Rwanda*, University of Oxford, 2015.

Federica Lupati, *An Introduction to Hip-Hop Culture in Guinea-Bissau: The Guinean Raperu*, Universidade NOVA de Lisboa, 2016.

Asmait Futusumbrhan, *Eritrean Hip-Hop Rhythms*, Eritrea Profile, 2017.

Luana Soares de Souza, *Entrevista com o grupo angolano de hip hop "Filhos da ala este"*, Universidade de São Paulo (USP), 2017.

Catherine M. Appert, *In Hip Hop Time: Music, Memory, and Social Change in Urban Senegal*, Oxford Academic Books, 2018.

John Collins, *Highlife Time 3*, DAkpabli & Associates, 2018.

Melissa Ursula Dawn Goldsmith, Anthony J. Fonseca, *Hip Hop around the World: An Encyclopedia*, Greenwood Pub Group, 2018.

Heidi Feldman,etc, *Popular Music of the World, Volume 12(Sub-Saharan Africa)*, Bloomsbury, 2019.

Natnael Yebio W., *Ermias Caps off his Victory Lap with Two Grammys*, Eritrea Profile, 2020.

Wale Adedeji, Music, *Style and Message: A Classification of Major Themes in Nigerian Hip Hop*, Elizade University, 2022.

大田省一「南方主義建築の系譜──南のモダニズム・フランス植民地での実践（『10＋1』NO.23)」(INAX 出版、2001 年)

鈴木裕之「アビジャン・ラップとストリート文化の「商品化」アフリカに生まれるショウ・ビジネスという経済課程」(アフリカ研究、2002 年)

ダースレイダー『ディスク・ガイド・シリーズ ヒップホップ (ディスク・ガイド・シリーズ NO. 30)』(シンコーミュージック、2007 年)

小川さやか「ウジャンジャの競演／共演空間としてのタンザニアのポピュラー音楽「ボンゴ・フレーバ」」(『くにたち人類学研究』vol. 3、2008 年)

荻原和也『ポップアフリカ 700 アフリカンミュージックディスクガイド』(アルテスパブリッシング、2009 年)

関口義人『ヒップホップ！黒い断層と 21 世紀』(青弓社、2013 年)

吉本秀純『アフロ・ポップ・ディスク・ガイド』(シンコーミュージック、2014 年)

内山智絵「セネガルにおけるギニア人」(在セネガル日本国大使館、2014 年)

陣野俊史「ラップ，フランス，フランコフォン（第 7 回「フランコフォニーを発見しよう！」における 講演)」(立教大学、2015 年)

鳥居咲子『ヒップホップコリア：韓国語ラップ読本』(パブリブ、2016 年)

平井ナタリア恵美『ヒップホップ東欧：西スラヴ語＆マジャル語ラップ読本』(パブリブ、2017 年)

矢野原佑史『カメルーンにおけるヒップホップ・カルチャーの民族誌』(京都大学、2017 年)

島田周平『物語 ナイジェリアの歴史 -「アフリカの巨人」の実像』(中公新書、2019 年)

原田武「カッパーベルト・ザンビア銅鉱業の最近の動向」(独立行政法人石油天然ガス・金属鉱物資源機構、2021 年)

イターシャ・L・ウォマック『アフロフューチャリズム ブラック・カルチャーと未来の想像力』(フィルムアート社 2022 年)

『エリアスタディシリーズ』(カリブ海世界ほかアフリカ諸国すべて、明石書店)

岩田宇伯
Takanori Iwata

オールラウンダーを目指す永遠のプロ無職。2018 年 4 月、中国で話題の書となった『中国抗日ドラマ読本』上梓。2020 年 10 月コロナ禍のなか、世界のコロナを集めた『コロナマニア』上梓。2022 年、中国のクソ真面目番組からお下劣番組まで網羅した『中国テレビ番組ガイドブック』上梓。局地的に中国ネタの人と認識されているが、「オモシロイ」「カッコイイ」「キモチイイ」と感じた対象には、見境なく突撃する習性を持つ。そのため多ジャンルにわたり、わけのわからないグッズをコレクション。また、自室に DJ ブースを設置、外人のマネをして DJ ブースに観葉植物を飾るうちに、家族の部屋まで進出。ついには庭を大改造ガーデニングするまでに至ったというマニア傾向あり。
@dqnfr X（旧 Twitter）
sakaisaurabi@gmail.com

ヒップホップグローバル Vol.1
ヒップホップコリア
韓国語ラップ読本

鳥居咲子

子音で終わるパッチムや激音・濃音の語感の良さ！罵倒語の豊富さ！ 英語堪能な移民二世や帰国子女！ 日本の歌謡曲や演歌・カラオケと通じる親近感！ 韓流アイドル並のルックス！ K-HIPHOP 大ブレーク！
A5 判並製 192 ページ 2,200 円＋税

ヒップホップグローバル Vol.3
ヒップホップアフリカ
サブサハラ 49 ヵ国ラップ読本

2023 年 11 月 1 日 初版第 1 刷発行
著者：岩田宇伯
装幀＆デザイン：合同会社パブリブ
発行人：濱崎誉史朗
発行所：合同会社パブリブ
〒 103-0004
東京都中央区東日本橋 2 丁目 28 番 4 号
日本橋 CET ビル 2 階
03-6383-1810
office@publibjp.com
印刷＆製本：シナノ印刷株式会社

世界過激音楽 Vol.1
デスメタルアフリカ
暗黒大陸の暗黒音楽

ハマザキカク

アフリカ大陸に存在するデスメタル・ブラックメタル・スラッシュメタル・グラインドコア・デスコア・ペイガンフォークメタルなど過激なバンド達をほぼ網羅的に紹介！
A5 判並製 160 ページ 1,600 円＋税